FOLIO JUNIOR

Louis Lapierre

Titre original : *The Lives of Christopher Chant*
Édition originale publiée par Methuen Children's Books Ltd., Londres, 1988

Diana Wynne Jones

LES NEUF VIES DU MAGICIEN

Traduit de l'anglais
par Sylvie Simon

FOLIO JUNIOR/**GALLIMARD** JEUNESSE

Ce livre est pour Léo
qui a reçu un jour un grand coup de batte sur la tête
Diana Wynne Jones

Note de l'auteur :
Cette histoire s'est déroulée plus de vingt-cinq ans avant les événements relatés dans Ma sœur est une sorcière.

Chapitre 1

Pendant des années, Christopher ne parla à personne de ses rêves. Pour la simple raison qu'il passait le plus clair de son temps dans des nurseries tout en haut d'une grande maison à Londres, et les dames de la nursery qui s'occupaient de lui changeaient presque tous les mois.

Il voyait à peine ses parents. Quand Christopher était petit, il était horrifié par l'idée qu'il pourrait un beau jour croiser papa dans le parc sans le reconnaître. Il lui arrivait de s'agenouiller et de regarder à travers la balustrade de l'escalier les rares fois où papa revenait de la City avant qu'on l'envoie se coucher, dans l'espoir de fixer ses traits dans sa mémoire. Mais il n'avait que la vision tronquée d'une silhouette en redingote avec de gros favoris noirs soigneusement peignés, qui tendait un haut-de-forme noir au domestique, puis il voyait une raie blanche et nette au milieu de cheveux noirs, enfin papa s'éloignait à grands pas, hors d'atteinte. Excepté que papa était plus grand que la plupart des domestiques, Christopher savait fort peu de choses de lui.

Certains soirs, lorsque maman attendait papa sur les marches de l'escalier, Christopher était aveuglé par de larges jupes de soie et tout un bouillonnement de plis et de volants.

– Rappelez à Monsieur, disait-elle au domestique d'une voix glaciale, que nous donnons une soirée et qu'on le prie, une fois dans sa vie, de tenir son rôle de maître de maison.

Papa, dissimulé derrière les amples vêtements de maman, répondait d'une voix d'outre-tombe :

– Dites à Madame que j'ai apporté de mon bureau une quantité substantielle de travail que je dois effectuer ce soir. Dites-lui bien qu'il lui aurait fallu me prévenir.

– Faites savoir à Monsieur, répondait maman au domestique, que si je l'avais prévenu, il aurait trouvé un prétexte pour être absent. Insistez sur le fait que c'est grâce à mon argent qu'il est en mesure de travailler et que je récupérerai mes fonds s'il ne consent pas à me rendre ce menu service.

Alors papa poussait un soupir.

– Dites à Madame que je monte me changer, disait-il, contraint et forcé, et demandez-lui de dégager les escaliers.

Maman ne bougeait jamais, au grand regret de Christopher. Chaque fois, elle ramassait toutes ses jupes et se propulsait la première jusqu'en haut des marches, afin de s'assurer que papa exécutait bien ses volontés. Maman avait de gros yeux luisants, une silhouette parfaite et de petits tas de boucles brunes et brillantes sur la tête. Les dames de la nursery disaient à Christopher que maman était une beauté. A cette époque de sa vie, Christopher pensait que tous les parents étaient comme les siens ; mais il aurait vraiment aimé que maman lui laisse voir papa en entier, juste une fois.

Il pensait aussi que tout le monde rêvait comme lui. Il pensait que cela ne valait même pas la peine d'en parler. Ses rêves commençaient toujours de la même manière. Christopher sortait de son lit, marchait le long du mur de la nursery, là où une cheminée faisait saillie, et se retrouvait sur un chemin de crête surplombant une vallée. La vallée était verte et profonde, avec un fleuve qui cascadait en son milieu, mais Christopher n'eut jamais envie de descendre et de suivre le cours du fleuve. Il suivait plutôt le chemin qui serpentait le long du rocher et arrivait en un lieu qu'il avait baptisé le Passage. Christopher pensait qu'il s'agissait sans doute d'une espèce de brouillon du monde, avant que quelqu'un vienne mettre le travail au propre. Des amas de rochers emplissaient l'horizon de leur masse informe. Certains s'élevaient hardiment vers le ciel, d'autres n'étaient que des éboulis, sans forme distincte, sans contour précis. Et sans véritable couleur – la plupart étaient de ce vilain marron qu'on obtient en mélangeant toutes les couleurs d'une boîte de peinture. Un brouillard humide baignait ce lieu en permanence et le rendait plus fantomatique encore. On ne voyait jamais vraiment le ciel. Christopher se disait parfois qu'il n'y en avait peut-être pas : il se demandait si les rochers informes ne s'élevaient pas en une arche immense au-dessus de sa tête, mais après réflexion il se disait que c'était impossible.

Christopher eut toujours la certitude qu'on pouvait arriver dans l'Au-Delà en empruntant le Passage.

Il appelait cet endroit l'Au-Delà parce que c'était un endroit qui n'aimait pas recevoir de visiteurs. Ce n'était pas très loin, mais il lui était toujours impossible d'y pénétrer. Il trébuchait, grimpait et glissait sur les rochers humides, escaladait et descendait, et découvrait une autre vallée, un autre chemin. Des centaines de vallées et de chemins. Il appelait ces endroits les Ailleurs.

Les Ailleurs étaient en général très différents de Londres. Il y faisait plus chaud, ou plus froid, il y avait des arbres étranges et des maisons plus étranges encore. Parfois les gens avaient l'air normal, parfois leur peau était bleuâtre ou rougeâtre, ils avaient un regard bizarre, mais ils étaient toujours très gentils avec Christopher. Chaque nuit il lui arrivait une nouvelle aventure. Parfois il y avait de l'action : des gens l'aidaient à s'échapper en passant par les caves de maisons insolites, ou encore il leur venait en aide pendant la guerre, ou il les aidait à dompter des animaux dangereux. Parfois encore c'était plus calme : il découvrait des nourritures inconnues et des gens lui offraient des jouets. Il en perdait la plupart sur le chemin du retour en escaladant les rochers, mais il parvenait à rapporter le collier de coquillages luisants que des dames excentriques lui avaient donné parce qu'il avais pris la précaution de le mettre à son cou.

Il alla souvent dans l'Ailleurs où vivaient les dames excentriques. Il y avait une mer bleue et une plage blanche. C'était un endroit merveilleux pour faire des châteaux de sable. Il y avait des gens normaux, mais Christopher ne les vit que de loin. Les dames excentriques vinrent s'asseoir sur des rochers à fleur d'eau et pouffèrent de rire en le voyant bâtir ses châteaux.

– Oh, Klistof, susurraient-elles d'une voix suave. Tu es sûrement un petit poisson polisson ! Et elles éclataient d'un rire suraigu.

C'était la première fois qu'il voyait des dames déshabillées. Leur peau avait des reflets verts, tout comme leurs cheveux. Il était fasciné par leur longue queue argentée qui se tordait et bougeait comme celle des poissons, quand les dames envoyaient des gerbes d'écume dans sa direction avec leur unique jambe. Il ne parvint jamais à les convaincre qu'il n'était pas un étrange animal appelé Klistof.

Chaque fois qu'il rentrait de cet Ailleurs, la dame de la nursery se plaignait de trouver du sable dans ses draps. Il avait compris bien vite qu'elles protesteraient davantage si son pyjama était sali, mouillé et froissé ; alors il emporta des vêtements de rechange et le laissa sur le chemin du Passage. Il devait prendre des habits neufs environ tous les ans, à mesure qu'il grandissait, mais les dames de la nursery changeaient si souvent que personne ne s'aperçut de rien. Elles ne s'aperçurent pas non plus que, au cours des années, il rapportait des jouets bizarres. Un dragon mécanique, un cheval qui était en réalité une flûte, et le collier que lui avaient donné les dames excentriques : si on le regardait attentivement, on voyait que les coquillages étaient autant de petits crânes nacrés.

Christopher pensait souvent aux dames excentriques. Il regardait les pieds de la nouvelle dame de la nursery et se disait que ce devait être pour ranger ses nageoires qu'elle portait de si grandes chaussures. On ne pouvait jamais savoir, avec les dames, parce que tout était caché sous les habits. Il se demandait comment maman et les dames de la nursery arrivaient à se déplacer aussi facilement sur leur grande queue.

Il eut la réponse à sa question par hasard, un après-midi que la dame de la nursery lui enfila un affreux costume de marin et le fit descendre au salon. Il y avait maman et plusieurs dames, dont une lady Badgett qui était une espèce de cousine de papa. Elle avait voulu voir Christopher. Christopher regarda son long nez et ses rides.

– Maman, est-ce que c'est une sorcière ? demanda-t-il à haute et intelligible voix.

Tout le monde – sauf lady Badgett qui eut l'air tout à coup beaucoup plus ridée – dit « Chut ! chut ! chéri ». Après quoi Christopher s'aperçut avec soulagement qu'elles l'ignoraient tout à fait. Il s'allongea tranquillement sur le tapis puis roula d'une dame à l'autre. Quand elles réussirent à l'attraper, il était sous le sofa et observait les dessous de lady Badgett. Il tomba en disgrâce et fut mis à la porte, très déçu d'avoir découvert que toutes les dames avaient de grandes et grosses jambes, sauf lady Badgett : les siennes étaient maigres et jaunes comme celles des poulets.

Plus tard, maman le fit venir dans son boudoir.

– Oh ! Christopher, comment as-tu osé ! dit-elle. C'était la première fois que lady Badgett acceptait mon invitation, et elle ne reviendra plus jamais maintenant. Tu as réduit à néant des années de travail !

Christopher comprit qu'être une beauté était le résultat d'un travail acharné. Maman s'affairait face au miroir de sa coiffeuse couverte d'une multitude de petits flacons de verre taillé et de grands pots. Derrière elle, une dame avait l'air de travailler dur, bien plus dur que les dames de la nursery, et s'acharnait sur les boucles luisantes de maman. Christopher se sentit si honteux d'avoir gâché tout ce travail qu'il se saisit d'un pot de verre pour cacher son désarroi.

Maman lui ordonna de le remettre à sa place.

– L'argent n'est pas tout, vois-tu Christopher, expliqua-t-elle. Avoir une bonne position sociale est bien plus important. Lady Badgett aurait pu nous être utile à tous deux. Pourquoi crois-tu donc que j'ai épousé ton papa ?

Christopher n'avait pas la moindre idée de ce qui avait pu rapprocher papa et maman, aussi tendit-il la main pour reprendre le pot. Mais se souvenant juste à temps qu'il n'avait pas le droit d'y toucher, il prit à la place une grosse touffe de faux cheveux. Il l'enroula autour de ses doigts tandis que maman continuait à parler.

– Tu vas devenir grand, papa a une bonne famille et maman a de l'argent, dit-elle. Je veux que tu me promettes maintenant que tu ne fréquenteras que des gens de la bonne société. Maman veut que tu sois un grand homme – Christopher, tu m'écoutes ?

Christopher avait renoncé à comprendre maman. Il brandit les faux cheveux.

– A quoi ça sert ?

– A donner du volume à mes cheveux, répondit maman. Sois attentif s'il te plaît, Christopher. Il est très important que tu commences dès maintenant à penser à l'avenir. Et pose ces cheveux.

Christopher posa la touffe de cheveux.

– Je trouve que ça ressemble à un rat mort, dit-il.

Christopher pensa que maman avait dû commettre une erreur car il s'aperçut d'une chose intéressante : c'était bel et bien un rat mort. Maman et la dame hurlèrent en même temps. On chassa Christopher et un domestique arriva en courant, une pelle à la main.

Après cet incident, maman fit venir Christopher dans son boudoir et lui parla très souvent. Il restait debout, il essayait de se souvenir qu'il ne devait pas jouer avec les pots, il regardait son reflet dans le miroir et se demandait pourquoi ses boucles étaient noires alors que celles de maman étaient d'un brun chaud, et pourquoi ses yeux à lui étaient beaucoup plus foncés, presque de la couleur du charbon. Pour une raison quelconque les rats morts désertèrent le boudoir, mais de temps à autre, quand ce que maman disait devenait trop inquiétant, une araignée apparaissait devant le miroir. Christopher comprit que maman s'inquiétait beaucoup pour son avenir. Il sut qu'il allait faire son entrée dans la bonne société avec des gens bien. Les seuls gens bien dont il avait entendu parler étaient ceux qui allaient s'occuper des Païens et pour qui il fallait donner un penny chaque dimanche à l'église. Maman devait sûrement parler de ces gens-là.

Christopher mena une enquête serrée auprès de la dame-au-grand-pied de la nursery. Elle lui dit que les Païens étaient des sauvages qui mangeaient les gens. Les gens bien s'appelaient des missionnaires qui partaient se faire manger par les sauvages. Christopher comprit qu'il devait devenir missionnaire quand il serait grand. Il se mit à trouver les discours de maman de plus en plus inquiétants. Il aurait aimé qu'elle lui choisisse un autre métier.

Il interrogea aussi la dame de la nursery à propos des dames qui avaient une queue comme les poissons.

– Oh, tu veux parler des sirènes, dit-elle en riant. Les sirènes n'existent pas.

Christopher savait bien que les sirènes n'existaient pas puisqu'il ne les rencontrait que dans ses rêves. Il comprenait à présent qu'il risquait de rencontrer aussi des Païens s'il se rendait dans l'Au-Delà. Pendant une période, il eut si peur de rencontrer des Païens lorsqu'il pénétrait dans une vallée inexplorée qu'il s'allongeait par terre à l'orée du Passage et regardait prudemment à quoi ressemblaient les habitants de l'Ailleurs où il allait entrer. Mais à la longue, quand il vit que personne n'essayait de le manger, il se dit que les Païens vivaient probablement dans l'Ailleurs qui n'acceptait pas de visiteurs, et décida qu'il aurait tout le temps de se faire du mauvais sang plus tard, quand il serait grand.

Quand il fut un peu plus grand, les gens des Ailleurs se mirent à lui offrir de l'argent. Christopher apprit qu'il fallait refuser les pièces. Dès qu'il les touchait, le rêve s'arrêtait. Il atterrissait dans son lit, sursautait et se réveillait en sueur. La même chose lui arriva quand une jolie dame, qui lui rappelait maman, voulut, par jeu, lui essayer une boucle d'oreille. Christopher aurait bien voulu demander des explications à la dame-au-grand-pied, mais elle était partie depuis longtemps. Celles qui suivirent répondaient toutes la même chose quand il leur posait une question : « Pas maintenant, j'ai du travail ». Jusqu'à ce qu'il apprenne à lire, Christopher crut que toutes les dames de toutes les nurseries faisaient la même chose : elles restaient un mois, elles étaient trop occupées pour parler, puis elles pinçaient leurs lèvres et enfin elles disparaissaient. Il fut stupéfait de découvrir dans les livres qu'il existait des Femmes Fidèles qui passaient leur vie entière dans la même maison et acceptaient de raconter aux enfants de longues (et souvent très ennuyeuses) histoires. Dans sa maison à lui, les domestiques ne restaient pas plus de six mois.

La raison en était que maman et papa ne se parlaient plus, même par l'intermédiaire des domestiques. Ils tendaient des mots aux domestiques que ceux-ci transmettaient à leur destinataire. Comme il ne vint jamais à l'esprit de maman ou papa qu'ils auraient pu mettre leur correspondance sous enveloppe, il arrivait fatalement que quelqu'un récupérait le mot et le lisait tout haut à la dame de la nursery. Christopher s'aperçut que maman était toujours précise et concise.

« M. Chant est prié de fumer ses cigares seulement dans sa chambre ». Ou bien « M. Chant aura l'amabilité de prendre note que la nouvelle femme de chambre déplore que sa chemise soit couverte de brûlures de cigarettes ». Ou encore « M. Chant m'a mise dans une position délicate en quittant inopinément la table lors de la réception que j'avais donnée ».

Papa laissait habituellement les notes s'entasser et donnait une réponse globale, dans un accès de rage. « Ma chère Miranda, je fumerai si cela me plaît. Quant aux conséquences, eh bien que la femme de chambre fasse son travail ! Vous avez la manie d'employer des vauriens sans cervelle et des rustres maladroits, vous ne pensez qu'à votre petit confort personnel et jamais à moi. Si vous tenez à ce que j'assiste à vos réceptions, engagez, si vous en êtes capable, un cuisinier qui sache faire la différence entre une tranche de bacon et une vieille semelle et cessez donc de pousser sans arrêt ces éclats de rire idiots ».

En général quand papa répondait le soir, les domestiques partaient le lendemain matin.

Christopher aimait ce qu'il découvrait dans ces petits mots. Papa devenait presque un être humain, même s'il était dur. Christopher regretta amèrement que l'arrivée de sa première gouvernante l'empêche de les lire.

Maman le fit demander. Elle était en larmes.

– Ton papa a passé les bornes, cette fois, dit-elle. C'est le devoir d'une mère de veiller à l'éducation de son fils. Je veux que tu ailles dans une bonne école, Christopher. C'est extrêmement important. Je ne veux pas te forcer à apprendre. je veux laisser ton ambition s'épanouir librement, mais ton papa vient s'en mêler avec ses idées sinistres et engage derrière mon dos cette gouvernante qui, comme je connais ton papa, sera sans nul doute épouvantable ! Oh mon pauvre enfant !

Christopher comprit que l'arrivée de cette gouvernante marquait la première étape de sa transformation en missionnaire. L'heure était grave. Mais quand la gouvernante arriva, elle se révéla être simplement une femme terne avec des yeux roses, bien trop timide pour oser parler aux domestiques. Elle ne resta qu'un mois, pour la plus grande joie de maman.

– Maintenant nous allons pouvoir véritablement commencer ton éducation, dit maman. Je choisirai la seconde gouvernante moi-même.

Maman répéta cette phrase bien souvent pendant les deux ans qui suivirent, et les gouvernantes arrivèrent et partirent tout comme les dames de la nursery. Elles étaient toutes ternes, timides et Christopher finit par confondre leurs noms. Il en vint à la conclusion que la différence fondamentale entre une gouvernante et une nurse était que la gouvernante fondait généralement en larmes avant de partir. Il y eut quand même une fois où une gouvernante dit quelque chose d'intéressant à propos de maman et papa.

– Je suis désolée de te faire ça, dit en pleurant la troisième – ou peut-être la quatrième –, parce que tu es un gentil petit garçon, même si tu es un peu spécial, mais quelle tension dans cette maison ! Chaque soir quand lui rentre – ce qui Dieu merci n'arrive pas souvent ! – je dois m'asseoir à table avec eux, dans un silence de mort. Elle me passe une note que je dois lui passer à lui, et lui me passe une note pour elle. Ensuite ils regardent leurs mots, se jettent un regard assassin et me jettent un regard assassin. Je ne peux plus supporter ça. La neuvième – ou peut-être la dixième – était encore plus indiscrète.

– Je sais qu'ils se haïssent, dit-elle en sanglotant, mais elle n'a aucune raison de me haïr moi ! Elle est du genre qui ne supporte pas les autres femmes. C'est une sorcière, je crois bien – je ne peux pas être sûre, elle ne fait que quelques petites choses – et lui est au moins aussi puissant qu'elle. Il pourrait bien être un enchanteur. Ils créent une telle tension – rien d'étonnant à ce que tous leurs domestiques s'en aillent ! Christopher, pardonne-moi de parler ainsi de tes parents.

Toutes les gouvernantes demandaient à Christopher

de leur pardonner et il leur pardonnait bien volontiers, parce que c'était la seule occasion pour lui d'avoir des nouvelles de papa et maman. Il eut le sentiment poignant que peut-être il y avait des petits garçons qui avaient des parents différents. Il était sûr aussi qu'une crise se préparait. Il la sentait venir depuis la salle de classe, bien que les gouvernantes ne le laissent plus écouter les ragots des domestiques. Il se souvint toujours de la nuit où la crise éclata, parce que cette même nuit il se rendit dans un Ailleurs où un homme qui tenait un parapluie jaune lui donna une espèce de bougeoir orné de clochettes. L'objet était si beau que Christopher décida de le rapporter chez lui. Il le tint entre ses dents tandis qu'il progressait avec difficultés sur les rochers du Passage. Il eut la joie de s'apercevoir au réveil que l'objet était dans son lit. Mais l'atmosphère de la maison avait changé. La douzième gouvernante fit ses bagages et partit juste après le petit déjeuner.

Chapitre 2

Maman fit venir Christopher dans son boudoir l'après-midi même. La nouvelle gouvernante était assise sur la chaise, vêtue comme les autres de vilains habits gris mais coiffée d'un chapeau encore plus laid que les autres. Ses gants de coton ternes étaient pliés sur un sac très ordinaire et elle avait la tête baissée comme si elle était effrayée ou réservée, ou les deux. Christopher la trouva sans intérêt. La seule personne intéressante de la pièce était un homme, debout derrière la chaise où maman était assise et qui avait la main posée sur son épaule.

– Christopher, je te présente mon frère, dit maman toute joyeuse. C'est ton oncle Ralph.

Maman prononçait « Râffeu ». Christopher mit plus d'un an à réaliser qu'il s'agissait de l'homme dont le nom s'écrivait R.a.l.p.h. Oncle Ralph le séduisit tout de suite. D'abord, il fumait le cigare. L'odeur du boudoir en était transformée, les parfums se mêlaient à l'épaisse fumée pareille à l'encens ; maman ne protestait pas et se contentait de renifler. Ce qui aurait suffi à prouver que l'oncle Ralph était un homme hors du commun. Ensuite, il portait des vêtements de tweed, solides, authentiques, presque de la même couleur qu'un renard. L'étoffe était un peu usée par endroits, mais la couleur se mariait merveilleusement bien avec le roux plus foncé des cheveux de Ralph le Renard et le roux plus clair de ses moustaches. Christopher avait rarement vu un homme vêtu de tweed ou dépourvu de favoris. Ceci confirma que l'oncle Ralph était quelqu'un de vraiment spécial. Pour couronner le tout, l'oncle Ralph sourit et ce fut comme un rayon de soleil dans une forêt d'automne. C'était un sourire si engageant que Christopher sentit qu'il lui rendait son sourire, spontanément.

– Salut, mon garçon ! dit l'oncle Ralph soufflant des volutes de fumée bleue au-dessus des cheveux luisants de maman. Je sais que ce n'est pas la meilleure manière pour un oncle de se présenter à son neveu mais j'ai mis le nez dans les affaires de la famille, et j'ai bien peur d'avoir dû faire une ou deux choses assez déplaisantes, comme trouver une nouvelle gouvernante et faire en sorte que tu entres à l'école à l'automne. La gouvernante est là. C'est miss Belle. J'espère que vous vous entendrez bien. Suffisamment bien, du moins, pour que tu me pardonnes.

Il adressa à Christopher un sourire si lumineux, si plein d'humour que celui-ci se sentit à deux doigts de l'adorer. Mais Christopher jeta un regard dubitatif sur miss Belle. Elle le regarda aussi et, pendant un instant, sa beauté cachée faillit se révéler. Mais elle battit des cils pâles et murmura : « Je suis ravie de faire ta connaissance », d'une voix aussi terne que ses vêtements.

– J'espère bien qu'elle sera ta Dernière gouvernante, dit maman. C'est ainsi que Christopher décida de nommer miss Belle : la Dernière Gouvernante. Elle va te préparer à entrer à l'école. Je ne pensais pas t'y envoyer si tôt, mais ton oncle dit que… enfin, de toute manière, une bonne éducation est importante pour ta future carrière et, pour être tout à fait franche avec toi, Christopher, ton papa a fait un tel gâchis avec l'argent de ma famille – mon argent, comme tu le sais, et non le sien – qu'il a presque tout perdu. Par bonheur j'ai eu l'idée de faire appel à ton oncle et…

– Et quand on fait appel à moi, ce n'est jamais en vain ! dit l'oncle Ralph, en jetant un bref regard à la gouvernante. Peut-être voulait-il dire qu'elle ne devrait pas assister à cet entretien. Heureusement, il reste assez d'argent pour t'envoyer à l'école, ainsi ta maman pourra aller à l'étranger pour se remettre de ses épreuves. Ça lui fera beaucoup de bien – hein, Miranda ? Et miss Belle pourra trouver un bon travail grâce à d'excellentes références. Tout ira pour le mieux pour tout le monde !

Il adressa à chacun un sourire chaleureux et confiant. Maman rit et mit du parfum derrière ses oreilles. La Dernière Gouvernante eut un demi-sourire, et sa beauté cachée se dévoila à demi. Christopher essaya de faire un large sourire viril à oncle Ralph, parce qu'il lui semblait que c'était le seul moyen d'exprimer l'immense et presque irrépressible admiration qu'il éprouvait pour lui. L'oncle Ralph eut un bon rire brun doré et conquit totalement Christopher en fouillant dans une poche de son habit de tweed et en offrant à son neveu une belle pièce de six pence toute neuve.

Christopher aurait préféré mourir plutôt que de dépenser ses six pence. Quand il changeait de vêtements, il changeait sa pièce de poche. C'était une manière de plus d'exprimer son adoration pour l'oncle Ralph. Il était clair que l'oncle Ralph était venu pour sauver maman de la ruine, et Christopher se dit que c'était le premier homme bon qu'il rencontrait. De surcroît, il était la seule personne hors des Ailleurs qui ait daigné parler à Christopher amicalement, d'homme à homme.

Christopher essaya de chérir également la Dernière Gouvernante, pour l'amour d'oncle Ralph, mais ce n'était pas facile. Elle était tellement ennuyeuse. Elle parlait d'une voix terne, calme, elle n'élevait jamais la voix, ne montrait jamais de signes d'impatience, même quand il ne comprenait rien au calcul mental ou à la lévitation, que les autres gouvernantes avaient omis de lui enseigner.

– Si un hareng et demi coûte trois demi-penny, Christopher, expliquait-elle d'une voix sinistre, cela veut dire qu'un poisson et demi coûte un penny et demi. Combien vaut un seul poisson ?

– Je n'en sais rien, disait Christopher qui se retenait de bâiller.

– Très bien, disait calmement la Dernière Gouvernante. Nous y réfléchirons ensemble demain. Maintenant, regarde dans ce miroir et essaye de le soulever de deux petits centimètres.

Mais Christopher ne pouvait ni faire bouger le miroir ni deviner le prix d'un hareng. La Dernière Gouvernante poussa le miroir et se mit tranquillement à lui poser des questions-pièges en français. Après quelques jours de ce traitement, Christopher essaya de la faire sortir de ses gonds car il pensait qu'elle deviendrait plus intéressante si elle se mettait à hurler. Mais elle ne fit que dire calmement :

– Christopher, je vois que tu deviens bête. Tu peux jouer avec tes jouets maintenant. Mais souviens-toi que tu dois en sortir un à la fois et que tu dois le ranger avant d'en sortir un autre. Nous savons que telle est la règle.

Christopher s'était habitué désespérément vite à cette règle. La vie était beaucoup moins amusante maintenant. Il s'était aussi habitué à ce que la Dernière Gouvernante reste assise à côté de lui pendant qu'il jouait. Les autres gouvernantes en profitaient pour aller se reposer mais celle-ci s'asseyait bien droite sur une chaise et ravaudait ses vêtements avec art, si bien que jouer n'était plus vraiment amusant. Malgré tout, il sortit du placard le bougeoir fait de clochettes carillonnantes, car l'objet avait en lui-même quelque chose de fascinant. Il pouvait jouer des airs différents selon que l'on touchait telle ou telle clochette en premier. Quand il se lassait, la Dernière Gouvernante posait son ouvrage et disait :

– Cet objet a sa place au milieu de l'étagère du haut. Range-le avant de prendre le dragon mécanique.

Elle tendait l'oreille pour vérifier, grâce au bruit des clochettes, que Christopher avait obtempéré. Puis elle repiquait son aiguille dans la chaussette et demandait de sa voix la plus ennuyeuse :

– Qui t'a donné ces cloches, Christopher ?

Personne n'avait jamais posé de question à Christopher sur les objets qu'il avait rapportés des Ailleurs. Il ne sut quoi répondre.

– Un homme qui avait un parapluie jaune, répondit-il. Il m'a dit que cela amènerait le bonheur dans ma maison.

– Quel homme ? Et où cela ? La Dernière Gouvernante tenait à tout savoir – même si on pouvait penser au son de sa voix qu'elle s'en souciait comme d'une guigne.

– Dans un endroit qui s'appelle un Ailleurs, dit Christopher. Dans l'Ailleurs où il fait chaud, où il y a de bonnes odeurs et des charmeurs de serpents. L'homme ne m'a pas dit son nom.

– Ce n'est pas une réponse, Christopher, dit calmement la Dernière Gouvernante, mais elle n'ajouta rien jusqu'au surlendemain, quand Christopher sortit à nouveau son jouet.

– Souviens-toi bien de l'endroit où tu dois le ranger quand tu auras fini, dit-elle. Où m'as-tu dit que tu as rencontré l'homme au parapluie ?

– Près d'une place avec des maisons peintes, là où des dieux habitent, dit Christopher en faisant sonner les petites clochettes d'argent. Il était gentil. Il a dit que l'argent ne l'intéressait pas.

– Très généreux de sa part, remarqua la Dernière Gouvernante. Et où se trouve cette maison peinte où vivent des dieux, Christopher ?

– Je vous l'ai déjà dit. Dans un endroit qui s'appelle un Ailleurs, dit Christopher.

– Et moi je t'ai déjà dit que ce n'était pas une réponse, dit la Dernière Gouvernante. Elle plia son ouvrage. Christopher, je te demande de me dire d'où viennent ces cloches.

– Pourquoi voulez-vous le savoir ? demanda Christopher, qui aurait bien voulu qu'elle le laisse tranquille.

– Parce que, dit la Dernière Gouvernante avec un calme étudié, tu ne te conduis pas comme un gentil garçon franc et sincère. Je te soupçonne d'avoir volé ces cloches.

C'était si monstrueusement injuste que Christopher devint rouge et en eut les larmes aux yeux.

– Je ne les ai pas volées ! hurla-t-il. Il me les a données ! Les gens me donnent toujours des choses dans les Ailleurs, seulement je les perds presque tout le temps. Regardez ! Et oubliant la règle du un-jouet-à-la-fois, il se précipita vers le placard et sortit la flûte en forme de cheval, le collier des sirènes, le dragon mécanique, et les jeta dans son panier à ouvrage.

– Voilà ! Tout ça vient des autres Ailleurs !

La Dernière Gouvernante le regarda, totalement impassible.

– Dois-je comprendre que tu as volé cela aussi ? dit-elle. Elle posa le panier et les jouets par terre et se leva. Suis-moi. Je dois faire immédiatement mon rapport à ta maman.

Elle agrippa le bras de Christopher et, sans prêter attention à ses protestations – « Je n'ai rien fait, rien ! » – elle lui fit descendre de force les escaliers.

Christopher se rejeta en arrière, traîna les pieds et la supplia de ne pas faire ça. Il savait qu'il ne pourrait jamais convaincre maman. Tout ce que la Dernière Gouvernante daigna lui dire fut : « Cesse de faire ces bruits insoutenables. Tu es un grand garçon maintenant. »

Ça, c'était ce que les gouvernantes disaient toutes. Mais Christopher se moquait bien d'être grand. Des larmes dégoulinaient le long de ses joues et il cria le nom de l'homme qui sauvait les gens :

– Oncle Ralph ! Je dirai tout à oncle Ralph !

La Dernière Gouvernante le regarda brusquement. Pendant un instant, il vit sur son visage affleurer sa beauté cachée. Mais, au désespoir de Christopher, elle se remit à le traîner vers le boudoir de maman et frappa à la porte.

Maman, surprise, détourna les yeux de son miroir. Elle regarda Christopher, tout rouge, sanglotant et suffoquant. Elle regarda la Dernière Gouvernante.

– Mais que se passe-t-il donc ? Est-il souffrant ?

– Non, Madame, dit la Dernière Gouvernante de sa voix la plus terne. Quelque chose s'est produit dont je pense que votre frère devrait être informé sans attendre.

– Ralph ? dit maman. Vous voulez dire que je dois écrire à Ralph ? A moins que ce ne soit très urgent ?

– C'est urgent, Madame, je crois, dit la Dernière Gouvernante d'une voix sinistre. Christopher dit qu'il est prêt à tout confesser à son oncle. Aussi, je suggère, si je puis me le permettre, que vous le convoquiez immédiatement.

Maman bâilla. Cette gouvernante l'ennuyait terriblement.

– Je ferai de mon mieux, dit-elle, mais je ne puis vous assurer qu'il viendra bien. Il mène une vie trépidante, vous savez. D'un air absent, elle ôta de sa brosse au manche d'argent un de ses longs cheveux, noir et brillant. Puis, d'un air plus lointain encore, elle enleva les cheveux de son démêloir d'argent et de cristal. Les cheveux étaient ceux de maman pour la plupart mais Christopher, qui sanglotait, ravalait ses larmes, puis sanglotait de plus belle, regarda les beaux ongles nacrés de maman pincer et tirer les cheveux et remarqua qu'un d'entre eux avait des reflets roux. C'était celui que maman avait ôté en dernier. Elle le plaça à côté de celui qui lui appartenait et qu'elle avait retiré de sa brosse. Puis elle prit quelque chose qui ressemblait à une épingle à chapeau avec une grosse perle luisante au bout, la posa sur les deux cheveux et frappa impérieusement l'épingle d'un ongle acéré.

– Ralph. Ralph Weatherby Argent. Miranda te demande.

L'un des miroirs de la coiffeuse se transforma en fenêtre et oncle Ralph apparut. Il nouait sa cravate, l'air maussade.

– Qu'est-ce qui se passe ? dit-il. J'ai beaucoup de travail aujourd'hui.

– Comme tous les jours ! dit maman. Écoute, cette gouvernante aussi avenante qu'une porte de prison est venue me trouver. Avec Christopher. Elle me parle de confession. Pourrais-tu faire l'effort de venir jusqu'ici pour régler ce problème ? C'est vraiment trop pour moi.

– Elle est là, dis-tu ? dit oncle Ralph. Il se pencha pour regarder à travers le miroir – ou plutôt la fenêtre-miroir – et quand il vit Christopher il lui fit un clin d'œil et lui adressa son plus lumineux sourire :

– Eh bien, eh bien. Quel est ce gros chagrin ? Je serai là en un tour de main.

Christopher le vit s'éloigner de la fenêtre et disparaître dans un angle. Maman eut juste le temps de se tourner vers la Dernière Gouvernante et de lui dire : « Vous voyez que j'ai fait mon possible », avant que la porte du boudoir s'ouvre pour laisser entrer l'oncle Ralph.

Christopher fut tellement stupéfait qu'il en oublia de sangloter. Il essaya d'imaginer ce qu'il y avait derrière le mur du boudoir de maman. L'escalier, lui semblait-il. Il pensa d'abord qu'oncle Ralph pouvait posséder une pièce secrète dans le mur, de trente centimètres de large, mais il en arriva vite à la conclusion qu'il venait d'assister à une démonstration de magie. Juste à ce moment, l'oncle Ralph lui donna discrètement un grand mouchoir blanc et marcha paisiblement jusqu'au centre de la pièce pour laisser à Christopher le temps de s'essuyer la figure.

– Bon, maintenant dites-moi ce qui se passe, dit-il.

– Je n'en ai aucune idée, dit maman. Elle va sans doute tout expliquer.

L'oncle Ralph regarda la Dernière Gouvernante de ses yeux roux.

– J'ai surpris Christopher qui jouait avec un objet d'art, dit la gouvernante d'un air sinistre, que je n'avais jamais vu auparavant, et fait d'un métal que je ne connais pas. Il m'a ensuite montré qu'il possédait trois autres objets d'art, tous de facture différente, mais il a été incapable de m'expliquer comment il était entré en leur possession.

Oncle Ralph regarda Christopher, qui cachait le mouchoir derrière son dos et le regardait d'un air anxieux.

– Voilà qui justifie un interrogatoire serré, mon garçon, dit oncle Ralph. Et si tu m'emmenais voir ces choses et que tu m'expliquais d'où elles viennent ?

Christopher poussa un grand soupir de soulagement. Il avait toujours su que l'oncle Ralph viendrait à son secours.

– Oh oui, merci, dit-il.

Ils remontèrent l'escalier, précédés par la Dernière Gouvernante. Christopher, plein de gratitude, avait glissé sa main dans la large main chaude de l'oncle Ralph. Quand ils furent dans la chambre, la gouvernante s'assit tranquillement et reprit sa couture comme si elle considérait qu'elle avait accompli son devoir. Oncle Ralph prit les cloches et les fit résonner.

– Bon sang ! dit-il. Je n'ai jamais entendu un son pareil dans tout l'univers ! Il approcha l'objet de la fenêtre et examina soigneusement chaque clochette.

– Gagné ! dit-il. La gouvernante a vu juste. Il n'y a vraiment rien de comparable à cela dans tout l'univers. C'est un alliage mystérieux, je crois, et différent pour chaque clochette. Apparemment, c'est fait à la main.

Il désigna avec mansuétude à Christopher le pouf à côté de la cheminée.

– Assieds-toi là, mon garçon, et rends-moi un service : explique-moi comment tu as fait pour apporter ces clochettes ici.

Christopher s'assit, prêt à tout pour lui plaire.

– Je les ai prises entre mes dents pour traverser le Passage, expliqua-t-il.

– Non, non, dit l'oncle Ralph. Il ne faut pas commencer par la fin. Raconte-moi ce que tu as fait avant de trouver les clochettes.

– J'ai traversé la vallée et je suis allé dans la ville des charmeurs de serpents, dit Christopher.

– Non, avant ça, mon garçon, dit oncle Ralph. Depuis ton départ. Par exemple, dis-moi à quel moment de la journée tu es parti. Après le petit déjeuner ? Avant le dîner ?

– Non, la nuit, expliqua Christopher. C'était pendant un des rêves.

C'est ainsi que l'oncle Ralph, en le rappelant à l'ordre chaque fois qu'il sautait une étape, obligea Christopher à tout raconter en détail : les rêves, le Passage, et les Ailleurs où l'on parvenait en suivant les vallées. Oncle Ralph, bien loin d'être fâché, semblait de plus en plus joyeux à mesure que Christopher lui avouait tout ce qui lui venait à l'esprit.

– Qu'est-ce que je vous disais ! s'exclama-t-il, s'adressant peut-être à la gouvernante. Mon intuition ne me trompe jamais. Avec des parents pareils, ça ne pouvait donner que quelqu'un d'intéressant ! Bon sang, Christopher, mon garçon, tu es probablement la seule personne dans tout l'univers qui puisse rapporter des objets bien réels du monde des rêves ! Même le vieux de Witt ne doit pas pouvoir en faire autant !

Christopher rayonna de bonheur en voyant que l'oncle Ralph était si content de lui, mais il gardait encore rancune à la Dernière Gouvernante :

– Elle, elle a dit que je les avais volés.

– Ne fais pas attention à elle. Les femmes ne comprennent jamais rien à rien, dit oncle Ralph en allumant un cigare.

La Dernière Gouvernante haussa les épaules et eut un petit sourire. Sa beauté cachée se dévoila davantage aux yeux de Christopher, on aurait presque dit qu'elle était un être humain et qu'elle pouvait comprendre la plaisanterie. Oncle Ralph, rayonnant, souffla un rond de fumée bleue : on aurait dit le soleil derrière les nuages.

– Bon, mon garçon, dit-il, l'étape suivante, c'est de faire quelques petites expériences pour connaître l'étendue de tes talents. Peux-tu contrôler tes rêves ? Peux-tu contrôler le moment de ton départ vers les Ailleurs, comme tu dis… ou non ?

Christopher réfléchit.

– J'y vais quand je veux, dit-il.

– Alors tu ne verras pas d'objection à ce que je te fasse passer un petit test, disons dans la nuit de demain ? demanda oncle Ralph.

– Je peux même y aller cette nuit, proposa Christopher.

– Non, demain, dit oncle Ralph. Il me faut une journée entière pour tout organiser. Et quand tu iras là-bas, voici ce que je veux que tu fasses. (Il se pencha vers Christopher et pointa son cigare vers lui, pour lui faire comprendre que c'était une affaire sérieuse.) Tu fais comme d'habitude, tu pars quand tu es prêt et tu fais deux expériences pour moi. D'abord, je vais faire en sorte qu'un homme t'attende dans ton Passage. Je veux voir si tu sauras le trouver. Tu auras peut-être besoin de crier – enfin je n'en sais rien, je ne voyage pas au pays des rêves, moi – mais quoi qu'il en soit, tu grimpes un peu partout et tu vois si tu peux entrer en contact avec lui. Si, et seulement si, tu y arrives, tu tentes la seconde expérience. L'homme te dira ce qu'il faut faire. Si tu réussis les deux, alors nous en ferons d'autres. Penses-tu que tu y arriveras ? Tu veux bien m'aider, mon garçon, n'est-ce pas ?

– Oh oui ! dit Christopher.

Oncle Ralph se redressa et lui tapota l'épaule.

– Tu es un brave garçon. Fais bien attention aux

profiteurs, mon garçon. Tu possèdes un don extraordinairement précieux. Si précieux que je te conseille de n'en souffler mot à personne d'autre que moi et miss Belle ici présente. Ne le dis à personne, même pas à ta maman. D'accord ?

– D'accord ! dit Christopher.

C'était merveilleux que l'oncle Ralph le trouve extraordinaire. Il était si soulagé, si heureux qu'il aurait voulu faire encore plus pour l'oncle Ralph que de ne rien dire à personne. C'était facile de toute façon. Il n'avait personne à qui parler.

– Ce sera notre secret, dit oncle Ralph en se dirigeant vers la porte. Notre secret à nous trois... quatre avec l'homme que je t'enverrai, naturellement. N'oublie pas que tu devras bien chercher, jusqu'à ce que tu le trouves, entendu ?

– Je m'en souviendrai, promit Christopher avec entrain.

– Brave garçon, dit oncle Ralph, en franchissant la porte dans un nuage de fumée.

Chapitre 3

Christopher crut qu'il n'aurait jamais la patience d'attendre le lendemain soir. Il mourait d'envie de montrer à Oncle Ralph ce qu'il savait faire. Sans la Dernière Gouvernante, il se serait rendu malade d'énervement, mais elle sut être si ennuyeuse qu'elle rendit le reste du monde aussi ennuyeux qu'elle. Quand Christopher se mit au lit, cette nuit-là, il en était presque à se demander si cela valait la peine de rêver. Mais il rêva bel et bien, parce que oncle Ralph le lui avait demandé : il sortit de son lit comme de coutume, tourna au coin de la cheminée, pénétra dans la vallée, et trouva ses habits sur le chemin de pierre. Ses vieux habits étaient froissés, couverts de boue et de toutes sortes de saletés en provenance d'une centaine d'Ailleurs et trop petits d'au moins deux tailles. Christopher les enfila vite, sans se soucier de ne pas pouvoir fermer les boutons. Il ne portait jamais de chaussures car elles le gênaient pour escalader les rochers. Il marcha d'un pas rapide sur le flanc de la montagne et pénétra dans le Passage.

Comme de coutume, dans ce lieu informe et infini, les rochers s'étendaient à perte de vue et même au-dessus de sa tête. La brume ondoyait, aussi informe que les rochers. La pluie tombait de biais, balayée par les vents capricieux qui soufflaient dans le Passage. Christopher espéra qu'il ne mettrait pas trop longtemps à débusquer l'homme dont oncle Ralph avait parlé. Il avait froid, il était mouillé et se sentait tout petit. Il s'installa sur une pente sablonneuse pour reprendre haleine et cria :

– Hello !

Sa voix ne portait pas plus loin qu'un pépiement d'oiseau. Le vent et le brouillard semblaient s'emparer d'elle pour la noyer sous une pluie battante. Christopher attendit une réponse, mais pendant de longues minutes le seul bruit audible fut le vent qui sifflait et soufflait. Il se demanda si cela valait la peine de crier encore quand il entendit un tout petit bruit, un son flûté qui se faufila entre les rochers jusqu'à son oreille : « Heeellooo ! ». Ce n'était que l'écho de sa propre voix. Christopher en était sûr. Depuis son premier rêve, il savait que le Passage rejetait tous les éléments étrangers, les renvoyait d'où ils venaient. C'est pourquoi il grimpait toujours plus vite au retour qu'à l'aller. Le Passage le renvoyait vers son monde.

Christopher réfléchit. Cela ne servait probablement à rien de crier. Si l'homme dont parlait l'oncle Ralph était perdu dans le brouillard, il ne pourrait pas rester bien longtemps sans être renvoyé d'où il venait. Donc l'homme devrait attendre au creux d'une vallée et espérer que Christopher descendrait le chercher. Il y avait des milliers et des milliers de vallées, en haut, en bas, de toutes parts, et certaines d'entre elles débouchaient sur d'autres, si on se contentait de progresser en ligne droite. Si l'on se dirigeait, au contraire, vers l'Ailleurs qui n'aimait pas les visiteurs, il y en avait probablement encore des milliers d'autres. D'un autre côté, oncle Ralph n'aurait pas compliqué les choses à plaisir. L'homme devait être tout près.

Bien décidé à faire de son mieux pour réussir l'expérience de l'oncle Ralph, Christopher se mit en route, grimpa, rampa et progressa petit à petit, le nez contre la pierre humide à l'odeur dure et froide. La première vallée était déserte.

« Hello ? » cria-t-il à nouveau. Mais comme il n'y avait que la rivière qui coulait dans l'immensité verte, il sut tout de suite qu'il était seul. Il fit demi-tour, grimpa et se faufila vers la suivante. Là, avant même d'y pénétrer, il vit quelqu'un dans le brouillard, une silhouette sombre et luisante sous la pluie, qui rampait sur un rocher et tâtonnait à la recherche d'une prise au-dessus de sa tête.

– Hello ? demanda Christopher.

– Eh bien, je... Christopher ? demanda la silhouette. C'était la voix d'un homme jeune et vigoureux. (Sortons d'ici, pour pouvoir nous voir.)

Après avoir grimpé et rampé tant bien que mal, ils contournèrent un gros bloc de rocher et descendirent dans une autre vallée, où l'air était pur et doux. Le coucher de soleil baignait l'herbe d'une lueur rose.

– Bon, bon, bon, dit l'homme d'oncle Ralph. Je t'aurais cru deux fois plus grand. Ravi de faire ta connaissance, Christopher. Je suis Tacroy.

Il lui fit un large sourire. Tacroy était aussi jeune et vigoureux que sa voix, solidement bâti, avec un visage brun, plutôt rond, des yeux noisette et un regard chaleureux. Christopher l'aima tout de suite – en partie parce que Tacroy était le premier adulte qu'il rencontrait qui ait des cheveux bouclés comme les siens. Enfin, presque. Christopher avait de lourdes boucles brunes mais Tacroy avait des bouclettes serrées, tout un tas de petits ressorts châtain clair. Christopher pensa que Tacroy devait avoir mal quand sa gouvernante l'obligeait à se brosser les cheveux. Il remarqua alors que les bouclettes de Tacroy étaient toutes sèches. Il n'y avait plus trace d'humidité sur ses vêtements qui étaient tout trempés un instant plus tôt. Tacroy portait un costume usé, verdâtre, plutôt informe, mais tout à fait sec.

– Comment avez-vous fait pour vous sécher aussi vite ? lui demanda Christopher.

Tacroy rit.

– C'est que, contrairement à toi, je crois, mon corps n'est pas vraiment là. Mais toi tu es trempé jusqu'aux os. Pourquoi ?

– Il pleuvait dans le Passage, répondit Christopher. Vous étiez mouillé vous aussi.

– Vraiment ? dit Tacroy. Je ne visualise rien pendant mon transfert – c'est comme s'il faisait nuit et que les étoiles me guidaient. C'est très difficile pour moi de visualiser quoi que ce soit, même ici, aux Marches du Monde – évidemment, toi, je peux te voir distinctement, mais c'est parce que nous le voulons tous les deux.

Il vit que Christopher le fixait sans comprendre un mot de ce qu'il disait et leva les yeux au ciel d'un air soucieux. De petites rides apparurent tout autour des yeux de Tacroy, comme s'il riait. Christopher l'en aima davantage.

– Dis-moi, dit Tacroy, levant sa main brune en direction de la vallée, que vois-tu là-bas ?

– Une vallée et de l'herbe verte, dit Christopher en se demandant ce que Tacroy voyait. Le soleil se couche et il rosit le fleuve qui coule au milieu.

– Vraiment ? dit Tacroy. Alors je crois que je vais beaucoup t'étonner en te disant que tout ce que je vois, moi, c'est un brouillard teinté de rose.

– Pourquoi ? dit Christopher.

– Parce que seul mon esprit est ici, alors que tu sembles être là en chair et en os, dit Tacroy. Mon corps réel est à Londres, sur un canapé, dans une transe profonde, enroulé dans des couvertures et réchauffé par de grosses bouillottes, tandis qu'une jeune dame, jolie et avenante, joue de la harpe pour moi. J'ai beaucoup insisté pour obtenir une jeune dame quand j'ai accepté ce travail. Ne crois-tu pas que toi aussi tu es au fond de ton lit quelque part ?

Lorsque Tacroy s'aperçut que cette question inquiétait et agaçait Christopher, il leva les yeux au ciel à nouveau.

– Continuons, dit-il. L'étape suivante c'est de voir si tu peux rapporter un paquet que j'ai préparé. J'ai déjà tracé mon repère. Mets le tien et nous descendrons cette vallée.

– Mon repère ? dit Christopher.

– Ton repère, dit Tacroy. Si tu ne mets pas de repère, comment crois-tu que tu retrouveras ton chemin et que tu sauras où tu te trouves ?

– C'est facile d'aller dans les vallées, protesta Christopher. Et je peux vous dire que je suis déjà venu dans cet Ailleurs-là. C'est là où le fleuve est le plus étroit.

Tacroy haussa les épaules, les yeux au ciel.

– Mon garçon, tu me donnes la chair de poule. Sois gentil, fais-moi plaisir : grave quelque chose sur un rocher, le chiffre 9, par exemple. Je n'ai aucune envie que tu te perdes par ma faute.

Christopher, pour être bien élevé, prit un éclat de pierre et creusa dans la boue du chemin jusqu'à ce qu'il réussisse à tracer un grand 9 malhabile. Quand il releva la tête il vit Tacroy qui le regardait comme s'il était un fantôme.

– Qu'est-ce qu'il y a ?

Tacroy eut un petit rire brutal.

– Oh, rien d'important. Je peux le voir, c'est tout. C'est simplement incroyable, c'est tout. Et toi, peux-tu voir mon repère ?

Christopher regarda partout, même le ciel et le soleil couchant, et dut avouer qu'il ne voyait rien.

– Dieu merci, dit Tacroy. Au moins, ça c'est normal ! Mais je me demande vraiment qui tu es en réalité. Je commence à comprendre pourquoi ton oncle était si enthousiaste.

Il dévalèrent ensemble le chemin qui menait dans la vallée. Tacroy avait les mains dans les poches et semblait tout à fait détendu, mais Christopher eut malgré tout le sentiment que Tacroy avait l'habitude de venir dans les Ailleurs d'une manière différente, et plus rapidement. Il surprit plusieurs fois Tacroy qui le regardait à la dérobée, comme s'il n'était pas sûr de la direction à prendre et attendait de voir où Christopher dirigerait ses pas. Il sembla très soulagé lorsqu'ils sortirent de la vallée et se retrouvèrent sur une route pleine d'ornières qui traversait une forêt profonde.

Le soleil avait presque disparu. Ils virent devant eux une auberge en ruines dont les fenêtres étaient éclairées.

Ils étaient dans un des premiers Ailleurs que Christopher ait visités. Il lui semblait qu'il y faisait plus chaud et plus humide. Les grands arbres avaient été autrefois d'un vert brillant et chargés de branches tombantes. A présent, dans la lumière rose, ils lui paraissaient marron et desséchés. Quand il suivit Tacroy sous la véranda de l'auberge – une insolite construction de bois – il vit que les gros champignons colorés qui l'avaient fasciné jadis étaient à présent secs et décolorés. Il se demanda si l'aubergiste se souviendrait de lui.

– Aubergiste ! cria Tacroy. Personne ne vint. Il se tourna vers Christopher.

– Pourrais-tu cogner sur la table ? Moi je ne peux pas...

Christopher remarqua que le plancher de la véranda ployait et craquait sous ses pas et non sous ceux de Tacroy. C'était comme si Tacroy n'était pas vraiment là. Christopher saisit un bol de bois et cogna vigoureusement sur la table branlante. Tacroy leva les yeux au ciel une fois de plus.

Quand l'aubergiste arriva en traînant les pieds, ils virent qu'il était enveloppé dans trois châles tricotés, et de trop mauvaise humeur pour prendre garde à Christopher, *a fortiori* pour se souvenir de lui.

– Je suis envoyé par Ralph, dit Tacroy. Je crois que vous avez un paquet pour moi.

– Ah oui, dit l'aubergiste en frissonnant. Voulez-vous entrer un instant, monsieur ? Le temps est proprement exécrable et c'est, de mémoire d'homme, l'hiver le plus rude que nous ayons eu depuis des années.

Tacroy haussa les sourcils et regarda Christopher.

– Je n'ai pas froid du tout, dit Christopher.

– Nous resterons donc dehors, dit Tacroy. Le paquet ?

– Tout de suite, monsieur, dit l'aubergiste en frissonnant. Mais ne voudriez-vous pas prendre quelque chose de chaud ? C'est la maison qui offre, monsieur.

– Oui, merci, dit Christopher aussitôt. La dernière fois, on lui avait offert quelque chose qui ressemblait à du chocolat et qui n'en était pas car c'était bien meilleur. L'aubergiste hocha la tête, sourit et rentra, traînant les pieds et tremblant. Christopher s'assit à table. Il faisait presque noir à présent, pourtant il avait délicieusement chaud. Ses habits commençaient à sécher. Un essaim d'insectes dodus qui ressemblaient à des papillons se pressaient aux carreaux, mais ils laissaient suffisamment de lumière pour que Christopher voie Tacroy s'asseoir dans le vide et se propulser au-dessus de la chaise de l'autre côté de la table.

– Je ne sais pas ce qu'il va me donner, mais de toute façon c'est toi qui devras le boire, dit Tacroy.

– Ce n'est pas un problème, dit Christopher. Pourquoi m'avez-vous dit d'écrire le chiffre 9 ?

– Parce que cette série de mondes est connue sous le nom de Série Neuf, expliqua Tacroy. Ton oncle y fait des affaires. C'est pourquoi il lui était facile d'organiser l'expérience ici. Si elle réussit, je crois qu'il organisera toute une série de voyages pour explorer les Mondes Parallèles. Tu trouverais ça très ennuyeux, n'est-ce-pas ?

– Oh non, ça me plairait beaucoup, dit Christopher. Combien y a-t-il de Séries en tout ?

– Douze, dit Tacroy. Si on fait demi-tour, on redescend jusqu'à la Une. Ne me demande pas pourquoi l'ordre est décroissant. C'est une convention.

Christopher fronça les sourcils. Il y avait beaucoup plus de vallées après le Passage, mais pas du tout ordonnées de manière qu'on puisse les numéroter de un à douze. Il pensa cependant que Tacroy avait sans doute raison – Tacroy ou l'oncle Ralph.

L'aubergiste ressortit bien vite en traînant les pieds. Il portait deux tasses fumantes qui exhalaient une odeur de chocolat, mais ce parfum exquis était gâté par une autre odeur, bien moins agréable, qui émanait d'une gourde ronde en cuir suspendue au bout d'une longue ficelle. Il jeta la gourde sur la table à côté des tasses.

– Voilà, dit-il. Voilà le paquet et voilà de quoi vous réchauffer et trinquer à vos affaires, monsieur. Je ne sais pas comment vous pouvez rester dehors par ce froid.

– Nous venons d'un pays froid et brumeux, dit Tacroy. Merci, dit-il à l'aubergiste qui se dépêchait de rentrer en trottinant.

– Je suppose que le climat doit être tropical, d'habitude, fit-il remarquer tandis que l'aubergiste claquait la porte. De toute façon je ne peux pas le savoir. Mon esprit ignore s'il fait froid ou chaud. Est-ce que cette chose est bonne ?

Christopher, tout heureux, acquiesça. Il avait déjà avalé le contenu d'une minuscule tasse. C'était noir, chaud et délicieux. Il prit la tasse de Tacroy et la but par petites gorgées, afin de garder le goût en bouche le plus longtemps possible. L'odeur de la petite gourde de cuir était si forte qu'elle l'empêchait de savourer le breuvage. Christopher la posa par terre un peu plus loin.

– A ce que je vois, tu peux soulever la tasse, et même en boire le contenu, dit Tacroy, qui l'observait. Ton oncle m'a dit de m'en assurer mais, quant à moi, je n'ai plus aucun doute. Il a dit que tu perdais des choses dans le Passage.

– C'est parce que c'est dur d'escalader des rochers en portant des choses, expliqua Christopher. J'ai besoin de mes deux mains pour grimper.

Tacroy réfléchit.

– Hum. C'est pourquoi il y a une ficelle attachée à la gourde. Mais il y a bien d'autres choses que j'aimerais comprendre. Par exemple, as-tu jamais essayé de ramener un être vivant ?

– Comme une souris ? suggéra Christopher. Je pourrais la mettre dans ma poche.

Soudain le visage de Tacroy s'illumina. « Il ressemble, pensa Christopher, à quelqu'un qui s'apprêterait à faire quelque méchanceté. »

– Essayons, dit-il. Voyons si tu peux rapporter avec toi un petit animal. Je me charge de persuader ton oncle que nous devons savoir si c'est possible. Si nous ne tentons pas l'expérience, je mourrai de curiosité – essaye, même si c'est la dernière chose que tu fais pour nous !

Dès lors Tacroy devint de plus en plus impatient. Il se leva si brusquement qu'il passa à travers la chaise.

– Tu n'as pas encore fini ? Il faut que nous partions.

Christopher, à regret, avala les dernières gouttes de la minuscule tasse. Il ramassa la gourde ronde et la suspendit à son cou. Puis il sauta de la véranda et suivit la route couverte d'ornières, brûlant d'envie de montrer la ville à Tacroy. Des champignons qui ressemblaient à des coraux grimpaient le long des portes. Tacroy aimerait ça.

Tacroy courut derrière lui en criant :

– Hé ! Mais où vas-tu ?

Christopher s'arrêta pour lui expliquer.

– Pas question, dit Tacroy. Peu importe si les champignons sont bleus comme le ciel. Je ne peux pas rester en transe plus longtemps, et je veux être sûr de pouvoir rentrer avec toi.

Tout cela était bien décevant. Mais quand Christopher s'approcha de lui et l'observa attentivement, il s'aperçut que Tacroy devenait plus flou, presque translucide, comme s'il allait se dissoudre dans les ténèbres ou se transformer en un de ces étranges papillons qui se cognaient aux vitres de l'auberge. Christopher, très inquiet, posa une main sur la manche de Tacroy pour le retenir. Pendant un instant, Christopher sentit à peine son bras, devenu aussi léger que les boules de poussière diaphanes qui poussaient sous son lit. Mais peu après il devint solide. La silhouette de Tacroy redevint nette et noire, se détachant sur les arbres sombres. Tacroy cessa d'onduler.

– Je crois vraiment, dit-il, mais comme s'il n'en croyait rien, en fait, que tu as fait quelque chose pour me retenir ici. Mais quoi ?

– Je vous ai solidifié, dit Christopher. Il le fallait bien pour que nous puissions aller visiter la ville tous les deux. Venez !

Mais Tacroy se mit à rire et agrippa fermement le bras de Christopher – si fermement que Christopher en vint à regretter de l'avoir solidifié.

– Non, nous irons voir les champignons une autre fois. Maintenant que je sais ce que tu peux faire, tout va être bien plus facile. On m'a engagé pour faire un voyage d'une heure, pas plus. Viens.

Tandis qu'ils revenaient par la vallée, Tacroy ne cessait de regarder tout autour de lui.

– S'il ne faisait pas aussi noir, dit-il, je suis sûr que je pourrais voir la vallée moi aussi. Je peux entendre le fleuve. C'est stupéfiant !

Mais il était évident qu'il ne pouvait pas voir le Passage. Quand ils y parvinrent, Tacroy continua à marcher comme s'il se trouvait encore dans la vallée, mais quand le vent balaya la brume, il avait disparu.

Christopher se demanda s'il allait retourner dans la Neuf, ou aller dans une autre vallée. Mais c'était beaucoup moins drôle tout seul, de sorte qu'il laissa le Passage le renvoyer chez lui.

Chapitre 4

Le lendemain matin, Christopher se réveilla écœuré par l'odeur – la puanteur, pour être précis – qui émanait de la gourde de cuir. Il la mit sous son lit, mais cela sentait encore si fort qu'il dût se lever et la recouvrir d'un oreiller pour pouvoir dormir.

Quand la Dernière Gouvernante vint lui dire de se lever, elle repéra la gourde à l'odeur.

– Juste Ciel ! dit-elle en la tenant par la ficelle. C'est inouï ! Je ne pensais pas que quelqu'un comme ton oncle pouvait prendre le risque d'acquérir une gourde pleine de cette substance ! N'a-t-il pas réfléchi au danger ?

Christopher écarquilla les yeux. Il ne l'avait jamais vue hors d'elle à ce point. Toute sa beauté cachée remontait à la surface et elle fixait la gourde comme si elle éprouvait à la fois de la colère, de la peur et du plaisir.

– Qu'est-ce qu'il y a dedans ? dit-il.

– Du sang de dragon, dit la Dernière Gouvernante. Et pas du sang séché ! Je vais donner cela tout de suite à ton oncle pendant que tu t'habilles, sinon ta maman va avoir une attaque.

Elle partit bien vite en balançant la gourde à bout de bras. Elle tourna la tête et ajouta :

– Je crois que ton oncle va être ravi.

Et il l'était. Le lendemain, un gros paquet arriva pour Christopher. La Dernière Gouvernante apporta le paquet et une paire de ciseaux dans la salle d'étude et lui laissa couper la ficelle lui-même, ce qui accrut son plaisir. A l'intérieur, il y avait une énorme boîte de chocolats avec l'image d'un petit garçon qui faisait des bulles de savon et un large ruban rouge autour. Les chocolats étaient un plaisir si rare dans la vie de Christopher qu'il faillit ne pas voir l'enveloppe glissée sous le ruban. Il y avait un souverain d'or à l'intérieur et un mot de l'oncle Ralph :

« Bravo ! Prochaine expérience dans une semaine. Miss Belle te dira quel jour.

Avec les félicitations de ton oncle qui t'aime. »

Le mot fit tellement plaisir à Christopher qu'il laissa la Dernière Gouvernante se servir la première.

– Je crois, dit-elle sèchement, en prenant un chocolat fourré aux noisettes que Christopher n'aimait pas, que ta maman voudrait y goûter avant qu'il n'en reste plus.

Puis elle arracha le mot des mains de Christopher et le jeta au feu, ce qui voulait dire qu'il ne devait rien dire à maman de la raison pour laquelle il avait reçu les chocolats.

Christopher eut la présence d'esprit de manger toute la première couche avant d'offrir la boîte à maman.

– Oh, mon chéri, c'est si mauvais pour tes dents ! dit maman tandis que ses doigts fourrageaient dans les fourrés fraise, puis dans les truffes. Tu sembles avoir séduit ton oncle – et c'est aussi bien, puisque tout mon argent est entre ses mains. Mon argent sera ton argent un jour, dit-elle, les doigts crispés sur un fondant. Ne laissez pas mon frère pourrir cet enfant, dit-elle à la Dernière Gouvernante. Et je crois qu'il serait sage que vous l'emmeniez chez le dentiste.

– Oui, madame, dit la Dernière Gouvernante, tout sucre et tout miel.

Il était évident que maman ignorait totalement pourquoi Christopher avait reçu les chocolats. Il était fier d'avoir répondu aux attentes de l'oncle Ralph, mais il aurait préféré que maman n'ait pas choisi les fondants. Tous les chocolats furent mangés bien avant la fin de la semaine et Christopher oublia ses inquiétudes pendant quelques jours. Lorsque la Dernière Gouvernante, le vendredi suivant, avant l'heure du coucher, dit calmement : « Ton oncle veut que tu voyages en rêve cette nuit », Christopher se sentit plus calme et en pleine possession de ses moyens.

– Tu dois te rendre dans la Série Dix, dit la Dernière Gouvernante et retrouver l'homme de la fois dernière. Crois-tu que tu puisses le faire ?

– Facile ! dit Christopher avec désinvolture. Je pourrais le faire les yeux fermés.

– Un peu de modestie ne serait pas de trop, fit remarquer la Dernière Gouvernante. N'oublie pas de te brosser les cheveux, de te laver les dents et ne sois pas trop sûr de toi. Tout ceci n'est pas un jeu, en vérité.

Christopher essayait vraiment de rester modeste mais c'était tellement difficile. Il arriva sur le chemin, remit ses habits pleins de boue, puis se fraya un chemin jusqu'au Passage où il se mit à la recherche de Tacroy. Le seul problème était que les vallées n'étaient pas dans le bon ordre. La Dix n'était absolument pas après la Neuf, elle se trouvait plus bas et plus loin. Christopher pensa un instant qu'il n'y parviendrait pas. Mais, au bout d'un moment, il franchit une barrière d'éboulis jaunâtres et vit Tacroy dans la brume, humide et luisant, assis inconfortablement sur un des flancs de la vallée. Il leva un bras dégoulinant en direction de Christopher.

– Seigneur, dit-il. J'ai cru que tu ne viendrais jamais. Solidifie-moi, veux-tu ? Je sens déjà que je me dissous, et je risque de repartir d'où je viens. La nouvelle harpiste n'est pas très douée.

Christopher saisit la main de Tacroy, froide et molle comme la laine. Aussitôt Tacroy se solidifia. Il devint bien vite dur, humide et aussi compact que Christopher, ce qui le ravit.

– Ton oncle n'en a pas cru ses oreilles quand je lui ai raconté cela, dit-il, tandis qu'ils pénétraient dans la vallée. Mais je lui ai juré que je serai capable de voir… oh, hum. Que vois-tu, Christopher ?

– C'est dans cet Ailleurs qu'on m'a donné mes clochettes, dit Christopher.

Il s'en souvenait parfaitement. Dans cet Ailleurs-là, le fleuve faisait un coude à mi-course. Mais il y avait quelque chose de différent – une espèce de buée à côté du chemin.

– Qu'est-ce que c'est ? demanda-t-il, oubliant que Tacroy ne pouvait pas voir la vallée.

Mais Tacroy, de toute évidence, pouvait voir la vallée à présent qu'il était solidifié. Il fixa la buée, et le tour de ses yeux tristes se couvrit de rides.

– Apparemment l'expérience de ton oncle n'a pas totalement réussi, dit-il. Ceci aurait dû être une voiture sans chevaux. Il avait essayé de l'envoyer à notre rencontre. Penses-tu pouvoir la solidifier aussi ?

Christopher s'approcha de la buée et tenta de poser la main dessus. Mais la chose n'était pas suffisamment solide pour qu'il puisse la toucher. Sa main passa au travers.

– Tant pis, dit Tacroy. Ton oncle va devoir s'appliquer. La voiture n'était que l'une des trois expériences prévues pour cette nuit.

Il insista pour que Christopher trace un grand « 10 » dans la poussière du chemin, et ils descendirent dans la vallée.

– Si tu avais réussi, expliqua Tacroy, nous aurions essayé de rapporter quelque chose de volumineux. Puisque c'est ainsi, nous chercherons un animal. Doux Jésus ! Heureusement que tu es arrivé à temps. J'étais presque dans le même état que cette voiture. Tout ça, c'est la faute de la fille.

– La jolie jeune dame à la harpe ? demanda Christopher.

– Hélas non, dit Tacroy à regret. Celle-ci a eu une attaque quand tu m'as solidifié la fois dernière. Il semble que là-bas, à Londres, mon corps se soit changé en un ruban de brume et elle a cru que j'allais partir en fumée. Elle a crié et cassé les cordes de sa harpe. Elle est partie dès que je suis revenu, disant qu'elle n'était pas payée pour rapatrier les fantômes. Elle a insisté sur le fait que son contrat ne spécifiait qu'une transe, une seule, et elle a refusé de revenir, bien qu'on lui ait offert le double. Dommage. J'avais espéré qu'elle était de l'étoffe des héroïnes. Elle me rappelait à bien des égards une autre jeune dame à la harpe qui fut autrefois chère à mon cœur.

Pendant un instant, il eut l'air aussi triste que pouvait l'être un homme pourvu d'un visage aussi joyeux. Puis il sourit.

Mais je ne pouvais demander à aucune d'elles de venir vivre dans ma soupente, dit-il. Alors c'est peut-être mieux comme ça.

– Aviez-vous besoin d'en prendre une autre ? demanda Christopher.

– Je ne peux pas m'en passer, malheureusement, contrairement à toi, dit Tacroy. Un voyageur dans le monde des rêves – un professionnel – doit travailler avec un médium qui le rapatriera en cas de problème – à l'aide de la musique – , qui s'assurera qu'il a bien chaud et qu'il n'est pas dérangé par des créanciers armés de factures, et cætera. Ton oncle a donc dû trou ver une nouvelle fille dans des délais très brefs. Celle-ci est de l'étoffe des maîtresses femmes. La voix tranchante comme un couperet. Quand elle joue de la flûte, on dirait le bruit d'une craie sur un tableau noir. Tacroy haussa légèrement les épaules. Je peux l'entendre d'ici si je tends l'oreille.

Christopher entendait lui aussi une sorte de couinement, mais il pensa qu'il provenait des flûtes des charmeurs de serpents assis le long des murailles de la cité. Ils pouvaient l'apercevoir à présent. Il faisait très chaud dans cet Ailleurs, beaucoup plus chaud que dans la Série Neuf. Les hautes murailles terreuses et les dômes aux formes étranges qui les surmontaient tremblaient sous la chaleur, comme s'ils étaient sous l'eau. Des nuages de poussière sablonneuse s'élevaient et dissimulaient presque les rangées de vieillards aux vêtements sales qui jouaient de la flûte, accroupis devant des paniers. Christopher jeta un regard inquiet aux gros serpents dressés qui dansaient.

Tacroy se mit à rire.

– Ne t'inquiète pas. Ton oncle n'aime pas plus les serpents que toi !

La porte de la cité était haute et étroite. Quand ils l'atteignirent ils étaient couverts de sable et de poussière et Christopher dégoulinait de sueur. Tacroy ne semblait pas souffrir de la chaleur. Dans la cité même il faisait encore plus chaud. La chaleur était le seul inconvénient de cet Ailleurs tout à fait plaisant. Les côtés ombragés des rues regorgeaient de monde, de chèvres et d'étals de fortune protégés par des parapluies colorés, si bien que Christopher fut obligé de marcher à côté de Tacroy au milieu de la rue, sous une lumière aveuglante. Tout le monde criait et bavardait joyeusement. L'air était chargé d'odeurs étranges, on entendait les chèvres bêler, les poulets piauler, et une étrange musique métallique. Toutes les couleurs étaient éclatantes, et de petits édifices dorés qui ressemblaient à des maisons de poupée étincelaient à chaque coin de rue. Ils étaient tous chargés de fleurs et de nourriture. Christopher se dit que de tout petits dieux devaient y habiter.

Une dame sous une ombrelle bleu électrique lui offrit une des friandises qu'elle vendait. C'était comme un nid d'oiseau croustillant et imbibé de miel. Christopher en offrit un morceau à Tacroy, mais Tacroy dit qu'il ne pourrait le manger que comme on mange en rêve, même si Christopher le solidifiait à nouveau.

– Est-ce que l'oncle Ralph veut que je lui rapporte une chèvre ? demanda Christopher en léchant le miel sur ses doigts.

– Nous aurions essayé si l'expérience de la voiture avait réussi, dit Tacroy. Ce que ton oncle voudrait vraiment c'est un chat qui vienne d'un de ces temples. Nous devons trouver le Temple d'Asheth.

Christopher le conduisit dans la grande place carrée où il y avait les maisons des grands dieux. L'homme au parapluie jaune était toujours là, assis sur les marches du plus vaste des temples.

– Ah oui. Nous y voilà, dit Tacroy.

Mais quand Christopher, plein d'espoir, se dirigea vers l'homme au parapluie jaune, Tacroy dit :

– Non, je pense que nous aurons plus de chance si nous faisons le tour.

Ils se frayèrent un chemin dans les venelles étroites qui longeaient le temple. Il n'y avait pas d'autre entrée, et pas de fenêtre non plus. Les murs étaient hauts, terreux, totalement nus mais surmontés de piques acérées. Tacroy sourit en voyant que quelqu'un avait jeté dans l'allée tout un tas de vieux choux et leva les yeux vers les pointes. Des fleurs grimpantes avaient enroulé leurs vrilles autour d'elles.

– Voilà qui est intéressant, dit-il en s'appuyant contre le mur. (Il cessa de sourire. Pendant un instant il sembla déçu et très embarrassé.) Toute médaille a son revers, dit-il. Tu m'as rendu trop solide pour passer à travers le mur. Bon sang ! (Il réfléchit, puis haussa les épaules.) Ça, c'était l'expérience numéro trois. Ton oncle avait pensé que si tu pouvais passer d'un monde à un autre, tu pouvais probablement passer à travers un mur. Chiche ? Tu crois que tu peux entrer et prendre un chat sans moi ?

Tacroy avait l'air très nerveux et vraiment inquiet. Christopher regarda le mur épais et pensa que c'était probablement impossible.

– Je peux toujours essayer, dit-il, et, surtout pour faire plaisir à Tacroy, il se plaqua contre les pierres chaudes du mur et poussa pour tenter de passer au travers. Au début, c'était vraiment impossible. Mais au bout d'un moment, il découvrit que s'il se mettait légèrement de côté, dans une certaine position, il s'enfonçait un peu dans la paroi. Il se retourna et sourit d'un air encourageant à Tacroy, qui faisait triste mine.

– Je reviens dans une minute.

– Je n'aime pas trop te laisser tout seul, dit Tacroy. Juste à ce moment on entendit un bruit de succion et Christopher se retrouva de l'autre côté du mur, empêtré dans les plantes grimpantes. Pendant une seconde il fut aveuglé par le soleil. Puis il vit, il entendit et il sentit que des choses bougeaient sur le sol de la cour qui s'étendait devant lui. Elles fuyaient maladroitement à son approche. Il fut presque paralysé de terreur. « Des serpents ! » pensa-t-il. Il cligna des yeux, plissa les paupières et cligna de nouveau pour les distinguer plus nettement.

Mais ce n'était que des chats, effrayés par le bruit qu'il avait fait en traversant le mur. La plupart d'entre eux étaient déjà hors d'atteinte. Certains avaient escaladé les plantes grimpantes, d'autres s'étaient réfugiés dans les galeries sombres qui donnaient sur la cour. Mais un chat blanc avait été moins rapide que les autres ; resté seul, il trottina lourdement vers un coin d'ombre. Christopher avait repéré sa proie. Il se mit à sa poursuite.

Lorsqu'il parvint à se dégager des vrilles de la plante, le chat avait pris peur. Il se mit à courir. Christopher courut derrière lui, pénétra dans une galerie voûtée tapissée de plantes grimpantes, traversa une autre cour, plus sombre, et parvint à une porte ornée d'un rideau. Le chat fila derrière le rideau. Christopher l'écarta et se lança à sa poursuite, mais il faisait si noir qu'il se trouva aveuglé à nouveau.

– Mais qui es-tu ? dit une voix qui venait des ténèbres. C'était une voix indignée et hautaine. Tu n'as pas le droit d'être ici.

– Et vous, qui êtes-vous ? dit prudemment Christopher qui ne pouvait distinguer autre chose que des éclairs bleus et verts.

– Je suis la Déesse, évidemment, dit la voix. Je suis la Vivante Asheth. Que fais-tu ici ? Je ne dois voir que des prêtresses jusqu'au Jour de la Grande Fête.

– Je suis juste venu chercher un chat, dit Christopher. Je partirai quand je l'aurai.

– Tu n'es pas autorisé à en prendre un, dit la Déesse. Les chats sont sacrés pour Asheth. De plus, si c'est Bethi que tu poursuis, elle est à moi, et elle va encore avoir des chatons.

Christopher commençait à y voir clair. Il fixa intensément l'angle d'où venait la voix et vit quelqu'un qui avait à peu près sa taille, assis sur ce qui ressemblait à une pile de coussins ; il discerna le chat blanc qui faisait le gros dos dans les bras de cette personne. Il fit un pas en avant.

– Reste où tu es, dit la Déesse, ou j'ordonnerai au feu de te réduire en cendres !

Christopher, à sa grande surprise, s'aperçut qu'il ne pouvait plus bouger. Il essaya en vain de traîner les pieds. C'était comme s'ils étaient fixés aux dalles avec de la colle forte à prise rapide. Ses pieds refusèrent de bouger mais ses yeux se remirent à fonctionner normalement. La Déesse était une fille avec un visage rond, banal et de longs cheveux gris souris. Elle portait une robe sans manches de couleur rouille et de nombreux bijoux de turquoise, au moins vingt bracelets et une petite couronne incrustée de turquoises. Elle avait l'air un peu plus jeune que lui – comment une fille si jeune avait-elle déjà le pouvoir de paralyser les pieds d'un intrus ? Christopher était admiratif.

– Comment as-tu fait ça ? demanda-t-il.

La Déesse haussa les épaules.

– Tel est le pouvoir de la Vivante Asheth, dit-elle. J'ai été choisie parmi toutes les autres candidates parce que je suis le meilleur Réceptacle de son Pouvoir. Asheth m'a élue et a dessiné un chat sur mon pied. Regarde.

Elle se tourna sur les coussins et lui tendit un pied nu dont la cheville s'ornait d'un bracelet. Il y avait sur la plante une grande marque de naissance pourpre. Christopher pensa que cela ne ressemblait pas vraiment à un chat, et leva les yeux au ciel, tout à fait comme Tacroy.

– Tu ne me crois pas, dit la Déesse, d'un ton de reproche.

– Je ne sais pas trop, dit Christopher. C'est la première fois que je rencontre une Déesse. Qu'est-ce que tu fais dans la vie ?

– Je demeure dans le temple à l'abri des regards, sauf un jour par an où je chevauche à travers la cité pour la bénir, dit la Déesse.

Christopher se dit que ce ne devait pas être bien intéressant, mais avant qu'il ait avoué ce qu'il pensait, la Déesse ajouta :

– Ce n'est pas très amusant, d'accord, mais c'est comme ça que doit vivre une personne vénérée comme moi. La Vivante Asheth s'incarne toujours dans une petite fille, tu vois.

– Alors, quand tu seras grande, tu ne seras plus la Vivante Asheth ? demanda Christopher.

La Déesse fronça les sourcils. Apparemment, elle avait des doutes.

– Eh bien, la Vivante Asheth ne grandit jamais, je suppose – enfin, ils n'ont rien dit.

Son visage rond et solennel s'éclaira.

– Ça c'est une bonne question, hein Bethi ? dit-elle au chat blanc en le caressant.

– Puisque je ne peux pas avoir ce chat-là, dit Christopher, est-ce que je peux en emmener un autre ?

– Ça dépend, dit la Déesse. Je ne crois pas que j'aie le droit de les distribuer. Qu'est-ce que tu veux en faire ?

– Mon oncle en veut un, expliqua Christopher. Nous faisons une expérience pour savoir si je peux emmener un animal vivant de ton Ailleurs dans le nôtre. Toi tu vis dans le Dix et nous dans le Douze. Et c'est vraiment difficile de traverser le Passage, alors si tu me laisses prendre un chat, pourrais-tu aussi me prêter un panier, s'il te plaît ?

La Déesse réfléchit.

– Combien y a-t-il d'Ailleurs ? demanda-t-elle, comme s'il s'agissait d'un test.

– Des centaines, dit Christopher, mais Tacroy pense qu'il n'y en a que douze.

– Les prêtresses disent qu'il y a douze Terres Étrangères Connues, dit la Déesse en hochant la tête. Mais Mère Proudfoot est certaine qu'il y en a bien davantage. Et comment as-tu réussi à pénétrer dans le temple ?

– En passant à travers le mur, dit Christopher. Personne ne m'a vu.

– Alors, tu peux entrer et sortir d'ici à ta guise ? dit la Déesse.

– Facile ! dit Christopher.

– Bon, dit la Déesse. (Elle jeta le chat blanc sur les coussins et sauta sur ses pieds ; tous ses bijoux firent un joli bruit en s'entrechoquant.) Je t'échange un chat, dit-elle. Mais d'abord tu dois jurer par la Déesse de revenir m'apporter ce que je demande en échange, ou bien je te laisse collé au sol et j'appelle l'Armée d'Asheth qui te tuera.

– Que veux-tu en échange ? demanda Christopher.

– Jure d'abord, dit la Déesse.

– Je jure, dit Christopher.

Mais cela ne suffisait pas. La Déesse passa ses pouces dans sa ceinture ornée de pierreries et resta de marbre. En réalité, elle était un peu plus petite que Christopher, mais elle n'en était pas moins fort imposante.

– Je jure par la Déesse que je reviendrai avec ce que tu veux en échange du chat. Ça va comme ça ? dit Christopher. Bon, alors, qu'est-ce que tu veux ?

– Je veux lire des livres, dit la Déesse. Je m'ennuie, expliqua-t-elle.

Elle ne gémit pas, mais parla si clairement et si spontanément que Christopher sut qu'elle ne mentait pas.

– Il n'y a pas de livres ici ? dit il.

– Il y en des centaines, dit la Déesse d'un air sinistre. Mais ce sont des livres d'école ou alors des livres religieux. Et la Déesse Vivante n'a pas le droit de toucher un objet qui n'appartient pas au temple. Rien d'autre en ce monde. Tu comprends ce que je veux dire ?

Christopher acquiesça. Il comprenait parfaitement.

– Quel chat puis-je prendre ?

– Throgmorten, dit la Déesse.

A ces mots, les pieds de Christopher se détachèrent des dalles. Il était à nouveau capable de marcher et suivit la Déesse qui écarta le rideau et sortit dans la cour sombre.

– Ça ne me gêne pas que tu prennes Throgmorten, dit-elle. Il sent mauvais, il griffe et il embête tous les autres chats. Je le hais. Mais il va nous falloir faire vite pour l'attraper. Les prêtresses vont avoir fini leur sieste dans peu de temps. Une seconde !

Elle se précipita dans une galerie avec un bruit de bracelets qui fit sursauter Christopher. En un éclair – la robe rouille virevolta, la ceinture tournoya, les cheveux gris souris disparurent – elle était revenue. Elle portait un panier avec un couvercle.

– Cela devrait faire l'affaire, dit-elle. Le couvercle ferme bien.

Elle le précéda dans la galerie ornée de plantes et ils débouchèrent dans la cour baignée de soleil.

– En général, il traîne par là et il essaye d'en imposer aux autres chats, dit-elle. Oui, il est là – c'est lui, dans le coin.

Throgmorten était roux. Il fixait une chatte blanc et noir qui, aplatie sur le sol, battait piteusement en retraite. Throgmorten se pavana devant elle, donna de grands coups de sa queue rayée comme un serpent jusqu'à ce que les nerfs de la chatte noir et blanc lâchent et qu'elle déguerpisse. Puis il se tourna pour voir ce que Christopher et la Déesse pouvaient bien lui vouloir.

– Il est monstrueux, non ? dit la Déesse en fourrant le panier dans les mains de Christopher. Tiens-le ouvert et ferme le couvercle tout de suite quand je l'aurai mis dedans.

Throgmorten était, Christopher dut en convenir, un chat vraiment désagréable. Il le fixait avec insolence, de ses yeux jaunes et froids, et quelque chose dans ses oreilles – l'une était plus haute que l'autre – fit comprendre à Christopher que Throgmorten s'attaquerait sans pitié à quiconque se mettrait en travers de son chemin. Malgré tout, Christopher fut étonné de constater à quel point Throgmorten lui rappelait l'oncle Ralph. Il pensa que c'était parce qu'ils étaient de la même couleur.

A ce moment, Throgmorten sentit qu'ils en avaient après lui. Il fit le dos rond, d'un air indécis. Puis il se jeta sur le mur, prit appui sur les plantes, et se trouva bien vite hors d'atteinte.

– Non, je t'interdis ! dit la Déesse.

Et le corps roux de Throgmorten qui faisait le dos rond se détacha du mur, vola dans les airs et, comme un boomerang de fourrure orange, atterrit dans le panier. Christopher fut très impressionné – si impressionné qu'il mit un peu trop longtemps à fermer le panier. Throgmorten en jaillit comme une tornade rousse. La Déesse l'empoigna et le fourra à nouveau dans le panier, d'où jaillirent aussitôt un grand nombre de pattes – au moins sept, crut voir Christopher – qui agrippèrent les bracelets, et la robe, et les jambes sous la robe pour les lacérer. Puis une des têtes de Throgmorten – il semblait en avoir au moins trois, chacune pourvue d'un nombre incroyable de dents – attaqua à son tour. Aussitôt Christopher lui donna un bon coup sur la tête. Throgmorten, en un clin d'œil, cessa d'être un démon rageur et devint un chat ordinaire et ahuri. La Déesse l'enfonça dans le panier. Christopher referma le couvercle aussitôt. Une énorme patte rousse pourvue de longues lames de rasoir roses sortit aussitôt par le trou et déchiqueta le bras de Christopher qui s'évertuait à verrouiller le panier.

– Merci, dit-il en suçant ses blessures.

– Je suis soulagée qu'il soit enfermé, dit la Déesse, qui léchait une balafre sur son bras et épongeait avec sa robe déchirée le sang qui coulait sur sa jambe.

Une voix mélodieuse qui venait de la galerie se fit entendre.

– Déesse, chère Déesse ! Où êtes-vous ?

– Je dois partir, chuchota la Déesse. N'oublie pas les livres. Tu as juré, tu dois faire un échange. J'arrive ! cria-t-elle, en courant vers la galerie et faisant cliqueter ses bijoux.

Christopher retourna bien vite contre le mur et essaya de traverser. Impossible. Il essaya de se tourner, de se glisser de côté – rien n'y fit. Il comprit que c'était à cause de Throgmorten. Le fait de tenir un chat vivant qui s'agitait dans un panier faisait de lui partie intégrante de cet Ailleurs et il devait obéir à ses lois. Que faire ? Des voix mélodieuses appelaient la Déesse, et il vit des silhouettes affairées dans deux des galeries adjacentes. Il n'envisagea pas sérieusement la possibilité de lâcher le panier. Oncle Ralph voulait ce chat. Christopher courut de toutes ses forces vers la galerie la plus proche qui semblait vide.

Malheureusement, Throgmorten, ballotté dans son panier, finit par comprendre qu'il était victime d'un enlèvement. Il se mit à protester à pleins poumons – Christopher n'aurait jamais cru qu'un chat normal puisse faire un bruit pareil. La voix de Throgmorten résonnait à travers toutes les galeries, mourait puis s'enflait ; on aurait dit tantôt le cri suraigu d'un vampire à l'agonie tantôt le grondement menaçant d'un contralto. Puis il se mit à pousser des hurlements stridents. Christopher n'avait pas couru vingt mètres qu'il entendit des cris derrière lui, des claquements de sandales et le bruit de pieds nus sur les dalles. Il courut plus vite, s'engouffra à toute vitesse dans le dédale et bifurqua à plusieurs reprises mais Throgmorten dans son panier ne cessait de pousser ses clameurs de protestation et indiquait la bonne direction à leurs poursuivants. La situation empirait. Quand Christopher aperçut la lumière du jour, le nombre des poursuivants avait doublé. Il bondit dans la lumière, poursuivi par une foule en fureur.

Ce n'était pas une issue, mais un grand temple rempli d'adorateurs, de statues et de gros piliers peints. La lumière venait d'une porte grande ouverte à environ cent mètres de lui. Christopher aperçut la silhouette de l'homme au parapluie jaune derrière la porte et parvint à se repérer. Il courut vers la sortie, en évitant les piliers et en contournant les gens en prière.

– Wong, wong, wong, wong, hurlait Throgmorten dans son panier.

– Au voleur ! Arrêtez-le ! hurlaient les poursuivants. A la garde !

Christopher vit un homme avec un masque d'argent, ou peut-être une femme, un individu masqué, debout sur une volée d'escaliers, qui le menaçait de sa lance. Il essaya d'esquiver, mais il était trop tard, ou peut-être la lance ajusta-t-elle sa trajectoire. Elle vint se ficher dans sa poitrine avec un bruit sourd.

Puis les choses se déroulèrent avec une extrême lenteur. Christopher ne bougea plus, les doigts crispés sur le panier qui hurlait toujours, et regarda d'un air incrédule la hampe de la lance qui sortait de sa poitrine et transperçait sa chemise sale. Il vit tous les détails avec une précision extrême. La hampe était d'un beau bois brun bien ciré, ornée de mots et de dessins. A peu près à mi-hauteur, il vit une poignée d'argent poli décorée de motifs presque effacés par l'usure. Quelques gouttes de sang affleuraient à l'endroit où le bois s'enfonçait profondément dans sa chair. Il leva la tête et vit l'individu masqué qui avançait triomphalement vers lui. Au loin, dans l'embrasure de la porte, il vit Tacroy, qui avait dû être alerté par le bruit. Il était immobile, paralysé par l'effroi.

Christopher tituba, leva sa main libre et saisit la poignée pour tenter d'arracher la lance. Il sentit une secousse et tout disparut.

Chapitre 5

C'était le petit matin. Christopher s'aperçut que ce qui l'avait réveillé étaient les cris de fureur d'un chat dans un panier renversé au beau milieu du plancher. Throgmorten voulait sortir. Tout de suite. Christopher s'assit et savoura son triomphe : il avait montré qu'il pouvait ramener un animal vivant d'un Ailleurs. Puis il se souvint qu'il avait une lance enfoncée dans la poitrine. Il baissa la tête. Pas trace de lance. Pas trace de sang. Il n'avait pas mal. Il toucha sa poitrine. Puis il déboutonna son pyjama et regarda mieux. Il n'en croyait pas ses yeux : tout ce qu'il voyait était une peau pâle et lisse sans la moindre trace de blessure. Il était sain et sauf. Les Ailleurs n'existaient que dans ses rêves. Il se mit à rire.

– Wong ! protesta Throgmorten en faisant rouler le panier.

Christopher se dit qu'il ferait mieux de libérer le monstre. Il se souvint des redoutables griffes pointues, se mit debout sur son lit pour détacher la tringle des tentures. C'était difficile parce que le lourd tissu glissait, mais Christopher pensa qu'elles constitueraient un bouclier efficace contre la rage de Throgmorten et les ramassa contre sa poitrine. Après quelques essais infructueux, il parvint à placer l'extrémité de la tringle sous le loquet et ouvrit le panier d'un seul coup.

Plus un bruit. Throgmorten semblait croire qu'il s'agissait d'un piège. Christopher attendit que Throgmorten attaque, en se balançant doucement sur son lit et en tenant d'une main ferme la tringle où pendaient les tentures. Mais rien ne se produisit. Christopher se pencha doucement jusqu'à ce qu'il puisse voir l'intérieur du panier. Il y avait une grosse boule rousse qui palpitait doucement. Throgmorten, dédaignant la liberté qui lui était offerte, s'était mis en boule et endormi.

– Puisque c'est comme ça, dit Christopher, fais comme tu veux !

Il eut quelques difficultés à remettre la tringle en place sur ses supports puis il se rendormit.

Lorsqu'il se réveilla, il vit Throgmorten qui explorait la chambre. Christopher s'allongea sur le dos et suivit des yeux Throgmorten qui fit le tour de la pièce en sautant d'un meuble à l'autre. Selon toute apparence, Throgmorten n'était plus en colère. Il semblait seulement dévoré de curiosité. Ou peut-être, pensa Christopher, tandis que Throgmorten prenait son élan et sautait du haut de l'armoire sur la tringle des rideaux, avait-il parié qu'il pourrait faire le tour de la chambre à coucher sans poser une patte par terre. Quand il commença à jouer avec la tringle et à se pendre aux tentures à l'aide de ses redoutables griffes, Christopher se sentit rassuré.

Ce qui arriva alors ne fut en aucune manière la faute de Throgmorten. Christopher sut que c'était la sienne, parce qu'il n'avait pas remis en place la tringle correctement. L'extrémité opposée à Throgmorten, tout près de Christopher, se décrocha et plongea vers le lit comme un harpon, les anneaux glissèrent avec un bruit métallique, et Throgmorten, toujours agrippé au tissu, se mit à descendre. Pendant une seconde, Christopher croisa le regard terrifié de Throgmorten et celui-ci glissa tout le long de la tringle. Puis l'extrémité de la tringle de cuivre vint frapper Christopher en pleine poitrine. Comme la lance. Elle n'était ni pointue ni lourde mais elle pénétra pourtant dans les chairs. Throgmorten, en proie à la panique et toutes griffes dehors, atterrit aussitôt sur son estomac. Christopher pensa qu'il avait dû crier. Quoi qu'il en soit, lui ou Throgmorten fit assez de bruit pour attirer la Dernière Gouvernante qui entra en trombe. La dernière chose que vit Christopher fut la Dernière Gouvernante dans sa chemise de nuit blanche, verte d'horreur, qui agitait les mains et faisait des gestes bizarres en prononçant des paroles très étranges...

Quand il se réveilla, il comprit en voyant la lumière qu'on était en plein après-midi. Il avait très mal à la poitrine et essayait de reprendre ses esprits, quand il entendit la voix d'oncle Ralph.

– Ce n'est vraiment pas de chance, Effie, juste au moment où tout allait si bien ! Est-ce qu'il va aller mieux ?

– Je crois que oui, répondit la Dernière Gouvernante. (Ils étaient tous deux au chevet de Christopher.) Je suis arrivée juste à temps pour prononcer la formule qui étanche le sang des blessures et il semble bien qu'il va guérir.

Christopher pensa : « C'est drôle, je ne savais pas que c'était une sorcière ! », et elle reprit :

– Je n'ai pas osé souffler mot de tout cela à votre sœur.

– Vous avez bien fait, dit l'oncle Ralph. Elle a des plans bien arrêtés en ce qui concerne ce garçon et si elle découvre les miens, elle y mettra un terme. Au diable ce chat ! Mon coup d'essai était un coup de maître et j'ai organisé des choses à travers les Mondes Parallèles que je me refuse à anéantir. Vraiment, vous croyez qu'il va guérir ?

– Avec le temps, oui, dit la Dernière Gouvernante. J'ai ensorcelé cette chambre.

– Il va falloir que je remette tout à plus tard, dit oncle Ralph, l'air très mécontent. Au moins, nous avons le chat. Où cette chose est-elle allée se fourrer ?

– Sous le lit. J'ai essayé de l'en tirer mais je n'ai récolté que des coups de griffe.

– Faible femme ! dit oncle Ralph. Je m'en charge.

Christopher entendit ses genoux cogner le plancher. Sa voix venait de sous le lit.

– Viens, joli chat, viens ici, mon joli chat…

Des miaulements épouvantables emplirent la pièce.

Oncle Ralph battit en retraite et lâcha toute une série de gros mots.

– Cette créature est le diable en personne, ajouta-t-il. Elle a osé me griffer !

Christopher comprit que son oncle s'était relevé et gagnait la sortie.

– Ne le laissez pas s'enfuir. Trouvez une formule magique d'enfermement, je reviens tout de suite.

– Où allez-vous ? demanda la Dernière Gouvernante.

– Chercher une bonne paire de gants en cuir et un vétérinaire, dit oncle Ralph sur le pas de la porte. C'est un chat du Temple d'Asheth. Sa valeur est inestimable. Des sorciers paieraient cinq cents livres rien que pour un centimètre de ses boyaux ou une seule de ses griffes. Ses yeux valent plusieurs milliers de livres – chacun – alors vous avez intérêt à utiliser une formule vraiment puissante. Je peux mettre une bonne heure à trouver un vétérinaire…

Puis ce fut le silence. Christopher fit un petit somme. Quand il se réveilla, il se sentit tellement mieux qu'il put s'asseoir. Il jeta un coup d'œil à sa blessure que la Dernière Gouvernante avait habilement recouverte d'un bandage blanc et doux. Christopher regarda sous le pansement avec grand intérêt. La blessure était un trou rouge et rond, plus petit qu'il l'aurait cru. Cela ne faisait presque pas mal. Il se demanda si le trou était profond et entendit une plainte perçante qui venait de la fenêtre derrière lui. Il se retourna. La fenêtre était ouverte – la Dernière Gouvernante était une maniaque de l'air frais –, Throgmorten était tapi sur le rebord et lui jetait un regard implorant. Quand il vit que Christopher le regardait, Throgmorten tendit une de ses pattes pourvues de rasoirs et griffa la fenêtre ouverte. On entendit un bruit semblable à celui d'une craie crissant sur un tableau noir.

– Wong, ordonna Throgmorten.

Christopher se demanda pourquoi Throgmorten pensait qu'il accepterait de l'aider. Après tout, c'était à cause du chat qu'il avait failli mourir.

– Wong ? demanda humblement Throgmorten.

Christopher se mit à réfléchir et conclut que tout

n'était pas vraiment de la faute de Throgmorten. Et bien que Throgmorten soit probablement le chat le plus laid et le plus méchant de tous les Ailleurs, ce n'était pas correct de l'enlever, de l'entraîner dans un monde étrange et de le couper en morceaux pour le vendre à des sorciers.

– D'accord, dit-il en descendant de son lit. (Throgmorten se leva et dressa sa queue rousse, plein d'espoir.) Mais je ne suis pas sûr de savoir désenvoûter cette fenêtre, ajouta Christopher en s'approchant avec circonspection.

Throgmorten recula et ne chercha pas à le griffer. Christopher posa la main dans l'encadrement de la fenêtre. Il sentit que le vide était élastique et s'enfonçait sous ses doigts mais, malgré ses efforts, il ne parvint pas à passer la main au travers. Soudain, il lui vint une idée et, à tout hasard, il ouvrit la fenêtre en grand. Il sentit le sortilège se déchirer comme une solide toile d'araignée.

– Wong ! fit Throgmorten, admiratif, avant de disparaître.

Christopher le vit gambader sur une gouttière et voler jusqu'au rebord d'une fenêtre. De là il suffisait d'un bond pour atteindre la porte-fenêtre puis le sol. La silhouette rousse de Throgmorten s'éloigna en trottinant vers les buissons et se glissa sous la haie voisine. Apparemment, il avait déjà dans l'idée de tuer quelques oiseaux et de corriger quelques chats. Christopher referma soigneusement la fenêtre et retourna se coucher.

Quand il se réveilla, maman était devant la porte et disait d'une voix inquiète :

– Comment va-t-il ? J'espère que ce n'est pas contagieux.

– Pas le moins du monde, madame, dit la Dernière Gouvernante.

Maman consentit à entrer, emplit la pièce de son parfum – ce qui était aussi bien car Throgmorten avait imprégné le dessous du lit de son odeur écœurante – et regarda Christopher.

– Il me semble un peu pâle, dit-elle. Aurions-nous besoin d'un docteur ?

– Je me suis occupée de tout, madame, dit la Dernière Gouvernante.

– Merci, dit maman. Veillez à ce que cela ne l'empêche pas de faire ses devoirs.

Quand maman fut partie, la Dernière Gouvernante prit son parapluie et fourragea sous le lit, puis derrière les meubles, à la recherche de Throgmorten.

– Où a-t-il bien pu passer ? dit-elle, en grimpant pour cribler de coups de parapluie le dessus de l'armoire.

– Je ne sais pas, répondit Christopher, sans mentir, puisqu'il savait que Throgmorten devait être bien loin à présent. Il était encore là quand je me suis endormi.

– Il a disparu ! s'exclama la Dernière Gouvernante. Un chat ne peut pas disparaître comme ça !

Christopher rétorqua en connaissance de cause :

– Mais c'est un chat du Temple d'Asheth.

– C'est vrai, dit la Dernière Gouvernante. Ce sont des animaux qui possèdent de grands pouvoirs, la chose est connue. Mais ton oncle ne va pas être content qu'il soit parti.

Christopher se sentait très coupable. Il ne parvenait pas à se rendormir et lorsque, environ une heure plus tard, il entendit des pas lourds s'approcher de la porte, il s'assit aussitôt et se demanda ce qu'il allait bien pouvoir dire à l'oncle Ralph.

Mais l'homme qui entra n'était pas l'oncle Ralph. C'était un étranger, non, c'était papa ! Christopher reconnut les favoris noirs. Le visage de papa lui était également familier, parce qu'il ressemblait à son propre visage, à l'exception de ses favoris et de son expression sévère et soucieuse. Christopher fut stupéfait car il avait toujours pensé – sans que personne le lui ait expressément dit – que papa était tombé en disgrâce et avait quitté la maison à cause des problèmes d'argent.

– Tu vas bien, mon fils ? dit papa.

A sa nervosité, à sa voix inquiète, et à la manière dont il regardait vers la porte, Christopher comprit que papa avait bel et bien quitté la maison et ne tenait pas à ce qu'on l'y trouve. Autrement dit, papa était venu spécialement pour voir Christopher, ce qui l'étonna encore davantage.

– Je vais très bien, merci, dit Christopher bien poliment.

Il n'avait pas la moindre idée de la manière dont il fallait parler à papa. Autant rester poli, c'était plus sûr.

– Tu es sûr ? demanda papa en le regardant attentivement. J'ai examiné ton avenir et j'ai vu que… (Papa s'interrompit.) En fait, heu, logiquement tu devrais être mort.

Christopher fut abasourdi.

– Oh non, je me sens beaucoup mieux maintenant, dit-il.

– Que Dieu en soit remercié, dit papa. J'ai dû faire

une erreur – je suis coutumier du fait, il me semble. Mais j'ai fait ton horoscope aussi, je l'ai vérifié plusieurs fois, et je dois t'avertir que les dix-huit mois qui viennent seront une période de grand danger pour toi, mon fils. Tu dois être très prudent.

– Oui, dit Christopher, je serai prudent.

Il était sincère. S'il fermait les yeux, il revoyait la tringle lui tomber dessus, et devait faire un effort pour ne pas repenser à la lance fichée dans sa poitrine.

Papa se pencha un peu plus vers lui en jetant un regard furtif vers la porte.

– Le frère de ta maman, Ralph Argent... j'ai appris qu'il avait pris ses affaires en main, dit-il. Essaie d'avoir le moins possible affaire à lui, mon fils. Ce n'est pas une personne qui gagne à être connue.

Sur ces mots, papa tapota l'épaule de Christopher et s'enfuit. Christopher était assez soulagé. Pour une obscure raison, papa l'avait mis très mal à l'aise. Maintenant il était encore plus inquiet car il ignorait ce qu'il devait dire à oncle Ralph. Mais à son grand soulagement, la Dernière Gouvernante lui annonça qu'oncle Ralph ne viendrait pas. Il avait dit qu'il était trop contrarié d'avoir perdu Throgmorten pour être un visiteur agréable. Christopher eut un soupir de gratitude et se détendit pour jouir du plaisir d'être souffrant. Il fit des dessins, il mangea du raisin, il lut des livres et profita de sa maladie autant que possible. Ce n'était pas chose facile. Le lendemain matin, sa blessure n'était plus qu'une croûte ronde qui le démangeait, et le troisième jour il n'y avait presque plus trace. Le quatrième jour, la Dernière

Gouvernante lui dit de se lever et d'étudier ses leçons comme d'habitude ; enfin, ce fut merveilleux le temps que cela dura.

Le jour suivant, la Dernière Gouvernante annonça :

– Ton oncle veut tenter une nouvelle expérience demain. Cette fois, il veut que tu rencontres l'homme dans la Série Huit. Te sens-tu assez solide pour continuer ?

Christopher allait à merveille, et pourvu que personne ne lui demande de retourner dans la Série Dix, il était prêt à rêver de nouveau.

La Série Huit se révéla un Ailleurs morne et rocailleux situé juste au-dessus de la Neuf. Christopher n'y avait guère prêté attention quand il l'avait explorée seul, mais Tacroy était si heureux de le voir qu'il l'aurait rejoint avec plaisir dans une contrée bien moins accueillante.

– Comme je suis content de te revoir ! dit Tacroy, tandis que Christopher le solidifiait. Je m'étais résigné à être l'instrument de ta mort. Je me serais donné des coups tant j'étais malheureux d'avoir persuadé ton oncle de t'envoyer chercher un animal ! Chacun sait que les créatures vivantes sont une source de problèmes, et je lui ai dit que nous ne recommencerons plus jamais. Tu te sens bien, vraiment ?

– Très bien, dit Christopher. Quand je me suis réveillé ma poitrine était toute lisse.

En réalité le plus drôle était que les griffures de Throgmorten avaient mis deux fois plus de temps à cicatriser que les deux blessures de Christopher. Mais Tacroy semblait avoir du mal à le croire et était si gêné que Christopher se sentit mal à l'aise et changea de sujet.

– Avez-vous toujours avec vous la jeune dame qui est une maîtresse femme ?

– Elle est toujours là, dit Tacroy, soudain plus gai. Cette pauvre fille me fait grincer des dents en jouant de la flûte comme elle le fait en ce moment. Jette un coup d'œil dans la vallée. Ton oncle n'a pas chômé depuis… depuis ton accident.

L'oncle Ralph avait amélioré la voiture sans chevaux. Elle était posée sur les rochers près du fleuve. Elle avait l'air solide, mais elle ressemblait davantage à un traîneau de bois qu'à une voiture. Tacroy était assez solide pour saisir la corde attachée à l'avant. Quand il la tira, la voiture glissa le long de la vallée derrière lui en touchant à peine le sol.

– Je dois emporter la voiture avec moi quand je regagnerai ma soupente de Londres, expliqua-t-il. Je sais que cela n'a pas l'air évident mais ton oncle jure que cette fois ce sera possible. La question est de savoir si elle pourra repartir chargée ou si le chargement restera ici. C'est ce que l'expérience de cette nuit va nous apprendre.

Christopher dut aider Tacroy à haler le traîneau le long de la voie pavée qui traversait la vallée. Tacroy n'était pas assez solide pour tirer énergiquement. Ils parvinrent à une ferme de pierre perchée à mi-hauteur ; un groupe muet de femmes aux bras puissants les attendait dans la cour à côté d'un monceau de paquets emballés dans de la soie huilée. Ils avaient une drôle d'odeur, mais elle était en partie masquée par les haleines chargées d'ail des femmes. Dès que le traîneau s'arrêta, des effluves d'ail se répandirent dans l'air. Elles se saisirent des paquets et tentèrent de les charger sur le traîneau. Ils passèrent au travers et tombèrent sur le sol.

– Inutile, dit Tacroy. J'ai cru que vous étiez au courant. Laissez Christopher le faire.

Ce fut un dur labeur. Les femmes regardaient d'un air méfiant Christopher charger les paquets et les arrimer à l'aide de cordes. Tacroy essaya de l'aider mais il n'était pas assez solide et ses mains passaient à travers les paquets. Christopher se sentait fatigué et frissonnait dans le vent froid. Quand une des femmes lui adressa un sourire amical et lui demanda s'il aimerait entrer un moment boire quelque chose, il accepta, plein de reconnaissance.

– Pas aujourd'hui, merci, dit Tacroy. Il s'agit d'une expérience et nous ne savons pas de combien de temps nous disposons. Nous ferions mieux de rentrer.

Il vit que Christopher était déçu. Tandis qu'il tiraient le traîneau au bas de la colline, il reprit :

– Je te comprends. Mais il s'agit d'un voyage d'affaires. Ton oncle va perfectionner cette voiture en se fondant sur les événements de cette nuit. Mon plus cher désir est qu'il le rende suffisamment solide pour que les fournisseurs fassent le chargement, nous n'aurons plus besoin alors de recourir à tes services.

– Mais j'aime me rendre utile, protesta Christopher. Et comment auriez-vous pu le tirer si je n'avais pas été là pour vous solidifier ?

– C'est vrai, dit Tacroy.

Il réfléchit tandis qu'ils descendaient dans le creux de la vallée puis il commença à remonter péniblement, la corde sur l'épaule.

– Il y a quelque chose que je dois te demander, dit-il en haletant. Est-ce que tu prends des leçons de magie ?

– Je ne crois pas, répondit Christopher.

– Eh bien, tu devrais, haleta-t-il. Je n'ai jamais rencontré personne de plus doué que toi. Demande à ta maman de t'en faire donner.

– Je crois que maman veut que je devienne missionnaire, dit Christopher.

Tacroy leva les yeux au ciel.

– Tu es sûr ? Tu n'aurais pas mal compris ? Ce ne serait pas « magicien » plutôt que « missionnaire » ?

– Non. Elle dit que je dois entrer dans la bonne société.

– Ah, la Bonne Société ! haleta Tacroy, l'air désabusé. Je rêve que je vais dans la Bonne Société, je porte un beau costume de velours et je suis entouré de jeunes dames qui jouent de la harpe.

– Est-ce que les missionnaires portent des costumes de velours ? demanda Christopher. Ou parlez-vous du Paradis ?

Tacroy leva les yeux vers le ciel gris et nuageux.

– Je crois que cette conversation ne mène nulle part, remarqua-t-il. Essaie de toute façon. Ton oncle me dit que tu vas entrer à l'école bientôt. Si c'est une école digne de ce nom, tu dois pouvoir prendre la magie en option. Promets-moi que tu demanderas la permission d'assister au cours.

– D'accord, dit Christopher.

Quand il entendait parler d'école, il avait toujours une drôle de sensation au creux de l'estomac. A quoi ressemble une école ?

– C'est un endroit plein d'enfants, dit Tacroy. Je ne voudrais pas t'en dégoûter à l'avance. (Ils étaient parvenus au sommet du versant, et les brumes du Passage se déployaient devant eux.) C'est là que ça devient difficile, dit-il. Ton oncle a pensé que cette chose avait plus de chances d'arriver chargée si c'était toi qui poussais pendant que je tire. Encore une chose avant de partir – la prochaine fois que tu te trouveras dans un temple de Païens et qu'ils te poursuivront, lâche ce que tu tiens et traverse le premier mur que tu verras. Compris ? Au train où vont les choses, je te verrai dans une semaine ou deux.

Christopher appuya l'épaule contre l'arrière de la voiture et poussa tandis que Tacroy pénétrait dans le brouillard, la corde à la main. La voiture pencha et glissa vers l'avant à sa suite. Dès qu'elle fut dans le brouillard, elle devint lumineuse, semblant faite de papier et, comme un cerf-volant, elle plongea dans le vide avant de disparaître.

Christopher retourna chez lui bien soucieux. Cela lui avait fait un choc de découvrir qu'il avait été sans le savoir dans un Ailleurs où vivaient des Païens. Il avait bien eu raison de se méfier de ces gens-là. Rien, pensa-t-il, ne le ferait retourner dans la Série Dix. Il aurait bien voulu que maman n'ait pas décidé de faire de lui un missionnaire.

Chapitre 6

Dès lors, Oncle Ralph organisa une expérience nouvelle chaque semaine. Tacroy dit qu'il avait été ravi que la voiture et les paquets soient arrivés sans encombre à la soupente de Tacroy. Deux enchanteurs et un sorcier avaient travaillé à un sort qui lui permettrait de rester dans un Ailleurs un jour entier. Les expériences devinrent plus amusantes. Tacroy et Christopher n'auraient qu'à haler la voiture jusqu'au lieu du chargement, où les objets étaient soigneusement emballés dans des paquets suffisamment petits pour que Christopher puisse les manier. Après que Christopher les aurait chargés, Tacroy et lui partiraient en exploration.

Tacroy tenait beaucoup à explorer les lieux. « C'est sa récréation, expliquait-il à ceux qui gardaient les paquets. Nous serons de retour dans une heure environ ». Dans la Série Un, ils allèrent regarder des trains extraordinaires qui passaient dans de grands anneaux posés sur d'immenses piliers. Les trains filaient à travers sans les toucher en faisant un bruit de tonnerre. Dans la Série Deux, ils se promenèrent dans un labyrinthe de ponts au-dessus d'un dédale de rivières et contemplèrent des anguilles géantes qui se reposaient sur des bancs de sable, tandis que des créatures plus bizarres encore grouillaient et grondaient dans la boue. Christopher soupçonnait Tacroy de prendre autant de plaisir que lui à ces escapades. Il était toujours ravi de leurs promenades.

– Ça me change des vieux plafonds et des murs lézardés. Je ne sors pas beaucoup de Londres, tu sais, confessa Tacroy tandis qu'il montrait à Christopher comment construire de beaux châteaux de sable sur une plage de la Série Cinq. La série Cinq était l'Ailleurs où Christopher avait rencontré les dames excentriques. C'était un monde composé exclusivement d'îles.

– C'est encore mieux qu'un week-end à Brighton ! s'exclama Tacroy, en contemplant les vagues déferlantes d'un bleu lumineux. C'est presque aussi bien qu'un après-midi de cricket. J'aimerais avoir les moyens de partir plus souvent.

– Avez-vous perdu tout votre argent ? demanda Christopher, plein de compassion.

– Je n'ai jamais eu d'argent alors je ne risque pas d'en perdre, répondit Tacroy, je suis un enfant trouvé.

Christopher n'en demanda pas plus, parce qu'il espérait que les sirènes d'autrefois feraient leur apparition. Mais il eut beau attendre patiemment, aucune sirène ne se montra.

Il revint sur le sujet la semaine suivante dans la Série Sept. Tandis qu'ils suivaient un homme qui ressemblait à un gitan et qui les guidait vers le Grand Glacier, il demanda à Tacroy ce que voulait dire « enfant trouvé ».

– Cela veut dire que quelqu'un m'a trouvé, dit gaiement Tacroy. Ce quelqu'un, dans mon cas, était un homme bon et dévoué, un vieux loup de mer qui m'a trouvé sur une île. J'étais encore un bébé. Il a dit que c'était le Seigneur qui m'avait envoyé. Je ne sais pas qui sont mes parents.

Christopher était très impressionné.

– C'est pour ça que vous êtes toujours aussi gai ?

Tacroy se mit à rire.

– Je suis de bonne humeur en général, dit-il. Mais aujourd'hui je me sens particulièrement bien parce que je me suis débarrassé de cette horrible joueuse de flûte. Ton oncle m'a trouvé une gentille grand-mère qui joue très honnêtement du violon. C'est peut-être pour ça, ou peut-être est-ce ton influence, mais je me sens plus solide à chaque pas.

Christopher l'observait tandis qu'il le précédait sur le chemin de montagne. Tacroy avait l'air aussi dur que la paroi et aussi réel que l'espèce de gitan qui leur montrait la voie.

– Je crois que vous faites des progrès, dit-il.

– C'est peut-être parce que tu m'as donné envie d'être le meilleur, dit Tacroy. Et pourtant, sais-tu, jeune Christopher, avant que tu viennes, j'étais considéré comme le meilleur rêveur de tout le pays.

Le gitan se mit à crier et leur fit signe de venir admirer le glacier. Il était juste au-dessus d'eux, à flanc de montagne, comme un grand V d'un blanc sale. Christopher ne fut pas autrement impressionné. Tout ce qu'il voyait c'était de la vieille neige sale – évidemment, il y en avait beaucoup.

La grande langue glacée, d'un gris presque transparent, pendait vers eux, et de l'eau en tombait en cascade. La Série Sept était un monde étrange, un monde de montagnes et de glace, mais, bizarrement, il y faisait chaud. Là où l'eau tombait du glacier, il faisait suffisamment chaud pour que jaillissent une multitude de fougères d'un vert acide et des arbres tropicaux en fleurs. Sur une mousse d'un vert agressif avaient poussé des coupes pourpres aussi grosses que des chapeaux, qui regorgeaient d'eau. C'était le pôle Nord et l'Équateur réunis. Les trois hommes se sentaient minuscules.

– Impressionnant, dit Tacroy. Je connais deux personnes qui ressemblent exactement à ça. L'une d'entre elles est ton oncle.

Christopher pensa que c'était une remarque idiote. L'oncle Ralph ne ressemblait en rien au Grand Glacier. Il garda rancune à Tacroy pendant toute la semaine. Mais il se dérida lorsque la Dernière Gouvernante lui apporta toute une collection d'habits neufs, solides et pratiques.

– Pour la prochaine expérience, tu mettras ceux-ci, dit-elle. L'homme que ton oncle a engagé a protesté. Il a dit que tu portes toujours des haillons et que, la dernière fois, tu claquais des dents dans la neige. Nous ne voulons pas que tu tombes malade, vois-tu.

Christopher n'avait jamais remarqué qu'il avait froid, mais il fut reconnaissant à Tacroy. Ses vieux habits étaient devenus beaucoup trop petits et le gênaient quand il escaladait le Passage. Il décida qu'il aimait bien Tacroy, tout compte fait.

– Dites, demanda-t-il tandis qu'il entreposait des paquets dans une grande cabane de métal de la Série Quatre, est-ce que je peux vous rendre visite dans votre soupente ? Nous habitons à Londres, nous aussi.

– Nous habitons trop loin l'un de l'autre, dit Tacroy prestement. Et tu n'aimerais pas du tout le quartier où se trouve ma soupente.

Christopher affirma que cela lui était égal. Il voulait voir Tacroy en chair et en os et avait grande envie de voir la soupente. Mais Tacroy trouva des prétextes. Christopher demanda encore et encore, deux fois au moins chaque nuit. Quand ils retournèrent dans la Série Huit, sinistre et rocailleuse, Christopher fut vraiment ravi de posséder de nouveaux habits bien chauds. Près de la cheminée de la ferme, tandis qu'il se réchauffait les doigts autour d'une grande tasse de thé âcre, il se sentit plein de gratitude envers Tacroy et demanda à nouveau :

– Oh, s'il vous plaît, puis-je vous rendre visite dans votre soupente ?

– Oh, la ferme, Christopher ! dit Tacroy, excédé. Je t'aurais invité il y a longtemps, mais ton oncle a bien spécifié que tu ne devais me voir qu'en rêve et pendant le déroulement de l'expérience. Si je te disais où je vis, je perdrais mon travail. C'est aussi simple que ça.

– Je pourrais aller voir toutes les soupentes, dit Christopher d'un air malin, et je crierais « Tacroy » et j'interrogerais tout le monde jusqu'à ce que je vous trouve.

– Non tu ne pourrais pas, dit Tacroy. Tu courrais à l'échec. Tacroy est mon nom spirituel. Mon corps répond à un autre nom.

Christopher renonça et se fit une raison, mais il ne comprenait toujours pas.

Le temps passa et le moment où Christopher devait entrer à l'école arriva. Il faisait de son mieux pour ne pas y penser, mais c'était difficile car il passait une grande partie de son temps à essayer de nouveaux vêtements. La Dernière Gouvernante broda son nom – C. CHANT – sur les vêtements et les rangea dans une malle de métal noir et brillant, sur laquelle on pouvait aussi lire C. CHANT en grandes lettres blanches. Un porteur enleva la malle peu après, et ses bras rappelèrent à Christopher les femmes de la Série Huit, puis le même porteur enleva les malles de maman, mais les siennes partaient pour Baden-Baden, tandis que sur celle de Christopher il y avait une étiquette indiquant « École de Penge, Surrey ».

Le lendemain, maman partit pour Baden-Baden. Elle vint dire au revoir à Christopher en se tamponnant les yeux avec un mouchoir de dentelle bleue, assorti à son ensemble de voyage.

– Sois un bon garçon et apprends bien tes leçons, dit-elle. N'oublie jamais que ta maman veut être très fière de toi quand tu seras grand. Elle tendit à Christopher une joue parfumée et dit à la Dernière Gouvernante :

– Auriez-vous l'obligeance d'emmener cet enfant chez le dentiste ?

– Ce sera fait sans faute, madame, dit la Dernière Gouvernante de son air le plus sinistre. Sa beauté cachée ne se dévoilait jamais devant maman.

Christopher n'aimait pas aller chez le dentiste. Il lui cogna et lui gratta les dents comme s'il cherchait à les faire tomber, puis il expliqua longuement qu'elles n'étaient pas à la bonne place. Christopher finit par se demander s'il n'avait pas dans la bouche des crocs comme Throgmorten. Le dentiste le força à porter un grand appareil brillant, qu'il ne devait jamais ôter, même la nuit. Il se mit à haïr l'appareil si fort qu'il en oublia presque sa terreur de l'école.

Les domestiques recouvrirent les meubles avec des housses puis partirent un à un, et bientôt il ne resta plus dans la maison que Christopher et la Dernière Gouvernante qui l'emmena en taxi à la gare l'après-midi même et le mit dans un train qui allait à l'école.

Sur le quai, Christopher comprenant qu'il ne pourrait plus reculer se mit à avoir très peur. Ceci était la première étape vers son avenir de missionnaire qui serait mangé par les Païens. Il était à moitié mort de terreur, il sentit son visage se pétrifier et ses jambes se mirent à trembler. Le plus terrible c'est qu'il n'avait pas la moindre idée de ce que pouvait être une école. Il entendit à peine la Dernière Gouvernante dire :

– Au revoir, Christopher. Ton oncle a dit qu'il te laissait un mois de répit pour t'installer. Il veut que tu retrouves l'homme de la manière habituelle le 8 octobre dans la Série Six. Le 8 octobre. Tu as bien compris ?

– Oui, dit Christopher qui n'avait pas entendu un mot.

Il monta en voiture comme un condamné à l'échafaud.

Il y avait deux autres garçons dans la voiture. Le petit maigre, qui s'appelait Fenning, était si nerveux qu'il devait rester penché par la fenêtre pour pouvoir vomir à son aise. L'autre, qui s'appelait Oneir, avait l'air si ordinaire qu'il en était presque reposant. Lorsque le train entra en gare, Christopher s'était fait deux amis. Ils décidèrent de former le club des Terribles Trois, mais à l'école tout le monde se mit à les appeler Les Trois Ours. Dès que les trois amis entraient dans une pièce, il se trouvait toujours quelqu'un pour dire « Qui s'est assis sur ma petite chaise ? » C'était parce que Christopher était grand (ce qu'il n'avait pas réalisé jusqu'alors), que Fenning était petit et qu'Oneir était juste entre les deux.

Avant la fin de la première semaine, Christopher en vint à se demander ce qui avait pu l'effrayer à ce point. L'école avait ses inconvénients, évidemment, comme la nourriture, certains professeurs et plusieurs grands garçons, mais tout cela n'était rien en comparaison du délicieux plaisir d'être en compagnie de garçons de son âge et d'avoir deux vrais amis à soi. Christopher découvrit qu'il fallait se comporter avec les professeurs odieux et certains grands garçons comme on se comportait avec les gouvernantes : il faut leur dire bien poliment les vérités qu'ils veulent entendre, après quoi ils pensent qu'ils ont gagné et vous laissent tranquille. Les leçons étaient faciles. En réalité ce furent les autres garçons qui enseignèrent des choses à Christopher. Au bout de trois jours à peine, il en avait appris assez – sans savoir trop comment – pour comprendre que maman n'avait jamais voulu faire de lui un missionnaire. Il se sentit un peu bête, mais cela ne l'ennuya pas outre mesure. Quand il pensait à maman, c'était avec tendresse, et il profita sans retenue des plaisirs de l'école.

Le seul cours qui ne lui plaisait pas était le cours de magie. Christopher découvrit avec surprise que quelqu'un l'avait inscrit à ce cours facultatif. Il soupçonnait vaguement que c'était Tacroy, mais

Christopher ne semblait pas posséder le don extraordinaire que Tacroy avait cru déceler en lui. La magie pour grands débutants l'ennuya tellement qu'il en aurait pleuré.

– Ne soyez pas si enthousiaste, Chant, dit avec aigreur le professeur de magie. Je suis plus que fatigué de contempler vos amygdales.

Après deux semaines de cours, il conseilla à Christopher d'abandonner. Christopher eut envie d'accepter, mais il avait découvert qu'il était bon dans les autres matières. Comme il détestait échouer ne serait-ce que dans une et qu'il se souvenait que la Déesse avait collé ses pieds au sol par magie, il mourait d'envie de savoir faire la même chose.

– Mais ma mère a payé pour que je suive ce cours, monsieur, dit-il d'une voix suave. Je vais faire de gros efforts.

A la sortie, il passa un accord avec Oneir : Christopher ferait ses devoirs d'algèbre et Oneir se chargerait des sortilèges qui l'ennuyaient tant. Pendant les cours, il s'appliqua à dissimuler son ennui sous un air morose et prit l'habitude de regarder par la fenêtre.

– Alors, Chant, on est encore dans les nuages ? demandait le professeur de magie. Faites un petit effort et bâillez franchement, pour une fois.

En dehors de l'heure hebdomadaire de magie, l'école était tout à fait au goût de Christopher. Il ne pensa plus à l'oncle Ralph ni à son passé pendant plus d'un mois, mais en y repensant plus tard, il se dit que s'il avait pu prévoir que son séjour dans cette école serait si court, il en aurait profité davantage.

Au début du mois de novembre, il reçut une lettre de l'oncle Ralph :

« Salut mon garçon,
A quoi joues-tu exactement ? J'avais cru comprendre que nous avions un accord. Sans toi, plus d'expérience possible depuis octobre, ce qui a contrecarré les plans de bien des gens. Si tu as un problème et si tu ne peux plus partir, envoie-moi une lettre. Si ce n'est pas le cas, remue-toi, sois un bon garçon et contacte jeudi prochain l'homme que j'ai engagé de la manière habituelle.
Ton oncle qui t'aime (et qui est bien ennuyé), Ralph. »

Christopher était bourrelé de remords. Bizarrement, et bien qu'il n'ait pas oublié Tacroy qui entrait en transe pour rien dans sa soupente, il se sentit surtout coupable envers la Déesse. Il avait appris à l'école qu'il fallait prendre au sérieux les promesses et les serments. Il avait juré d'échanger Throgmorten contre des livres, et il avait laissé tomber la Déesse, ce qui n'était pas bien, même s'il ne s'agissait que d'une fille. Il avait compris que c'était beaucoup plus grave que de désobéir à son oncle. Christopher se dit qu'il allait peut-être devoir se dessaisir du souverain dont son oncle lui avait fait cadeau et l'offrir à la Déesse car c'était la seule chose qu'il possédait qui approchait la valeur de Throgmorten. C'était dommage, car il savait qu'un souverain d'or valait beaucoup d'argent. Enfin, il lui resterait toujours la pièce de six pence de l'oncle Ralph.

Restait un problème : il avait appris à l'école que les filles étaient un grand mystère parce qu'elles étaient radicalement différentes des garçons. Il n'avait pas la moindre idée du genre de livres qu'une fille aimait. Il fut obligé de consulter Oneir, qui avait une sœur aînée.

– Des trucs mièvres, dit Oneir, haussant les épaules. Mais je ne me rappelle plus quoi.

– Tu pourrais venir avec moi à la librairie et regarder s'il y a des livres comme ça ? demanda Christopher.

– Je pourrais, dit Oneir. Je gagne quoi dans l'affaire ?

– Je ferai ta géométrie cette nuit en plus de ton algèbre, dit Christopher.

Sur la base de ce contrat, Oneir alla à la librairie avec Christopher après les cours et avant l'heure du thé. Il se jeta immédiatement sur un exemplaire des *Mille et Une Nuits* (texte intégral). « Ça c'est un bon livre », dit-il. Puis il prit quelque chose qui s'intitulait *La Petite Tania et les fées*. Christopher jeta un coup d'œil et le remit immédiatement en place.

– Mais je suis sûr que ma sœur a lu celui-là, dit Oneir, très vexé. C'est qui la fille à qui tu veux offrir un livre ?

– *Elle* a à peu près notre âge, dit Christopher. Voyant qu'Oneir voulait en savoir davantage, et persuadé qu'il ne croirait jamais que le livre était pour une jeune Déesse, il ajouta :

– J'ai une cousine qui s'appelle Caroline.

Ce n'était pas un mensonge. Maman lui avait montré une photographie de sa cousine, couverte de bouclettes et de dentelles. Oneir n'avait pas besoin de savoir que Caroline n'avait rien à voir avec le « elle » de la phrase précédente.

– Tu vas voir ce que tu vas voir, dit Oneir. Je vais essayer de te trouver quelque chose de bien mièvre.

Il examina les rayonnages, tandis que Christopher feuilletait *Les Mille et Une Nuits*. « Ça a l'air un bon livre », pensa Christopher. Malheureusement, il comprit grâce aux illustrations que l'histoire se passait dans un pays qui ressemblait étrangement à l'Ailleurs de la Déesse. Il eut peur que la Déesse ne trouve que le livre ressemblait à un manuel de géographie.

– Ah, j'ai trouvé ! Ça, c'est du cent pour cent mièvre ! dit Oneir en désignant toute une rangée de livres. Les histoires de Millie : la maison est remplie de ces machins-là.

« *Millie va à l'école*, lut Christopher. *Millie reste à Lowood, Millie joue le jeu.* » Il en prit un qui s'intitulait *Le plus beau jour de Millie*. Sur la couverture multicolore il y avait des écolières et écrit en tout petit : « Une nouvelle aventure, amusante et édifiante, de votre écolière préférée. Vous pleurerez avec Millie, vous rirez avec Millie et vous retrouverez toutes vos amies de l'école de Lowood… »

– Et ta sœur aime vraiment ce genre de livres ? demanda Christopher incrédule.

– Elle les dévore, dit Oneir. Elle les lit, elle les relit et elle pleure à chaque fois.

Christopher trouva bizarre qu'un livre qu'on aime vous fasse pleurer mais il se dit qu'Oneir devait savoir ce qu'il disait. Les livres valaient deux livres et six pence chacun. Christopher choisit les cinq premiers de la série et s'arrêta à *Millie passe dans la classe supérieure* ; il acheta *Les Mille et Une Nuits* pour lui avec l'argent qui lui restait. Après tout, il était à lui, ce souverain.

– Pourriez-vous envelopper les *Millie* dans un papier étanche ? demanda-t-il à la vendeuse. C'est pour envoyer à l'étranger.

La vendeuse sortit quelques feuilles de papier glacé et, sans qu'on le lui demande, confectionna une poignée à l'aide d'une ficelle.

Cette nuit-là, Christopher cacha le paquet dans son lit. Oneir chipa une bougie dans les cuisines et fit la lecture des *Mille et Une Nuits*, qui se révéla être une très précieuse acquisition. Texte intégral voulait dire qu'on avait laissé des tas de choses cochonnes dedans. Christopher était si intéressé qu'il en oublia presque de repérer dans le dortoir un angle qui lui permettrait de rejoindre le Passage. Il fallait absolument sortir par un angle. Il vit que le meilleur endroit était juste derrière les lavabos, à côté du lit de Fenning, puis décida d'écouter tranquillement Oneir jusqu'à ce que la bougie s'éteigne. Il partirait après.

Mais il découvrit avec colère que c'était impossible et resta allongé à écouter les ronflements, les chuchotements et les respirations bruyantes des autres garçons pendant des heures. Il finit par se lever, le paquet à la main et marcha sur la pointe des pieds sur le sol glacé jusqu'à l'angle derrière le lit de Fenning. Mais avant même de se cogner dans les lavabos, il sut que quelque chose n'allait pas. Il retourna au lit, y resta plusieurs heures d'affilée mais rien n'arriva, même lorsqu'il fut endormi.

Le lendemain était un jeudi, le jour du rendez-vous avec Tacroy. Comme il serait trop occupé cette nuit pour apporter les livres à la Déesse, Christopher les laissa dans sa table de nuit et se proposa de lire à haute voix *Les Mille et Une Nuits*, ce qui lui permettrait de savoir quand tout le monde dormirait. Il leur fit la lecture. Tous les autres garçons se mirent comme à leur habitude à ronfler, siffler et souffler, si bien que Christopher se retrouva seul, incapable de s'endormir comme de rejoindre le Passage.

Il commença à être vraiment inquiet. Peut-être le seul chemin pour se rendre dans les Ailleurs partait-il de la nursery, là-bas, à Londres ? Ou peut-être était-il trop grand maintenant pour pouvoir rêver. Il pensa à Tacroy qui entrait en vain en transe, à la Déesse qui attirerait sur lui la vengeance d'Asheth et ne parvint à trouver le sommeil qu'au premier chant des oiseaux.

Chapitre 7

Le lendemain matin, la surveillante remarqua que Christopher se levait en titubant, qu'il avait les yeux rouges et qu'il était mal réveillé. Elle se précipita sur lui.

– Tu n'as pas pu dormir, n'est-ce-pas ? dit-elle. Je garde toujours un œil sur ceux qui ont un appareil dentaire. Je pense que ces dentistes ne se rendent pas compte à quel point ils sont gênants. Je viendrai te voir ce soir avant l'extinction des feux, je te l'ôterai et tu le reprendras demain matin. Je dirai à Mainwright d'en faire autant – ça marchera très bien, tu verras.

Christopher n'en croyait rien. Tout le monde savait que c'était une des idées fixes de la surveillante mais, à sa grande surprise, elle avait raison. Il s'endormit dès que Fenning commença à lire *Les Mille et Une Nuits.* Il eut la présence d'esprit de fouiller dans sa table de nuit pour en extraire le paquet de livres avant de pénétrer dans le monde des rêves. Et là quelque chose d'encore plus surprenant se produisit. Il descendit du lit, le paquet à la main, et traversa tout le dortoir sans que personne semble remarquer sa présence. Il marcha droit vers Fenning qui continuait à lire, la bougie volée posée sur son oreiller. Personne ne parut s'apercevoir que Christopher tournait l'angle du mur. Il sortit du dortoir et se retrouva sur le chemin qui menait à la vallée.

Il trouva ses habits par terre, les enfila et attacha le paquet à sa ceinture afin d'avoir les deux mains libres pour franchir le Passage qui s'étendait devant lui.

Il s'était passé tant de choses depuis que Christopher était venu la dernière fois qu'il lui sembla le voir pour la première fois. Ses yeux tentèrent de trouver un semblant d'ordre dans la manière dont les rochers étaient empilés, mais en vain. Cette absence de forme fit naître en lui une frayeur vague, accrue encore par le vent, la brume et la pluie battante. Seul le vide le terrifiait davantage. Christopher commença à escalader la roche humide vers la Série Dix, tandis que le vent mugissait et que la brume et la pluie rendaient les rochers glissants. Il se dit qu'il avait eu bien raison de penser, quand il était petit, que c'était un endroit qui datait de la préhistoire de l'univers. C'était cela le Passage, exactement. Il n'y aurait personne pour l'aider s'il glissait et se cassait une jambe. Il fut déséquilibré par le poids du paquet, glissa et dévala la pente sur plus de cinq cents mètres avant de trouver une prise. Il avait le cœur au bord des lèvres. S'il ne s'était pas rappelé être passé par ici une bonne centaine de fois, il aurait considéré sa tentative comme une pure folie.

Il se sentit bien soulagé quand il atteignit la vallée chaude et descendit vers la cité aux murailles de tourbe. Les vieux charmeurs de serpents étaient toujours assis au pied de l'enceinte. Il retrouva dans la ville les mêmes odeurs, les chèvres et les gens sous les parapluies. Christopher découvrit qu'il avait peur, peur que quelqu'un le désigne du doigt en criant : « C'est lui qui a volé le chat du Temple ! » Il pouvait encore sentir la lance dans sa poitrine. Il fut mécontent de lui-même. C'était comme si l'école lui avait appris à avoir peur.

Quand il atteignit l'allée qui longeait le mur du Temple – où l'on avait planté des tournesols – il était si effrayé qu'il faillit abandonner. Il dut prendre sur lui et compter jusqu'à cent avant d'oser traverser le mur. A mi-chemin, il s'arrêta, épia à travers les plantes les chats baignés de soleil, et crut qu'il n'aurait pas la force d'aller plus loin. Mais les chats ne remarquèrent pas sa présence. Il n'y avait personne. Christopher se dit qu'il fallait être complètement idiot pour faire tout ce chemin et rester debout dans un mur. Il parvint à s'extraire des plantes et entra sur la pointe des pieds dans la galerie voûtée, envahie par les fleurs, mais il était gêné par le paquet qui entravait sa marche.

La Déesse était assise sur le sol au milieu de la cour ombragée et jouait avec toute une bande de chatons. Deux d'entre eux étaient roux et ressemblaient beaucoup à Throgmorten. Quand elle vit Christopher, la Déesse sauta sur ses pieds dans un grand bruit de bijoux, et les chatons s'enfuirent dans toutes les directions.

– Tu as apporté les livres ! dit-elle. Je n'aurais jamais cru que tu ferais ça !

– Je tiens toujours mes promesses, dit Christopher, avec un peu de vanité.

La Déesse le regardait détacher le paquet de sa ceinture comme si elle pouvait à peine en croire ses yeux.

Ses mains tremblèrent un peu quand elle toucha le papier glacé et davantage quand elle s'agenouilla sur les dalles, s'évertuant à venir à bout du papier et de la ficelle. Les chatons se jetèrent sur la ficelle et le papier d'emballage et se lancèrent dans des jeux compliqués mais la Déesse n'avait d'yeux que pour les livres. Elle se mit à genoux, émerveillée.

– Oh ! Il y en a cinq !

– C'est comme à Noël, fit remarquer Christopher.

– Noël ? Qu'est-ce que c'est ? demanda la Déesse d'un air absent. Elle caressait les couvertures des livres, fascinée. Puis elle les ouvrit l'un après l'autre, jeta un coup d'œil et les referma en grande hâte comme si elle ne pouvait en supporter la vue. Oh, je me souviens, dit-elle. Noël c'est une fête païenne, c'est bien ça ?

– Non, c'est l'inverse, dit Christopher. C'est vous les Païens.

– Non, pas du tout. Asheth est la seule vraie Déesse, dit-elle en pensant à autre chose. Cinq, répéta-t-elle. Si je fais bien attention à lire lentement, ils peuvent me faire une semaine. Par lequel dois-je commencer ?

– Je t'ai apporté les cinq premiers de la série, dit Christopher. Commence par *Millie va à l'école*.

– Tu veux dire qu'il y en a d'autres ! s'exclama la Déesse. Combien ? !

– Je n'ai pas compté... peut-être cinq, dit Christopher.

– Cinq ! Tu ne voudrais pas un autre chat, par hasard ? demanda la Déesse.

– Non, dit Christopher fermement. Un Throgmorten me suffit, merci.

– Mais je n'ai pas d'autre monnaie d'échange ! dit la Déesse. Il me faut ces cinq autres livres ! (Elle sauta sur ses pieds dans un grand bruit de bijoux et commença fièvreusement à dérouler un bracelet en forme de serpent qu'elle portait en haut du bras.) Mère Proudfoot ne s'apercevra peut-être pas qu'il manque. Il y a un plein coffre de bracelets ici.

S'était-elle demandé ce qu'il pouvait bien faire du bracelet ? Le porter ? Il voyait d'ici les réactions de ses camarades d'école.

– Tu devrais peut-être lire ces livres d'abord ? Peut-être que tu ne les aimeras pas, objecta-t-il.

– Je sais déjà qu'ils sont parfaits, dit la Déesse, qui se démenait toujours pour ôter son bracelet.

– Je t'apporterai les autres livres en cadeau, dit Christopher pour en finir.

– Mais dans ce cas je devrai faire quelque chose pour toi. Asheth paie toujours ses dettes. (Le bracelet céda avec un bruit de ressort.) Voilà. Je t'achète les livres avec ça. Prends-le.

Elle mit le bracelet dans la main de Christopher. Dès qu'il le toucha, Christopher sentit qu'il s'enfonçait dans le sol. La cour, les plantes, les chatons, tout devint brumeux, comme le visage rond de la Déesse, qui perdit son expression avide et parut frappé de stupeur… Christopher tomba, tomba, toujours plus loin, toujours plus bas… et atterrit à grand bruit sur son lit dans le dortoir sombre.

– Qu'est-ce qui se passe ? dit Fenning d'une voix pâteuse.

Oneir conclut, sans même ouvrir un œil :

– Au secours ! Quelqu'un est tombé du plafond.

– Je vais chercher la surveillante ? demanda quelqu'un.

– Ne sois pas idiot. C'est juste un rêve, dit Christopher avec colère qui venait de subir un grand choc.

Il fut encore plus secoué quand il s'aperçut qu'il était en pyjama et que les habits qu'il était sûr d'avoir mis avant de pénétrer dans la vallée avaient disparu. Quand les autres garçons se furent calmés, il tâtonna dans les draps à la recherche du paquet de livres, puis du bracelet. Il ne trouva rien. Il chercha de nouveau au matin, mais en vain. Il pensa qu'il n'y avait là rien de très étonnant, car oncle Ralph avait dit que Throgmorten avait une valeur inestimable. Des livres qui avaient coûté douze livres et six pence ne pouvaient s'échanger contre un chat qui valait plusieurs milliers de livres. Peut-être que « Quelque Chose » savait qu'il avait escroqué la Déesse.

Il se dit qu'il allait devoir trouver de l'argent pour acheter les cinq autres livres qu'il devait apporter à la Déesse. Se souvenant qu'il avait manqué Tacroy, il pensa qu'il ferait bien d'aller à sa rencontre le jeudi suivant. Ce n'était pas une perspective plaisante. Tacroy devait être fâché contre lui maintenant.

Quand jeudi arriva, Christopher avait presque oublié Tacroy. Il s'endormit sans le vouloir au cours d'une histoire particulièrement ennuyeuse des *Mille et Une Nuits. Les Mille et Une Nuits* était devenu le livre de chevet du dortoir. Chacun volait à son tour une bougie et faisait la lecture aux autres. C'était le tour d'Oneir, cette nuit-là, et il lisait d'une voix monocorde comme l'aumônier de l'école quand il récitait la Bible.

Cette nuit-là, il était question d'un drôle de peuple qui s'appelait les Calendriers. Fenning s'attira les huées de tout le dortoir en suggérant qu'ils s'appelaient ainsi parce qu'ils vivaient dans le pays où on cultivait les dattes. Christopher sombra dans le sommeil. Et se retrouva en train de marcher dans la vallée.

Tacroy était assis sur le chemin à côté du tas d'habits de Christopher qui les regardait fixement en se demandant par quel miracle ils avaient atterri là. Tacroy avait passé ses bras autour de ses genoux comme s'il s'apprêtait à attendre longtemps, et fut très surpris de voir arriver Christopher.

– Je n'espérais pas te voir de sitôt ! dit-il en faisant un large sourire, malgré son air fatigué.

Christopher se sentit honteux et dit maladroitement :

– Je suppose que tu dois être très en colère…

– La ferme, dit Tacroy. On me paye pour entrer en transe, pas toi. Pour moi, c'est un boulot… mais je dois avouer que j'aurais eu bien besoin de toi pour me solidifier.

Comme il allongeait les jambes en travers du chemin, Christopher put voir des pierres et de l'herbe à travers l'étoffe usée de son pantalon vert. Puis il leva les bras au-dessus de sa tête et bâilla.

– Tu n'as pas vraiment envie de continuer, dis-moi ? demanda-t-il. Tu étais très occupé à l'école, et c'était beaucoup plus amusant que de faire de l'escalade la nuit, non ?

Tacroy prenait les choses avec tant de gentillesse que Christopher se sentit encore plus honteux. Il avait oublié à quel point Tacroy était gentil. Maintenant qu'il y repensait, il se disait qu'il lui avait beaucoup manqué.

– Mais bien sûr que j'ai envie de continuer, dit-il. Où allons-nous cette nuit ?

– Nulle part, dit Tacroy. Je suis presque sorti de ma transe. J'ai juste fait une tentative pour te contacter. Mais si tu veux vraiment continuer, ton oncle envoie la voiture dans la Série Six jeudi prochain, tu sais, là où on est en pleine période glaciaire. Tu es sûr que tu veux continuer, vraiment sûr ?

Tacroy regarda anxieusement Christopher, qui avait plein de petites lignes tristes autour de ses yeux.

– Oui, je viendrai, dit Christopher. A jeudi prochain.

Et il fila dans son lit, où il découvrit, avec grand plaisir, que quelque chose se passait enfin au pays des dattes.

Le reste du trimestre passa en un éclair, les cours succédant aux cours, les histoires aux histoires et les jeudis aux jeudis. Le jeudi suivant, en escaladant le Passage pour voir Tacroy, Christopher sentit qu'il avait toujours peur, mais il savait que Tacroy l'attendait près de la cinquième vallée et se sentit rassuré. Il reprit l'habitude de rêver et les expériences continuèrent comme par le passé.

On envoya Christopher passer les vacances de Noël chez l'oncle Charles et la tante Alice, les parents de la cousine Caroline qui habitaient une grande maison à la campagne, non loin de l'école, dans le Surrey. La cousine Caroline, bien que de trois ans plus jeune, et une fille de surcroît, se révéla bonne camarade de jeu. Christopher adorait apprendre tout ce que faisaient les gens à la campagne, il fit des batailles de boules de neige avec les garçons d'écurie et Caroline, et tenta de monter son gros poney. Il fut étonné de constater que personne ne parlait jamais de son papa, alors qu'oncle Charles était tout de même le frère de papa. Il comprit que papa devait être en disgrâce auprès de toute la famille. Cependant, tante Alice fit tout pour qu'il passe un bon Noël, ce qui était une preuve de sa gentillesse. La cadeau que Christopher préféra fut un souverain d'or, glissé dans une enveloppe avec un mot de l'oncle Ralph. Il pourrait ainsi acheter d'autres livres pour la Déesse.

Dès que les cours eurent repris, il alla à la librairie, acheta les cinq autres livres de *Millie* et demanda qu'on les emballe comme les précédents. Encore un autre remboursement de douze livres et six pence pour Throgmorten. A ce train-là, il lui faudrait transporter des paquets de livres à travers le Passage pendant toute sa vie.

Quand il retourna au Temple, il trouva la Déesse dans sa chambre, dans la pénombre, penchée sur *Le plus beau jour de Millie*. Lorsque Christopher entra, elle sursauta et enfouit le livre sous les coussins d'un air coupable.

– Oh, c'est toi, dit-elle. N'entre plus jamais par surprise, sinon Asheth en mourra de peur ! Qu'est-ce qui s'est passé la dernière fois ? Tu es devenu un fantôme et tu as disparu dans le sol !

– Je n'en ai aucune idée. Il y a eu un grand bruit et je me suis retrouvé dans mon lit. Je t'ai apporté cinq autres livres.

– Merveilleux ! dit la Déesse avec avidité.

Elle s'interrompit et ajouta gravement :

– C'est très gentil de ta part, mais je ne suis pas sûre qu'Asheth m'autorise à les garder, si on considère ce qui s'est passé quand je t'ai donné le bracelet.

– Non, je pense qu'Asheth sait que Throgmorten vaut des milliers de livres. Même si je t'apportais toute la bibliothèque de l'école, ce ne serait pas encore assez.

– Oh, dans ce cas... D'ailleurs, comment va Throgmorten ?

Comme Christopher n'en avait pas la moindre idée, il dit d'un air insouciant :

– En ce moment il va se promener, embêter les autres chats et griffer les gens.

Puis il changea de sujet avant que la déesse ne devine qu'il ne s'agissait que d'hypothèses.

– Tu as aimé les cinq premiers livres ?

Le visage rond de la déesse fut illuminé par un si large sourire qu'il en fut transformé, puis elle ouvrit grand les bras.

– Ce sont les livres les plus merveilleux livres de ce monde ! C'est tout à fait comme si j'étais dans cette école de Lowood. Chaque fois que je les lis, je pleure.

Oneir avait raison, pensa Christopher en regardant la Déesse ouvrir le paquet avec de petits soupirs de plaisir et de grands bruits de bracelets.

– Oh, Millie méritait vraiment d'être chef de classe ! s'exclama-t-elle, brandissant *Millie devient chef de classe*. Je me demandais tout le temps si elle le deviendrait. Elle a réussi à triompher de cette horrible peste de Delphinia en fin de compte.

Elle caressa le livre avec amour et prit Christopher par surprise en lui demandant :

– Que s'est-il passé après que tu as emporté Throgmorten ? Mère Proudfoot m'a dit que l'Armée d'Asheth avait tué le voleur.

– Elle a essayé, dit Christopher gêné, en essayant d'avoir l'air naturel.

– Si c'est vrai, dit la Déesse, tu as été très brave de tenir ta parole et tu mérites une récompense. Veux-tu une récompense ? Pas un échange, pas un dédommagement, une vraie récompense ?

– A quoi penses-tu, au juste ? dit Christopher prudemment.

– Viens avec moi, dit la Déesse.

Elle se leva brusquement en cliquetant, elle ramassa sur les coussins les nouveaux livres et l'ancien, prit le papier et les ficelles, puis jeta le tout contre le mur. Les six livres et le papier tournoyèrent et disparurent comme si le couvercle d'une boîte invisible s'était refermé sur eux. On aurait dit qu'ils n'avaient jamais existé. Une fois de plus, Christopher fut très impressionné.

– Comme ça, Mère Proudfoot n'en saura rien, expliqua la Déesse en le conduisant dans la cour ombragée. Je l'aime beaucoup mais elle est très sévère et elle met son nez partout.

– Comment fais-tu pour récupérer les livres ? demanda Christopher

– J'appelle celui que je veux, dit la Déesse en écartant les plantes qui tombaient de la voûte. C'est un des privilèges que possède la Vivante Asheth.

Elle lui fit traverser la cour baignée de soleil et pleine de chats et l'emmena dans une galerie dont il ne se souvenait que trop bien. C'était là qu'il avait couru avec Throgmorten qui hurlait dans son panier. Christopher, qui commençait à se sentir nerveux, était certain que l'idée que la Déesse se faisait d'une récompense n'avait rien à voir avec la sienne.

– Est-ce que des gens ne risquent pas de venir ici ? demanda-t-il en ralentissant la marche.

– Il n'y a personne pour le moment. Ils ronflent pendant des heures durant la saison chaude, dit la Déesse, très sûre d'elle.

Christopher la suivit à regret dans une enfilade de passages sombres. Ce n'était pas le chemin qu'il avait pris pour s'échapper, lui semblait-il, mais il était difficile d'en être sûr. Ils arrivèrent enfin sous une haute voûte ornée de tentures jaunes presque transparentes. La lumière du soleil les illuminait. La Déesse écarta les tentures et fit signe à Christopher d'entrer en faisant sonner ses bracelets. Une sorte d'arbre sombre s'élevait devant eux, si vieux qu'il semblait tout mangé par les vers et qu'il avait perdu la plupart de ses branches. Quelque chose dégageait une odeur suffocante, un peu comme l'encens à l'église, mais plus âcre et plus forte. La Déesse contourna l'arbre, descendit quelques marches étroites et pénétra dans une pièce toute dorée, ronde et haute, large de quelques mètres, inondée par la lumière du jour et entourée des mêmes tentures jaunes. Elle tourna les talons et se plaça devant l'arbre.

– Voici l'Autel d'Asheth, dit-elle. Seuls les initiés peuvent pénétrer ici. C'est ta récompense. Regarde. C'est moi.

Christopher fit le tour et pensa qu'elle se moquait de lui. Vu de côté, l'arbre se révéla être une immense statue de femme à quatre bras. De face, elle paraissait en or massif. Manifestement, le Temple n'avait pas jugé bon de dorer le dos de la statue mais il s'était bien rattrapé sur le devant. Chaque centimètre carré de la femme était recouvert d'une couche épaisse et brillante d'or jaune, elle était ornée de chaînes d'or, de bracelets aux poignets et aux chevilles, et de boucles d'oreilles. Même sa robe était dorée et un rubis était enchâssé dans les paumes de ses quatre mains. Des pierres précieuses étincelaient sur sa haute couronne. L'autel était illuminé par la lumière du jour venant du toit. Bien qu'en partie voilée par l'épaisse fumée provenant des brûle-parfums, à côté des énormes pieds de la statue, la lumière révélait les feux de chaque joyau. Tout cela faisait très païen, décidément.

La Déesse attendit un moment les commentaires de Christopher et finit par dire :

– Voici Asheth. Elle est moi, et je suis elle, et ceci est sa Forme Divine. J'ai pensé que tu aimerais me voir telle que je suis en réalité.

Christopher se tourna vers la Déesse et allait dire : « Non, tu n'es pas comme ça, tu n'as pas quatre bras ». Mais la Déesse se tenait dans cette pièce jaune et enfumée, les bras tendus à l'horizontale, exactement dans la même position que la statue et, effectivement, elle avait quatre bras. Ceux du bas étaient si flous qu'il pouvait voir les rideaux jaunes à travers, mais ils portaient le même genre de bracelets que la statue dont ils étaient l'exact reflet. Ils étaient aussi réels que Tacroy avant que Christopher le solidifie. Il leva la tête vers le visage lisse et doré de la statue. Il pensa qu'il y avait de la dureté et même une sorte de cruauté derrière ces yeux vides et dorés.

– Elle n'a pas l'air aussi intelligente que toi, dit-il.

C'était la seule chose qu'il ait trouvé à dire qui ne soit pas désagréable.

– C'est parce qu'elle a pris son air idiot, dit la Déesse. Ne t'y laisse pas prendre. Elle ne veut pas que les gens puissent savoir à quel point elle est intelligente. C'est une expression très commode. Je m'en sers pendant les leçons quand Mère Proudfoot ou Mère Dowson deviennent trop ennuyeuses.

C'était vraiment une expression très commode, pensa Christopher, bien meilleure que l'air absent qu'il prenait pendant les leçons de magie.

– Comment fait-on pour prendre cet air-là ? demanda-t-il, très intéressé.

Avant que la Déesse ait eu le temps de répondre, on entendit quelqu'un arriver à pas feutrés derrière la statue. Une voix forte, mélodieuse et dure à la fois, se fit entendre :

– Déesse ? Que faites-vous près de l'autel à cette heure ?

Christopher et la Déesse furent pris de la même panique mais réagirent différemment. Christopher tourna les talons pour se jeter derrière les tentures jaunes mais, entendant un claquement de sandales, se retourna et chercha désespérément une cachette. La Déesse chuchota :

– Oh, non, c'est Mère Proudfoot ! On dirait qu'elle devine toujours où je suis !

Elle se mit à tourner sur elle-même en essayant d'ôter le bracelet qui ornait le haut de son bras.

Un long pied nu puis une jambe couverte d'une robe rouille sortirent de derrière la statue. Christopher se crut perdu. Mais la Déesse, voyant qu'elle ne pourrait jamais ôter le bracelet à temps, agrippa la main de Christopher et la plaqua sur les bijoux qui couvraient son bras.

Comme la première fois, tout devint brumeux et Christopher tomba, tomba, puis atterrit dans son lit au dortoir.

– Mais enfin arrête de faire ça ! dit Fenning, réveillé en sursaut. Tu ne peux pas t'empêcher de rêver ?

– Si, dit Christopher, qui tremblait rétrospectivement, je ne ferai plus jamais de rêve comme celui-là. C'était un rêve idiot, de toute façon : une fille normale qui prétendait être une Déesse et qui n'était rien d'autre qu'une statue de bois mangée par les vers.

Il n'avait rien contre la Déesse. Il admirait la vivacité de son intelligence et aurait aimé savoir prendre un air idiot et faire disparaître des livres. Mais ça ne valait pas la peine de courir de tels dangers.

Chapitre 8

Pendant le deuxième trimestre, Christopher se rendit régulièrement dans les Ailleurs, mais toujours en compagnie de Tacroy ; il n'osa jamais y aller seul. Oncle Ralph avait organisé toute une série d'expériences. Christopher retrouva Tacroy dans la Un, la Trois, la Cinq, la Sept et la Neuf, puis dans la Huit, la Six, la Quatre et la Deux, toujours dans cet ordre mais pas toujours au même endroit ou près de la même vallée. Dans chaque Ailleurs des gens les attendaient près d'un tas de paquets dont Christopher devi nait, en les touchant et en les soupesant, qu'ils contenaient chaque fois des choses différentes. Les paquets de la Un étaient toujours bosselés et lourds, et dans la Cinq c'étaient des boîtes lisses. Dans les Séries Deux et Cinq, ils étaient détrempés et sentaient le poisson, ce qui était logique puisque c'était un Ailleurs essentiellement maritime. Dans la Huit, les femmes sentaient toujours l'ail et leurs paquets avaient toujours la même odeur forte. Mais il n'y avait pas de règle générale. Christopher fit la connaissance des fournisseurs et il rit et plaisanta avec eux tandis qu'il chargeait la voiture sans chevaux. Les sorciers qui étaient au service d'oncle Ralph perfectionnèrent la voiture au fil du temps. Quand le trimestre toucha à sa fin, elle se déplaçait toute seule si bien que Tacroy et Christopher n'eurent plus besoin de la hâler jusqu'au Passage.

En réalité, les expériences étaient devenues une telle habitude que cela ne le changeait guère de la routine de l'école. Christopher se mit à travailler en pensant à autre chose, tout comme pendant les cours de magie ou d'anglais ou encore à la chapelle.

– Pourquoi est-ce qu'on ne va jamais dans la Série Onze ? demanda-t-il tandis qu'ils remontaient une des vallées de la série Un à côté de la voiture chargée de lourds paquets bosselés et luisants.

– Personne ne va jamais dans la série Onze, dit simplement Tacroy. Christopher comprit qu'il ne voulait pas aborder ce sujet. Mais il demanda pourquoi.

– Parce que..., dit Tacroy, parce qu'il y a des gens spéciaux là-bas, des gens hostiles, je suppose... enfin si on peut les appeler des gens. Personne ne sait grand-chose sur eux parce qu'ils se débrouillent pour qu'on ne puisse pas les voir. C'est tout ce que je sais, à part que le numéro Onze n'est pas une Série. C'est un monde unique.

Tacroy en resta là, ce qui était rageant car Christopher avait la nette sensation que Tacroy en savait plus qu'il ne voulait en dire. Mais Tacroy était de mauvaise humeur cette semaine-là. Sa vieille dame était terrassée par la grippe et Tacroy était obligé de supporter la jeune dame sinistre qui jouait de la flûte.

– Quelque part dans notre monde, dit-il en soupirant, il y a une jeune dame qui joue de la harpe et qui ne se soucie guère que je devienne transparent, mais trop d'obstacles nous séparent.

Sans doute à cause de ce que disait Tacroy, Christopher avait de lui l'image très romantique d'un homme qui vivait dans une soupente et un amour impossible.

– Mais pourquoi est-ce que l'oncle Ralph ne m'autoriserait pas à te rendre visite à Londres ? demanda-t-il.

– Je t'ai déjà dit de la fermer, Christopher, dit Tacroy, et il mit un point final à la conversation en pénétrant dans les brouillards du Passage, avec la voiture qui voguait derrière lui.

La vie romantique de Tacroy obséda Christopher pendant tout le trimestre, surtout après qu'il eut parlé d'enfant trouvé au dortoir et compris que personne n'en avait jamais rencontré.

– J'aimerais bien en être un, dit Oneir. Comme ça je ne serais pas obligé de reprendre l'affaire de mon père quand je serai grand.

Christopher était bien d'accord et il se dit qu'il aurait volontiers accepté de travailler avec une jeune dame qui jouait de la flûte. Mais il cessa d'y penser lorsqu'il apprit que ses projets pour les vacances de Pâques étaient compromis. Maman avait écrit qu'il pouvait venir la rejoindre à Gênes, mais au dernier moment elle changea d'avis et partit pour Weimar, où il n'y avait pas de place pour Christopher. Il dut passer presque une semaine à l'école, tout seul, car les autres étaient partis dans leur famille. L'école écrivit à l'oncle Charles, qui demanda à l'oncle Conrad, l'autre frère de papa, de l'héberger quatre jours. En attendant la réponse, puisque l'école fermait ses portes, Christopher partit habiter à Londres chez l'oncle Ralph.

L'oncle Ralph n'était pas là, et Christopher en fut très déçu. La plus grande partie de la maison était condamnée, beaucoup de portes étaient fermées, et il avait le gardien pour seul compagnon. Christopher passa ces quelques jours à se promener seul dans Londres.

C'était presque aussi bien que d'explorer un Ailleurs. Il y avait des parcs, des monuments, des musiciens de rue, et toutes les rues, même les plus étroites, étaient encombrées de charrettes avec des grandes roues et de voitures. Le deuxième jour, Christopher se retrouva au marché de Covent Garden, couvert d'étals de fruits et légumes, et y resta jusqu'au soir, fasciné par les porteurs. Ils pouvaient empiler plus de six paniers pleins sur la tête, et continuer à marcher bien droit. Il s'apprêtait à quitter les lieux quand il aperçut une robuste silhouette vêtue d'un costume vert élimé qui lui sembla familière et qui descendait la ruelle devant lui.

– Tacroy ! hurla Christopher qui courut à sa poursuite.

Tacroy ne semblait pas l'entendre. Il continua à marcher, l'air abattu, sa tête bouclée penchée de côté, tourna le coin et prit une autre ruelle avant que Christopher ait pu le rejoindre. Quand Christopher atteignit le virage, il ne vit plus personne. Mais il était sûr et certain que c'était Tacroy. Sa soupente ne devait pas être loin. Il passa le reste de son séjour à Londres à traîner du côté de Covent Garden, espérant apercevoir Tacroy, mais en vain. Tacroy avait disparu.

Puis Christopher alla chez l'oncle Conrad, dans le Wiltshire. Là-bas, le seul inconvénient était la présence du cousin Francis, qui avait le même âge que

Christopher. C'était le genre de garçon que Fenning appelait un « pot de colle ». Christopher méprisa immédiatement Francis, et Francis méprisa Christopher parce qu'il était un enfant de la ville et qu'il n'avait jamais chassé à courre. En réalité, il y avait une autre raison que Francis exprima le jour où Christopher tomba pour la septième fois du poney le plus placide de toute l'écurie.

– Tu n'est pas magicien, hein ? dit Francis en le regardant d'un air suffisant du haut de son grand hongre bai bien brossé. Ça ne m'étonne pas. C'est de la faute de ton père qui a épousé cette abominable fille Argent. Personne de la famille ne veut plus avoir affaire à ton père, maintenant.

Bien que Christopher fût sûr que Francis avait utilisé la magie pour le faire tomber du poney, il ne pouvait rien faire d'autre que de serrer les dents et penser que papa n'appartenait pas à cette branche des Chant. Ce fut un soulagement de retourner à l'école.

Ce fut même davantage qu'un soulagement car c'était la saison du cricket. Christopher, jour et nuit, ne pensait plus qu'au cricket. Tout comme Oneir. « C'est le roi des sports », disait Oneir avec respect, et il acheta tous les livres qu'il put sur le sujet. Christopher et lui décidèrent qu'ils deviendraient des joueurs professionnels quand ils seraient grands.

– Au Diable l'affaire de mon père ! disait Oneir.

Christopher était bien d'accord sauf que, dans son cas, c'était plutôt les plans de maman et la Bonne Société. « Je ferai ce que je veux ! » pensa-t-il. Ce fut comme si on le délivrait d'un vœu. Il se surprit lui-même d'être si déterminé et si ambitieux. Oneir et lui s'entraînaient toute la journée, et Fenning, qui n'était vraiment pas doué, eut pour mission de ramasser les balles. Entre deux parties, ils parlaient cricket, et la nuit Christopher faisait des rêves normaux, banals : il rêvait de cricket.

Le jeudi suivant, cela lui fit tout drôle d'oublier les rêves de cricket et de rejoindre Tacroy dans la Série Cinq.

– Je t'ai vu à Londres, lui dit Christopher. Ta soupente est près de Covent Garden, n'est-ce pas ?

– Covent Garden ? dit Tacroy d'un air impassible. Elle n'est pas du tout par là. Tu t'es trompé, ce n'était pas moi.

Il n'en démordit pas, même quand Christopher lui décrivit avec un luxe de détails l'endroit et les vêtements qu'il portait.

– Non, dit-il. Tu as dû poursuivre un inconnu.

Christopher était absolument sûr que c'était Tacroy. Il ne savait plus quoi penser, mais apparemment il était inutile de continuer la conversation. Il se mit à charger la voiture avec des ballots qui sentaient le poisson et repensa au cricket. Évidemment, comme il n'était pas à ce qu'il faisait, il fit tomber un ballot à côté, qui passa à travers Tacroy et s'écrasa sur le sol ; il en coula une matière qui sentait effroyablement le poisson.

– Beurk ! dit Christopher. Qu'est-ce que c'est que ça ?

– Aucune idée, dit Tacroy. Je ne suis que le coursier de ton oncle. Qu'est-ce qui t'arrive ? Tu as l'esprit ailleurs, cette nuit ?

– Pardon, dit Christopher en ramassant le ballot. Je pensais au cricket.

Le visage de Tacroy s'illumina.
– Lanceur ou batteur ?
– Batteur, dit Christopher. Je veux devenir joueur professionnel.
– Moi je suis lanceur, dit Tacroy. Bon jeu de jambes. Et, sans me flatter, je ne suis pas mauvais. Je joue très souvent avec... bon c'est une petite équipe de village, mais en général on gagne. Il m'est arrivé de gagner jusqu'à sept parties... et il m'arrive de jouer les batteurs aussi. Tu joues en ouverture ?
– Non, je pense que je donne mon maximum comme receveur, dit Christopher.

Ils parlèrent cricket pendant tout le temps que dura le chargement. Puis ils marchèrent sur la plage, tandis que les vagues bleues déferlaient, tout en continuant à parler cricket. Tacroy essaya plusieurs fois de lui montrer quel joueur habile il était. Il réussit à ramasser un galet, mais il n'était pas assez solide pour le garder en main. Christopher prit comme batte un bout de bois échoué sur la grève et Tacroy lui indiqua comment s'en servir.

C'est ainsi que Tacroy devint l'entraîneur de Christopher. Peu importait l'Ailleurs où ils se trouvaient, ils parlaient sans répit de cricket. Tacroy était un bon entraîneur. Christopher apprit plus de choses avec Tacroy qu'avec le professeur d'éducation physique de l'école. Ses rêves de grandeur devenaient plus précis : il jouerait professionnellement pour le Surrey, ou une autre équipe, et il enverrait d'un geste vigoureux la balle jusqu'aux limites du terrain. Tacroy le fit tant travailler qu'il commença à faire des projets concrets et décida d'entrer dans l'équipe de l'école.

À présent c'étaient les livres de cricket d'Oneir qu'on lisait à voix haute dans le dortoir. La surveillante avait découvert et confisqué *Les Mille et Une Nuits* mais personne ne s'en souciait. Tous les garçons du dortoir, même Fenning, étaient des fanatiques de cricket. Et Christopher était le plus fanatique de tous.

Puis il y eut un désastre. Tacroy lui dit une nuit :

– Au fait, il y a un changement de programme. Peux-tu me retrouver dans la Dix jeudi prochain ? Il semble que quelqu'un essaie de ruiner les plans de ton oncle, alors nous devons changer nos habitudes.

Christopher se sentit un peu coupable et oublia le cricket. Il savait qu'il aurait dû effectuer un autre règlement pour Throgmorten et craignait que les pouvoirs de la Déesse lui permettent de deviner qu'il était venu dans la Dix sans lui apporter d'autres livres. Il était très soucieux en entrant dans la vallée.

Tacroy n'était pas là. Christopher fit de l'escalade pendant une bonne heure avant de le repérer à l'entrée d'une vallée d'aspect inhabituel. Tacroy était déjà faible et diaphane.

– Étourdi ! dit Tacroy tandis que Christopher le solidifiait en toute hâte. J'allais sortir de ma transe d'une seconde à l'autre. Tu savais pourtant qu'il faut toujours explorer à fond une Série ! Pourquoi viens-tu aussi tard ?

– Je devais penser au cricket, dit Christopher.

Au-delà de la vallée, le paysage de la contrée ne ressemblait en rien à l'endroit primitif et païen où habitait la Déesse. Il y avait de grands docks avec d'immenses grues qui s'élevaient haut dans le ciel. Les plus gros bateaux que Christopher ait jamais vus, d'énormes vaisseaux de métal corrodé, d'aspect étrange, étaient reliés aux quais par des câbles gros comme des bûches qu'il dut enjamber. Mais il sut qu'il était bien dans la Série Dix quand l'homme qui les attendait avec une charrette de fer remplie de tonnelets dit :

– Asheth soit louée ! Je pensais que vous ne viendriez plus !

– Oui, ne perdons pas de temps, dit Tacroy. Cet endroit est moins dangereux que la Cité des Païens, mais nous sommes peut-être entourés d'ennemis. De toute façon, plus vite tu auras fini, plus vite nous pourrons travailler ta défense !

Christopher se dépêcha de rouler les tonnelets de la charrette à la voiture. Quand il les eut tous déplacés, il se hâta de tendre des cordes pour arrimer le chargement mais, comme il faisait trop vite, une corde lui glissa des mains et retomba de l'autre côté. Il monta sur la voiture et s'allongea pour l'attraper. Il entendit des bruits métalliques au loin et quelques cris mais n'en comprit pas le sens. Soudain, Tacroy surgit à côté de lui.

– Descends de là ! Descends ! cria Tacroy, tirant Christopher en vain de ses mains translucides.

Christopher, couché sur les tonnelets, leva les yeux et vit un crochet géant suspendu à une chaîne qui arrivait vers lui à toute vitesse – inutile de fuir.

Il n'eut pas le temps d'en savoir plus et se retrouva à demi-conscient, couché sur le chemin qui menait à la vallée, à côté de son pyjama. Il comprit que le crochet de fer avait dû l'assommer et qu'il avait eu de la chance d'être allongé sur la voiture car Tacroy n'aurait jamais eu la force de le porter. Il remit son pyjama en tremblant un peu. Sa tête lui faisait mal, il retourna au dortoir d'un pas mal assuré et se coucha.

Le lendemain matin, il n'eut même pas la migraine. Il décida de tout oublier et, juste après le petit déjeuner, courut jouer au cricket avec Oneir et six autres garçons.

– Je prends le service, cria-t-il.

Tout le monde criait en même temps. Mais Oneir avait porté la batte et n'allait pas se laisser faire. Tous, y compris Christopher, se jetèrent dessus. Il s'ensuivit une joyeuse mêlée, dont Oneir sortit vainqueur en faisant tourner violemment la batte au-dessus de sa tête.

La batte vint frapper la tête de Christopher qui entendit un grand craquement. Il avait mal et se souvint plus tard avoir entendu distinctement d'autres craquements, juste au-dessus de son oreille gauche. Il pensa que les os de son crâne se fendaient les uns après les autres, comme la glace sur un étang. Puis, presque comme la nuit précédente, il sombra dans l'inconscience.

Quand il revint à lui, il sut que la journée était déjà bien avancée. Un drap lui recouvrait la tête mais il pouvait voir la lumière du crépuscule qui pénétrait par une fenêtre, dans un angle, sous le plafond. Il avait très froid, surtout aux pieds. Quelqu'un lui avait apparemment ôté ses chaussures et ses chaussettes avant de le mettre au lit. Mais où l'avait-on couché ? Pas dans le dortoir, il n'y avait pas de fenêtre à cet endroit – il ne se souvenait pas avoir jamais dormi dans une pièce comme celle-ci. Il repoussa le drap et s'assit.

Il était sur une dalle de marbre dans une pièce froide et mal éclairée. Pas étonnant qu'il ait eu froid ; il ne portait que ses sous-vêtements. Tout autour de lui, il y avait d'autres dalles de marbre, vides pour la plupart. Il vit quelques personnes allongées, immobiles et recouvertes d'un drap blanc.

Christopher commença à avoir une petite idée de l'endroit où il était. Il s'enveloppa dans le drap pour avoir un peu moins froid, descendit de la dalle blanche et s'approcha du dormeur le plus proche. Il replia doucement le drap. L'individu, qui avait dû être un vieux clochard, était raide mort. Christopher tapota son visage froid et rugueux pour en être tout à fait sûr. Puis il se dit qu'il fallait rester très calme, ce qui était une bonne idée, mais il était un peu trop tard. Il était déjà en train d'avoir la plus belle panique de sa vie.

A l'autre bout de la chambre froide, il y avait une grande porte de métal. Christopher saisit la poignée et tira. Quand il vit que la porte était verrouillée, il donna des coups de pied, des coups de poing et secoua la poignée de toutes ses forces. Il essaya à nouveau de se persuader d'être raisonnable mais il était agité de tremblements incoercibles.

Au bout d'environ une minute, la porte s'ouvrit brutalement et un gros homme à l'air jovial vêtu d'un uniforme blanc jeta un regard irrité dans la pièce. Il ne vit pas Christopher tout de suite. Il regardait au-dessus de sa tête parce qu'il s'attendait à voir quelqu'un de plus grand.

Christopher remonta le drap d'un air accusateur.

– Pourquoi avez-vous fermé cette porte ? demanda-t-il. Tout le monde est mort, là-dedans. Personne ne va essayer de sortir.

L'homme baissa les yeux sur Christopher en émettant un petit gémissement. Puis ses yeux se révulsèrent, son corps grassouillet glissa le long de la porte et il s'effondra aux pieds de Christopher, sans connaissance.

Christopher pensa qu'il était mort lui aussi. Sa panique fut à son comble. Il bondit par-dessus le corps de l'homme, courut dans le couloir et découvrit qu'il était dans un hôpital. Une infirmière essaya de l'arrêter, mais Christopher était hors de lui.

– Où est mon école ? lui cria-t-il. Je vais manquer l'entraînement de cricket !

Pendant la demi-heure qui suivit, la confusion la plus totale régna dans l'hôpital et tout le monde se lança à la poursuite d'un cadavre d'un mètre cinquante enroulé dans un drap, qui courait dans les couloirs en hurlant qu'il allait manquer l'entraînement de cricket. Ils finirent par l'attraper près de la maternité et un docteur lui donna en hâte quelque chose pour le faire dormir.

– Calme-toi mon petit, dit-il. Nous aussi, tu sais, ça nous a fait un choc. La dernière fois que je t'ai vu, ta tête avait l'air d'un melon écrasé.

– Mais je vous dis que je vais rater l'entraînement de cricket, enfin ! dit Christopher.

Il se réveilla le lendemain dans un lit d'hôpital. Maman et papa étaient tous les deux à son chevet, l'un en face de l'autre, costume noir et favoris d'un côté, robe colorée et parfum de l'autre. Christopher devait être dans un état désespéré car ils se parlaient directement.

– C'est absurde, Cosimo, disait maman. Les docteurs se sont trompés, c'est tout. Ce n'est qu'une violente commotion et nous avons eu peur pour rien.

– L'infirmière de l'école a dit aussi qu'il était mort, dit papa d'un air grave.

– Elle ne sait pas ce qu'elle dit, dit maman. Je ne crois pas un mot de ce que cette femme a raconté.

– Moi si, dit papa. Il possède plus d'une vie, Miranda. Ce qui expliquerait pourquoi son horoscope était si particulier…

– Oh, zut pour ton horoscope idiot ! dit maman. Et tais-toi !

– Je ne me tairai pas car je connais la vérité, dit papa qui criait presque. J'ai fait ce qui devait être fait et j'ai envoyé un télégramme à de Witt.

Maman en fut proprement horrifiée.

– C'est honteux de faire une chose pareille ! ragea-t-elle. Et sans même me consulter ! Laisse-moi te dire une chose : Christopher ne sera pas victime de tes sinistres machinations, Cosimo !

Maman et papa étaient si en colère que Christopher referma les yeux. Ce que le docteur lui avait administré lui donnait tellement envie de dormir qu'il sombra presque tout de suite mais il pouvait entendre leur dispute jusque dans son sommeil. Il finit par sortir de son lit, passa devant maman et papa sans qu'ils le remarquent et se rendit dans le Passage. Il découvrit une nouvelle vallée qui conduisait dans un endroit où il y avait une sorte de cirque. Personne ne parlait sa langue en ce monde mais Christopher s'en sortait très bien, comme il l'avait déjà fait avant, en faisant semblant d'être sourd et muet.

Quand il revint, la chambre était pleine de gens aux habits tristes qui s'apprêtaient à quitter la pièce. Christopher se glissa derrière un jeune homme robuste et grave, qui portait un col droit, et une dame en robe grise qui avait à la main une serviette de cuir noir. Aucun des deux ne sut qu'il était là. Selon toute apparence, la partie de lui-même qui était dans ce lit venait d'être examinée par un spécialiste. Christopher passa devant maman et se remit au lit. Il comprit que le spécialiste était devant la porte avec papa et un homme qui portait une barbe. Christopher entendit une voix âgée et dure dire :

– En ces circonstances vous avez bien fait de m'envoyer chercher. Mais je ne trouve ici qu'une vie et une seule, M. Chant. J'admets que des choses surprenantes puissent parfois se produire, mais nous étayons nos conclusions sur le rapport du professeur de magie de son école. J'ai peur de n'être pas convaincu.

La vieille voix sèche continua à résonner dans le couloir, et tout le monde la suivit, sauf maman.

– Quel soulagement ! dit maman. Christopher, es-tu réveillé ? J'ai cru un instant que cet abominable vieil homme allait s'emparer de toi, et je n'aurais jamais pardonné cela à ton papa ! Jamais ! Je ne veux pas que tu deviennes une espèce de policier obsédé par les règlements. Christopher, maman veut pouvoir être fière de toi.

Chapitre 9

Christopher retourna à l'école le lendemain. Il avait peur que maman soit bien déçue quand il deviendrait un joueur de cricket professionnel, mais cela ne changea en rien sa décision.

Tout le monde à l'école le considéra comme un miraculé. Oneir s'excusa, au bord des larmes. Ce fut la seule chose qui gêna Christopher. Sinon il était ravi d'être célèbre. Il insista pour jouer au cricket comme avant, et brûlait d'envie d'être au jeudi suivant, pour raconter ses aventures à Tacroy.

Le mercredi matin, le directeur convoqua Christopher qui eut la surprise de constater que papa était avec lui. Ils se tenaient de chaque côté du bureau d'acajou du directeur, l'air gêné.

– Eh bien, Chant, dit le directeur, nous allons être bien tristes de perdre si vite notre petit miraculé de neuf jours. Ton père est venu pour t'emmener. Apparemment tu vas bénéficier des services d'un précepteur.

– Quoi ? Quitter l'école, monsieur ? dit Christopher. Mais il y a entraînement de cricket cet après-midi, monsieur !

– J'ai suggéré à ton père de te laisser au moins jusqu'à la fin du trimestre, dit le directeur, mais il semble que le célèbre Dr Pawson ne soit pas d'accord.

Papa s'éclaircit la gorge :

– Ces professeurs de Cambridge, dit-il, nous savons bien comment ils sont, n'est-ce pas, monsieur le Directeur.

Le directeur et lui échangèrent un sourire franchement hypocrite.

– La surveillante est en train de faire tes bagages, dit le directeur. En temps voulu, ta malle et ton dossier scolaire te seront envoyés. Nous devons nous dire au revoir sans tarder car je crois que ton train part dans une demi-heure.

Il serra la main de Christopher – une poignée de mains virile, vigoureuse, une poignée de directeur d'école. Christopher fut kidnappé et partit en taxi avec papa, sans avoir la possibilité de dire au revoir à Oneir et Fenning. Il s'assit dans le train, en boudant et en regardant avec rancune le profil orné de favoris de papa.

– Je voulais entrer dans l'équipe de cricket de l'école, dit-il agressivement quand il s'aperçut que papa n'avait pas l'intention d'expliquer quoi que ce soit.

– C'est bien dommage, dit papa, mais il y aura d'autres équipes de cricket. Ton avenir est plus important que le cricket, mon fils.

– Mon avenir c'est le cricket, dit Christopher avec audace.

C'était la première fois qu'il parlait de ses ambitions à un adulte. Il réalisa qu'il avait eu l'audace de parler ainsi à papa et eut soudain très froid puis très chaud.

Mais il était heureux car c'était le premier pas vers sa brillante carrière.

Papa eut un sourire mélancolique.

– Il y eut un temps où je voulais être routier, dit-il. Ces caprices passent. Il était plus important que tout de te conduire chez le Dr Pawson avant la fin du trimestre. Ta maman avait l'intention de t'emmener avec elle à l'étranger.

Christopher serra les dents si fort sous le coup de la colère qu'il se blessa la lèvre avec son appareil. Le cricket ! Un caprice !

– Pourquoi est-ce si important ?

– Le Dr Pawson est le Devin le plus puissant de ce pays, dit papa. J'ai dû faire jouer mes relations pour qu'il accepte de te prendre aussi vite, mais quand je lui ai exposé ton cas, il a dit de lui-même qu'il ne fallait pas donner à de Witt le temps de t'oublier. De Witt reviendra sur sa décision à ton égard quand il découvrira que tu as bel et bien des pouvoirs magiques.

– Mais je ne suis pas un magicien, affirma Christopher.

– Il doit y avoir une bonne raison à cela, dit papa. Tes dons doivent être immenses, puisque je suis moi-même un enchanteur, de même que mes frères, et que ta maman – je dois lui reconnaître cela – est une sorcière extrêmement douée. Et son frère, cet escroc d'Argent, est également un enchanteur.

Christopher regarda les maisons défiler derrière le profil de papa tandis que le train entrait dans les faubourgs de Londres en fumant et essaya d'en tirer quelques conclusions. Personne ne lui avait jamais parlé de son hérédité. Il pensait que des bons-à-rien pouvaient naître dans une famille composée exclusivement de sorciers. Il devait être un bon-à-rien. Alors papa était vraiment un enchanteur ? Christopher chercha avidement les signes extérieurs de pouvoir et de richesse que devait arborer un enchanteur digne de ce nom, mais il ne vit rien de tel : Papa avait juste l'air usé et sinistre. Les manchettes de sa redingote étaient élimées et son chapeau terne était celui d'un pauvre homme. Même les favoris noirs étaient plus maigres que dans la mémoire de Christopher, et parsemés de fils gris.

Mais le fait était que, enchanteur ou pas, papa l'avait enlevé de l'école en pleine saison de cricket et, d'après ce que le directeur avait dit, il n'était pas près d'y retourner. Pourquoi ? Quelle mouche avait piqué papa de lui jouer un tour pareil ?

Christopher était plongé dans ces sombres pensées quand le train arriva au terminus et papa le traîna à travers la foule jusqu'à un taxi. Ils se frayèrent un chemin dans St Pancras, et Christopher comprit qu'il allait être difficile de voir Tacroy et de pratiquer le cricket. Papa lui avait dit de ne jamais avoir affaire à oncle Ralph et papa était un enchanteur.

En route vers Cambridge, dans le petit wagon plein de suie, Christopher demanda avec rancune :

– Papa, pourquoi as-tu décidé de m'emmener chez le Dr Pawson ?

– Je croyais pourtant te l'avoir expliqué, dit papa.

Il refusa d'en dire plus pendant un bon moment. Puis il se tourna vers Christopher, en soupirant profondément, et Christopher vit qu'il avait simplement fait une pause avant d'entamer une conversation de la plus grande importance :

– Vendredi dernier, dit-il, tu as été déclaré mort, mon fils, par deux docteurs et un grand nombre d'autres gens. Mais quand je suis venu le samedi pour identifier ton corps, tu étais bien vivant, en pleine convalescence, et tu n'avais aucune trace de blessure. Ceci m'a convaincu que tu possédais plus d'une vie – et j'ai été persuadé que cela s'était déjà produit par le passé. Dis-moi Christopher, l'année dernière, quand on m'a dit qu'une tringle t'était tombée dessus, tu étais mortellement blessé, n'est-ce-pas ? Tu peux tout me dire. Je ne me fâcherai pas.

– Oui, dit Christopher à regret, je suppose que j'étais mort.

– J'en étais sûr ! dit papa avec une douloureuse satisfaction. Écoute, mon fils, les gens qui ont assez de chance pour avoir plusieurs vies sont toujours, sans exception, des enchanteurs très puissants. Samedi dernier il m'est apparu clairement que tu en étais un. C'est pourquoi j'ai envoyé chercher Gabriel de Witt. Et le seigneur de Witt... (papa baissa la voix et regarda nerveusement dans tous les coins du wagon plein de suie comme si le seigneur de Witt pouvait les entendre) est l'enchanteur le plus puissant du monde. Il a neuf vies. Neuf, Christopher. Cela le rend assez puissant pour contrôler toute la magie de ce monde et de bien d'autres. Le gouvernement lui a confié cette tâche. C'est pour cette raison que tu entendras des gens le nommer le Chrestomanci. Qui occupe cette fonction a droit à ce titre.

– Mais, dit Christopher, quel est le rapport entre tout ceci et le fait que tu m'aies retiré de l'école ?

– C'est parce que je veux que de Witt s'intéresse à ton

cas, dit papa. Je suis un homme pauvre, à présent. Je ne peux rien faire pour toi. J'ai fait de très grands sacrifices pour m'offrir les services du Dr Pawson, parce que je pense que de Witt avait tort quand il a dit que tu étais un garçon normal avec une seule vie. Ce que j'espère c'est que le Dr Pawson pourra prouver qu'il avait tort et que de Witt se laissera convaincre de te prendre dans son équipe. S'il le fait, ton avenir est assuré.

« Me prendre dans son équipe », pensa Christopher. « Comme Oneir qui devrait commencer comme coursier dans l'entreprise de son père. »

– Je ne crois pas, dit-il, que j'aie envie d'avoir un avenir assuré comme celui-là.

Son père le regarda tristement.

– C'est ta maman qui parle par ta bouche, dit-il. Quand tu auras bénéficié d'une éducation appropriée, tu ne parleras plus à la légère.

Cette tirade ne donna aucune envie à Christopher de suivre les injonctions de papa. « Mais c'est de moi que je parle ! » pensa-t-il avec colère. « Cela n'a rien à voir avec maman ! »

Il était toujours aussi maussade quand le train entra dans la gare de Cambridge dans un nuage de fumée. Il suivit papa dans des rues pleines de jeunes gens qui portaient des robes semblables à celles des gens de la Série Sept, longea de hauts édifices couronnés de tourelles qui lui rappelaient le Temple d'Asheth, quoique les maisons de Cambridge aient plus de fenêtres. Papa avait loué des chambres dans une pension de famille, une maison sombre imprégnée d'odeurs de cuisine.

– Nous resterons ici tous les deux tant que le Dr Pawson n'en aura pas fini avec toi, dit-il à

Christopher. J'ai apporté une grande quantité de travail, et pourrai ainsi veiller personnellement à ton bien-être.

Ceci jeta Christopher dans un profond désespoir. Il se demanda s'il arriverait à gagner le Passage pour rencontrer Tacroy le jeudi suivant sous la surveillance constante d'un enchanteur adulte. Pour couronner le tout, le lit de sa chambre était encore plus mauvais que celui de l'école et grinçait chaque fois qu'il faisait un mouvement. Il s'endormit en pensant qu'il n'avait jamais été aussi malheureux de toute sa vie. Mais quand il rencontra le Dr Pawson il réalisa que ce n'était que le début de ses ennuis.

Papa l'emmena chez le Dr Pawson dans Trumpington Road à dix heures le lendemain matin.

– Le Dr Pawson est parfois quelque peu déconcertant pendant ses consultations, dit papa, mais je sais que je peux faire confiance à mon garçon pour qu'il se comporte poliment en toute circonstance.

Ce discours était de mauvais augure. Les genoux de Christopher se mirent à trembler quand la femme de chambre l'introduisit dans le cabinet du Dr Pawson. C'était une pièce très claire, pleine de tout un bric-à-brac. Une voix brutale en jaillit.

– Stop !

Christopher se figea, alarmé.

– Pas un pas de plus. Et contrôle tes genoux, petit ! Seigneur, comme ces jeunes ont la bougeotte ! aboya-t-on avec dureté. Comment veux-tu que je t'évalue si tu ne cesses de bouger ! Bon, qu'as-tu à dire ?

Le plus gros des objets qui encombraient la pièce était un fauteuil moelleux où le Dr Pawson était assis. Pas un de ses muscles ne bougeait, seule une crispation agitait ses lourdes bajoues pourpres. Il était sans doute trop gros pour pouvoir se déplacer. Il était d'une obésité agressive, crue, obscène. Son ventre était comme une colline moulée dans un gilet. Ses mains rappelaient à Christopher les bananes pourpres qu'il avait vues dans la Série Cinq. De son visage bouffi, également pourpre, jaillissaient deux yeux larmoyants et sans pitié.

– Bonjour, monsieur. Comment allez-vous ? dit Christopher en se rappelant que papa comptait sur lui pour être poli.

– Non, non ! cria le Dr Pawson. Ceci est une consultation, pas une visite de politesse. Quel est ton problème, Chant – c'est bien ton nom, n'est-ce pas ? Expose ton problème, Chant.

– Je ne peux pas faire de magie, monsieur.

– C'est le cas de bien des gens. Certains sont nés comme ça, brailla le Dr Pawson. Trouve mieux que ça, Chant. Fais-moi voir. Ne fais pas de magie et je verrai ce que je veux voir.

Christopher hésita, tant il était sous le coup de la surprise.

– Allez mon petit ! mugit le Dr Pawson, ne le fais pas !

– Mais je ne peux pas ne pas faire ce que je ne sais pas faire ! dit Christopher, littéralement torturé.

– Mais si, tu peux, hurla le Dr Pawson. C'est l'essence même de la magie. Essaie maintenant. Le miroir sur la table à côté de toi. Fais-le léviter et plus vite que ça !

Si le Dr Pawson espérait ainsi inciter Christopher à bien faire, il se trompait. Christopher se cogna contre la table, regarda dans l'élégant miroir posé dessus, prononça les paroles et exécuta les gestes qu'il avait appris à l'école. Rien ne se produisit.

– Hum, dit le Dr Pawson. Ne recommence pas.

Christopher pensa qu'il devait recommencer. Il essaya, les mains et la voix tremblantes, sentant la colère et le désarroi croître en lui. C'était sans espoir ! Il haïssait papa qui l'avait traîné ici pour que ce gros homme abominable le terrorise. Il avait envie de pleurer et dut se rappeler à lui-même, comme s'il était sa propre gouvernante, qu'il était bien trop grand pour ça. Le miroir ne bougea pas d'un pouce.

– Hum, dit le Dr Pawson. Tourne-toi, Chant. Non, pas comme ça, tourne lentement sur toi-même, mon garçon, pour que je puisse te voir en entier. Stop !

Christopher s'arrêta et attendit. Le Dr Pawson ferma ses yeux larmoyants et baissa son double menton pourpre. Christopher eut l'impression qu'il s'était endormi. Il se fit un grand silence dans la pièce et l'on n'entendit plus que le tic-tac des horloges. Deux horloges de facture ancienne, l'une était une véritable antiquité et l'autre ressemblait à ces gros blocs de marbre qu'on trouve habituellement dans les cimetières. Christopher crut qu'il allait avoir une attaque quand le Dr Pawson aboya tout à coup comme si sa dernière heure était arrivée.

– Vide tes poches, Chant !

« Quoi ? » pensa Christopher. Mais il n'osa pas désobéir. Il se mit en toute hâte à vider les poches de sa veste de sport : la pièce de six pence de l'oncle Ralph qu'il gardait toujours sur lui, un mouchoir grisâtre, un mot de Oneir qui parlait d'algèbre. Il ne restait plus que des choses peu reluisantes comme de la ficelle, des élastiques et des chocolats fourrés. Il hésita.

– Sors tout ! cria le Dr Pawson. Sors tout ce qu'il y a dans toutes tes poches. Pose tout sur la table.

Christopher continua à vider ses poches : un élastique mâchonné, un bout de crayon, des pois pour la sarbacane de Fenning, une pièce de trois pence dont il ignorait l'existence, une pastille pour la toux, des peluches, encore des peluches, de la ficelle, une bille, la plume d'un vieux stylo, encore des élastiques, des peluches et encore de la ficelle. Et c'était tout.

Les yeux du Dr Pawson étincelèrent.

– Non, ce n'est pas tout ! Qu'est-ce que tu as encore sur toi ? Une épingle de cravate. Débarrasse-t'en aussi !

A regret Christopher détacha la jolie épingle de cravate en argent que tante Alice lui avait offert pour Noël. Les yeux luisants du Dr Pawson étaient toujours rivés sur lui.

– Ah ! dit le Dr Pawson. Et cette chose ridicule que tu as sur les dents. Tu dois l'enlever aussi. Enlève-la de ta bouche et pose-la sur la table. A quoi Diable est-ce que ça peut bien servir, à propos ?

– Ça sert à empêcher mes dents de pousser de travers, dit Christopher, très vexé. Il détestait son appareil dentaire, mais il détestait encore plus qu'on lui reproche d'en porter un.

– Quel mal y a-t-il à avoir les dents de travers ? mugit le Dr Pawson en montrant les siennes.

Christopher eut un mouvement de recul. Les dents du Dr Pawson étaient marron et partaient dans toutes les directions, on aurait dit les pieux d'une clôture piétinée par un troupeau de vaches. Alors que Christopher clignait des yeux, fasciné, le Dr Pawson aboya :

– La lévitation ! Recommence !

Christopher grinça des dents – elles semblaient très bien rangées, en comparaison, et très douces sans l'appareil – puis se tourna vers le miroir. Une fois encore il regarda dedans, une fois encore il prononça les paroles, et une fois encore il leva haut les bras. Tandis que ses bras se levaient, il sentit que quelque chose se libérait – avec une impression de revanche.

Tout ce qui se trouvait dans la chambre se mit à monter, sauf Christopher : le miroir, l'épingle de cravate, l'appareil dentaire et l'argent. Ces objets tombèrent vers le plancher, tandis que la table s'élevait dans les airs, mais le tapis qui se soulevait par vagues les recueillit avant qu'ils aient atteint le sol. Christopher ôta en toute hâte ses pieds du tapis et regarda tous les objets qui l'entouraient prendre leur essor : toutes les horloges, plusieurs tables, les chaises, les carpettes, les tableaux, les vases, les bibelots... et le Dr Pawson. Il décolla dans son fauteuil, majestueusement, comme un ballon, et alla se cogner au plafond. Le plafond gonfla, devint concave et le lustre vint adhérer à la voûte. On entendit des bruits au-dessus, des cris puis un grincement effroyable. Christopher sentit que le toit de la maison s'était envolé et montait droit dans le ciel, talonné par le grenier. C'était une sensation indescriptible.

– Arrête ça ! rugit le Dr Pawson.

Christopher, honteux, baissa les bras.

Immédiatement, tous les objets se mirent à pleuvoir sur le sol. Les tables plongèrent, les tapis sombrèrent, les vases, les tableaux et les horloges s'écrasèrent sur le sol un peu partout. Le fauteuil du Dr Pawson tomba comme une pierre en même temps que le reste, suivi par des morceaux du lustre. Puis le fauteuil ralentit sa course : le Dr Pawson avait dû faire appel à la magie. Au-dessus d'eux, le toit redescendit dans un bruit de tonnerre. Christopher entendit les tuiles tomber et les cheminées s'écraser, ainsi que toute une série de craquements et de grondements. Les étages supérieurs semblaient tenter de rejoindre le rez-de-chaussée. Les murs de la pièce se gondolèrent en laissant échapper du plâtre, tandis que la fenêtre s'incurvait et tombait en morceaux. Cinq minutes environ s'écoulèrent avant que les bruits s'espacent, et la poussière se mit à pleuvoir doucement. Le Dr Pawson était assis au milieu du désastre dans un nuage de poussière et regardait fixement Christopher. Christopher le regarda, avec une irrésistible envie de rire.

Une petite vieille dame se matérialisa dans le fauteuil en face du Dr Pawson. Elle portait une chemise de nuit blanche, et un bonnet de dentelle recouvrait ses cheveux blancs. Elle adressa à Christopher un sourire glacial.

– Ainsi c'est là ton œuvre, mon enfant, dit-elle à Christopher. Mary-Ellen fait une crise d'hystérie. Ne refais jamais ça, tu entends, ou je te jetterai un sort et tu seras poursuivi par des fantômes. C'est ma spécialité, sais-tu.

Sur ces mots, elle disparut comme elle était venue.

– C'est ma vieille mère, dit le Dr Pawson. Normalement, elle ne quitte pas son lit mais, comme tu as pu le constater, elle est bouleversée. Comme tout le reste d'ailleurs.

Il s'assit et regarda fixement un bon moment Christopher qui s'efforçait toujours de ne pas rire.

– L'argent, dit enfin le Dr Pawson.

– L'argent ? interrogea Christopher.

– L'argent, répéta le Dr Pawson. C'est l'argent qui te paralysait, Chant. Ne me demande pas pourquoi maintenant. Peut-être ne connaîtrai-je jamais le fin mot de l'histoire, mais les faits parlent d'eux-mêmes. Si tu veux faire de la magie, tu dois te débarrasser de l'argent, tu peux garder les pièces de cuivre et les souverains d'or, mais jette cette épingle de cravate et débarrasse-toi de cet appareil ridicule.

Christopher pensa à papa, à l'école, au cricket, et sentit un flot de colère et de frustration monter en lui qui lui donna le courage de dire :

– Mais je ne crois vraiment pas que j'aie envie de faire de la magie, monsieur.

– Mais si, tu en as envie, Chant ! dit le Dr Pawson. Du moins tu vas en faire pendant le mois qui vient.

Et pendant que Christopher cherchait quoi rétorquer sans être trop mal élevé, le Dr Pawson donna une autre démonstration de la force de ses poumons :

– Et maintenant tu vas me remettre tout ça en place, Chant !

Et c'est exactement ce que Christopher fit. Pendant tout le reste de la matinée il fit le tour de la maison, visita tous les étages et descendit dans le jardin, pendant que le Dr Pawson flottait à côté de lui dans son fauteuil et lui montrait comment jeter des sorts pour empêcher la maison de tomber en pièces. Le Dr Pawson, apparemment, ne quittait jamais son fauteuil. Tout le temps que Christopher fut en sa compagnie, il ne le vit jamais marcher. Vers midi, le Dr Pawson se propulsa vers la cuisine, où il trouva la cuisinière assise mélancoliquement au beau milieu de pots à beurre brisés, de flaques de lait, de morceaux de saladiers et de saucières ébréchées. Elle se tamponnait les yeux avec son tablier.

– Vous n'êtes pas blessée, vous ? Bon, aboya le Dr Pawson. Je vais tout de suite jeter un sort pour être sûr que tout ça ne s'effondre pas et ne mette le feu à la maison, par exemple. Les murs tiennent, non ? Les canalisations d'eau sont intactes ?

– Oui, monsieur, parvint à articuler la cuisinière. Mais le déjeuner est gâché, monsieur.

– Pour une fois nous serons contraints de sauter le déjeuner, dit le Dr Pawson. (Son fauteuil fit demi-tour et il s'adressa à Christopher.) En début de soirée, dit-il, cette cuisine sera remise en état. Et je ne veux pas de provisoire. Je veux du flambant neuf. Je vais te montrer. Pas question qu'on ne puisse pas utiliser la cuisine. C'est la partie la plus importante de la maison.

– Je n'en doute pas, monsieur, dit Christopher, les yeux fixés sur l'estomac gigantesque du Dr Pawson.

Le Dr Pawson le regarda fixement.

– Je peux dîner au collège, dit-il, mais Mère doit pouvoir se restaurer.

Pendant tout le reste de la journée, Christopher répara la cuisine, recolla les morceaux, ramassa le lait répandu et le sherry de cuisine, lissa les plats ébréchés et reboucha une fissure qui lézardait le mur. Tandis qu'il travaillait, le Dr Pawson était dans son fauteuil, se chauffait devant le feu et aboyait des choses comme :

– Maintenant tu recolles les œufs cassés, Chant. D'abord la formule pour les faire léviter, puis la formule pour purifier le lait. Seulement après, la formule de reconstruction.

Pendant que Christopher travaillait avec acharnement, la cuisinière, qui était manifestement encore plus terrifiée par le Dr Pawson que Christopher, lui tournait autour et tentait de faire cuire un gâteau et de préparer le rôti du dîner.

D'une manière ou d'une autre, Christopher apprit davantage de magie pratique ce jour-là qu'en deux trimestres et demi à l'école. Le soir venu, il était exténué. Le Dr Pawson aboya :

– Tu peux retourner chez ton père pour le moment. Reviens demain à 9 heures précises. Il faut que tu t'occupes du reste de la maison.

– Oh, Seigneur, grogna Christopher, trop épuisé pour rester poli. Est-ce que quelqu'un ne pourrait pas m'aider un peu ? J'ai compris la leçon.

– Qu'est-ce qui te fait croire que c'est la dernière ? aboya le Dr Pawson.

Christopher se traîna jusqu'à la pension en emportant l'appareil dentaire, les pièces de monnaie et l'épingle de cravate enveloppés dans le mouchoir gris. Papa, assis devant une table couverte de thèmes astraux, leva les yeux.

– Alors ? dit-il plein de curiosité et d'appréhension.

Christopher s'effondra sur une chaise défoncée.

– C'était l'argent, dit-il. Il m'empêchait de faire de la magie. Et j'espère bien que j'ai vraiment plus d'une vie parce que le Dr Pawson ne va pas tarder à me tuer, au train où il va.

– L'argent ! dit papa. Oh, mon Dieu ! Oh, mon Dieu, mon Dieu, mon Dieu.

Il eut l'air très triste et ne dit plus un mot, se contentant d'avaler la soupe aux choux et les saucisses qui constituaient le dîner de la pension. A la fin du repas, il dit :

– Mon fils, je dois t'avouer quelque chose. C'est ma faute si l'argent t'empêche d'être magicien. Je ne me suis pas contenté de tracer ton horoscope le jour de ta naissance, j'ai également utilisé toutes les techniques divinatoires que je connaissais pour connaître ton avenir. Tu peux imaginer mon effroi quand toutes mes prédictions ont confirmé que l'argent t'apporterait le malheur ou la mort. (Papa fit une pause, tapota de ses doigts sur les feuilles d'horoscope et fixa le mur d'un air absent.) L'argent, dit-il d'une voix blanche. Argent est un nom qui ne m'est pas inconnu. Aurais-je été aussi aveugle ? (Il sembla reprendre ses esprits.) Il est trop tard pour faire quoi que ce soit, tout ce que je peux te dire c'est d'éviter de fréquenter ton oncle Ralph.

– Mais pourquoi est-ce ta faute ? demanda Christopher, très gêné que papa se soit mis cette idée en tête.

– Personne ne peut échapper à son Destin, dit papa. Je n'aurais jamais dû l'oublier. J'ai jeté mes sorts les plus puissants et utilisé tout mon pouvoir pour annuler l'influence maléfique que l'argent a sur toi. L'argent – le moindre contact avec l'argent – semble te transformer instantanément en une personne ordinaire, totalement dépourvue de pouvoirs magiques, et je mesure à présent à quel point tu es en danger. Si je comprends bien, tant que tu ne touches pas d'argent, tu es capable de faire de la magie ?

Christopher se mit à rire :

– Oh oui, ça devient très facile.

Le visage de papa s'éclaira un peu.

– C'est une consolation. Ainsi donc mon sacrifice ne fut pas vain. Comme tu le sais sans doute, Christopher, j'ai, dans mon inconséquence, gaspillé l'argent de ta maman et le mien en me fiant aux horoscopes pour effectuer des placements. (Il secoua tristement la tête.) Les horoscopes sont trompeurs, surtout quand il s'agit d'argent. Quoi qu'il en soit, je suis un homme fini. Je me considère comme un raté. Tu es ma seule raison de vivre à présent, mon fils. Si je connais encore la réussite, ce sera à travers toi.

Si Christopher n'avait pas été aussi fourbu, il aurait été horriblement embarrassé. Même dans son état de fatigue extrême, il pensa qu'il était bien ennuyeux de devoir vivre pour papa et non pour lui-même. Serait-il correct, pensa-t-il, d'utiliser la magie pour devenir un grand champion de cricket ? Il pourrait envoyer la balle où il voudrait. Est-ce que c'était cela la réussite pour papa ? Il savait pertinemment que non. Ses yeux se fermèrent tout seuls et sa tête dodelina. Quand papa l'envoya se coucher, Christopher s'effondra sur son matelas défoncé et dormit comme une souche. Il aurait sincèrement voulu rejoindre le Passage pour tout raconter à Tacroy, mais il était vraiment trop fatigué et il craignait que papa devine tout. Quelle qu'en soit la raison, il dormit cette nuit-là d'un sommeil sans rêve.

Chapitre 10

Pendant les trois semaines qui suivirent, le Dr Pawson fit tant trimer Christopher pour réparer la maison qu'il sombra chaque soir dans le sommeil, trop harassé pour rêver. Chaque matin, quand Christopher arrivait, il trouvait le Dr Pawson dans son fauteuil dans l'entrée, qui l'attendait.

– Au travail, Chant ! aboyait-il.

Christopher rétorquait alors :

– Vraiment, monsieur ? Je pensais que nous prendrions une journée de congé comme hier.

Bizarrement, le Dr Pawson ne semblait pas froissé par ce genre de remarque. Christopher s'habitua à lui et comprit que le Dr Pawson aimait bien que les gens lui résistent. En conséquence, Christopher découvrit aussi qu'il ne le haïssait pas, en réalité. Le Dr Pawson était juste une espèce de catastrophe naturelle. Il trouva qu'il prenait plaisir à reconstruire la maison, ou plutôt qu'il aimait bien utiliser la magie dans un but précis. Chaque formule qu'il utilisait avait une réelle utilité. Et ça c'était beaucoup plus intéressant que toutes ces choses idiotes qu'on avait essayé de lui apprendre à l'école. C'était bien plus facile de travailler d'arrache-pied quand on avait le droit de dire au Dr Pawson des insolences qui lui auraient valu de se faire tirer les oreilles ou menacer du fouet à l'école.

– Chant ! mugissait le Dr Pawson dans son fauteuil posé au milieu de la pelouse. Chant ! Les cheminées à droite du toit sont tordues.

Christopher était en équilibre sur les tuiles du toit et frissonnait dans le vent. Il pleuvait ce jour-là et il avait dû utiliser une formule pour abriter le toit et la pelouse pendant qu'il travaillait. C'était la quatrième fois qu'il tentait de redresser les cheminées.

– Oui, monsieur, tout de suite, monsieur ! cria-t-il. Vous ne voudriez pas des cheminées en or massif tant que j'y suis ?

– Pas de ça ou je te force à travailler ! s'époumona le Dr Pawson.

Quand Christopher commença à réparer la chambre de la mère du Dr Pawson, il commit l'erreur de traiter la vieille Mrs Pawson de la même manière. Elle était assise bien droite sur un lit recouvert du plâtre tombé du plafond, pourtant elle restait digne et paraissait à son aise. Elle était en train de tricoter une chose longue et rayée.

– J'ai sauvé le miroir, mon enfant, lui fit-elle remarquer avec un sourire aimable, mais mon pouvoir s'arrête là. Sois assez gentil pour réparer d'abord le pot de chambre, et considère-toi comme heureux, mon enfant, que je n'en aie point fait usage. Tu trouveras la chose sous le lit.

Christopher extirpa trois morceaux blancs et se mit au travail.

– Répare-le soigneusement, dit la vieille Mrs Pawson dans un cliquetis d'aiguilles. Assure-toi que la poignée n'est pas de travers et que le liséré doré est bien droit. Ne laisse aucune aspérité qui pourrait se révéler gênante ou d'excroissances inesthétiques, mon enfant.

Sa voix douce et agréable empêchait Christopher de se concentrer. Il finit par s'énerver et lui demanda :

– Vous ne voulez pas que j'y mette quelques diamants, aussi ? Ou alors que je pose un petit bouquet de roses au fond ?

– Grand merci, mon enfant, dit Mrs Pawson, le bouquet de roses, je te prie. C'est une idée exquise.

Le Dr Pawson jubilait dans son fauteuil en voyant l'expression déconfite de Christopher.

– Le sarcasme ne paie pas, Chant ! aboya-t-il. Pour les roses, utilise une formule de création. Écoute et applique-toi.

Puis Christopher dut s'attaquer aux chambres de bonne. Puis il dut refaire toute la plomberie. Le Dr Pawson lui octroya un jour de congé, le dimanche, afin que papa puisse le conduire à l'église. Christopher, qui connaissait à présent l'étendue de ses pouvoirs, joua avec l'idée de faire fondre le clocher comme une bougie, mais n'osa jamais passer à l'acte car papa marchait paisiblement à ses côtés. Il décida de faire d'autres expériences. Chaque matin, alors qu'il remontait Trumpington Road, il rangeait les arbres qui bordaient la rue de différentes manières. Il devint si fort à ce jeu qu'il réussit à les aligner au bout de la rue, puis à les rassembler en une véritable forêt. Le soir, bien que très fatigué, il ne pouvait pas résister au plaisir d'améliorer l'ordinaire du dîner de la pension. Mais ensorceler la nourriture n'était pas chose facile.

– Qu'ont-ils mis dans les saucisses aujourd'hui ? fit remarquer papa. Elles ont un goût de fraise.

Puis vint un matin où le Dr Pawson cria depuis son fauteuil à travers le hall :

– Bon, Chant, à partir de maintenant tu finiras les réparations l'après-midi. Le matin je t'apprendrai à te contrôler.

– A me contrôler ? dit Christopher d'une voix blanche.

Comme il avait presque fini avec la maison, il espérait que le Dr Pawson en aurait aussi fini avec lui.

– C'est ça, aboya le Dr Pawson. Tu ne pensais pas que je te laisserais affronter le vaste monde sans t'apprendre à contrôler ton pouvoir, quand même ? Tel que tu es, tu es un danger public. Et ne me dis pas que tu n'as pas fait une ou deux choses juste pour voir jusqu'où tu pouvais aller, parce que je ne te croirais pas.

Christopher regarda ses pieds et repensa à ce qu'il venait de faire aux arbres de Trumpington Road.

– Je n'ai rien fait de grave, monsieur.

– Rien de grave ! Depuis quand les petits garçons sont-ils raisonnables ? dit le Dr Pawson. Allons dans le jardin. Tu vas apprendre à faire se lever le vent sans que frémisse un seul brin d'herbe.

Ils sortirent dans le jardin et Christopher fit se lever une tornade. Il pensa que cela reflétait bien son état d'esprit. Par bonheur elle était toute petite et ne détruisit qu'un seul parterre de roses. Le Dr Pawson n'eut qu'à lever sa grosse main boudinée et pourpre pour l'apaiser.

– Recommence, Chant.

C'était ennuyeux d'apprendre à se contrôler, mais au moins c'était reposant. Le Dr Pawson en était manifestement conscient. Il se mit à donner des devoirs à faire le soir. Mais même après avoir annulé toute une série de sorts compliqués, Christopher, pour la première fois, sentit qu'il lui restait assez d'énergie mentale pour réfléchir. Il pensa à l'argent. C'est parce qu'il avait gardé dans sa poche la pièce de six pence de l'oncle Ralph qu'il avait été impuissant. Et ce maudit appareil dentaire l'avait rendu encore plus démuni. Quel gâchis ! Pas étonnant qu'il ait été incapable d'apporter les livres à la Déesse avant que la surveillante lui ait ôté cette chose.

Pendant toutes ces années il avait utilisé la magie pour se rendre dans les Ailleurs sans même s'en rendre compte – non, en fait il l'avait toujours su, mais sans se l'avouer. Tacroy avait compris, lui, et en avait été impressionné. La Déesse avait dû le comprendre aussi, quand elle avait vu que son bracelet d'argent l'avait changé en fantôme. Christopher essaya de penser à la Déesse, mais ses pensées revenaient toujours à Tacroy qui avait dû entrer en transe pour rien trois semaines de suite. Tacroy ne semblait pas en faire grand cas, mais Christopher soupçonnait que ce genre d'exercice devait coûter beaucoup d'énergie. Il aurait aimé raconter à l'oncle Ralph tout ce qui lui était arrivé.

Il jeta un coup d'œil à papa, qui était très occupé à inscrire des symboles avec un stylo spécial sur ses horoscopes, à la lueur d'une lampe à pétrole. Il se mit à écrire à l'oncle Ralph en faisant semblant de faire ses devoirs. La lampe éclairait d'une lumière particulière le visage de papa : il n'avait plus l'air si usé, mais étonnamment doux et sérieux. Christopher s'avoua avec gêne que papa et l'oncle Ralph ne s'aimaient pas. Mais après tout, papa ne lui avait jamais expressément défendu de lui écrire.

Il mit quand même plusieurs nuits à finir sa lettre. Christopher ne voulait pas avoir l'air de trahir papa. Il décida d'écrire seulement que papa l'avait retiré de l'école et confié au Dr Pawson. C'était un grand effort pour une si petite lettre. Il la posta le lendemain, en remontant Trumpington Road, avec un sentiment de soulagement et de bonne conscience.

Trois jours plus tard, papa reçut une lettre de maman. Christopher sut rien qu'à regarder la tête qu'il faisait que l'oncle Ralph avait dit à maman où ils étaient. Papa jeta la lettre au feu et prit son chapeau.

– Christopher, dit-il, aujourd'hui je t'accompagnerai chez le Dr Pawson.

Christopher fut certain que maman était à Cambridge. Tandis qu'il remontait Trumpington Road avec papa à ses côtés, il essaya de voir clair dans ses sentiments. Mais il n'eut guère le temps de penser. Un grand vent à l'odeur de rose les enveloppa, poussa Christopher de côté et emporta le chapeau de papa. Faisant un mouvement pour rattrapper son chapeau, emporté par un tourbillon, papa n'acheva pas son geste et agrippa le bras de Christopher.

– Ce n'est pas une grande perte, dit-il. Continue de marcher, mon fils.

Ils continuèrent à marcher, tandis que le vent sifflait et soufflait. Christopher sentait que le vent cherchait à l'envelopper et à l'éloigner de son père. Si papa n'avait pas tenu aussi fermement son bras, il aurait été emporté de l'autre côté de la rue. Il était impressionné. Il n'aurait pas cru que maman ait de si grands pouvoirs.

– Je peux tout contrôler si tu veux, cria-t-il pour couvrir le bruit de la tempête. Le Dr Pawson m'a appris la formule pour apaiser le vent.

– Non, Christopher, dit papa solennellement. (Il avait perdu toute sa dignité, les pans de son manteau se soulevaient et ses cheveux étaient tout ébouriffés.) Un gentleman n'use jamais de magie contre une femme, surtout si elle est sa mère.

Christopher pensa que les gentlemen se compliquaient drôlement la vie, surtout dans des circonstances pareilles. Le vent souffla plus fort à mesure qu'ils approchaient de la maison du Dr Pawson. Christopher crut qu'ils ne parviendraient jamais à couvrir les cent derniers mètres. Papa dut s'agripper d'une main à la porte pour qu'ils ne s'envolent pas tandis qu'il soulevait le heurtoir de l'autre. Le vent tenta une dernière fois de les emporter. Christopher sentit ses pieds se soulever du sol et crut qu'il allait s'envoler. Il récita aussitôt une formule pour se rendre plus lourd. Après tout, maman lui jetait un défi qu'il devait relever et il avait horreur de perdre. Il aurait aimer voir perdre maman. Il espérait que papa ne remarquerait pas les profondes empreintes que ses pieds avaient laissées devant la porte.

Dès qu'ils eurent atteint le seuil, le vent tomba. Papa lissa ses cheveux et sonna.

– Ah ! cria le Dr Pawson dans son fauteuil tandis que Mary-Ellen ouvrait la porte. Je me doutais que vous auriez quelques ennuis mais je vois que tout est rentré dans l'ordre. Chant, fais-moi le plaisir de monter faire la lecture à ma mère. Il faut que je parle à ton père.

Christopher monta dans la chambre aussi lentement qu'il put, dans l'espoir d'entendre leur conversation. Tout ce qu'il entendit fut la voix du Dr Pawson qui cette fois ne criait pas.

– J'ai senti leur présence tous les jours depuis presque une semaine mais ils ne peuvent pas encore...

Puis la porte se referma. Christopher continua à monter et frappa à la porte de la chambre de la vieille Mrs Pawson.

Elle était assise sur son lit et tricotait toujours.

– Assieds-toi sur cette chaise-là pour que je puisse bien t'entendre, dit-elle de sa voix douce en lui adressant un sourire aimable mais quelque peu menaçant. La Bible est ici, sur la table de nuit. Tu peux commencer par la Genèse, mon enfant, nous verrons bien jusqu'où tu iras. Je pense que les pourparlers dureront un certain temps. Il en est toujours ainsi.

Christopher s'assit et commença à lire. Il s'embrouillait entre tous ces gens qui s'engendraient les uns les autres. Mais Mary-Ellen entra avec du café et des biscuits ce qui lui donna l'occasion de faire une pause. Dix minutes plus tard, la vieille Mrs Pawson reprit son tricot et dit :

– Continue, mon enfant.

Christopher était en plein Sodome et Gomorrhe et commençait à s'enrouer quand Mrs Pawson inclina sa tête blanche et dit :

– Arrête, mon enfant. Ils veulent que tu descendes dans le bureau.

Très soulagé et dévoré de curiosité, Christopher posa la Bible et se précipita au rez-de-chaussée. Papa et le Dr Pawson étaient assis l'un en face de l'autre au beau milieu du bric-à-brac. La pièce était encore plus encombrée ces dernières semaines car elle contenait les horloges et les bibelots de toute la maison que Christopher devait encore réparer. Le chaos était indescriptible. Les tables et les tapis avaient été poussés contre les murs pour dégager le plancher et on avait dessiné quelque chose à la craie sur les lattes. Christopher examina le dessin avec intérêt en se demandant quel était le rapport avec maman. C'était un cercle qui renfermait une étoile à cinq branches. Il regarda papa, qui se réjouissait apparemment de quelque chose, puis le Dr Pawson, égal à lui-même.

– Bonne nouvelle, Chant, dit le Dr Pawson. Je t'ai fait passer beaucoup de tests ces dernières semaines – n'aie pas l'air si ahuri, mon garçon, tu ne t'es rendu compte de rien – et le résultat est toujours le même : tu possèdes neuf vies. Tu as neuf vies, et tu es peut-être le plus grand magicien que j'aie rencontré. Donc, j'ai contacté Gabriel de Witt. Il se trouve que je sais qu'il cherche un successeur depuis des années. On m'a raconté un tas d'imbécillités à propos de ton soi-disant manque de capacités dont je n'ai pas tenu compte. Tout ça c'est des réactions de fonctionnaires. Il faudrait leur tirer dessus à boulets rouges pour les faire changer d'avis. Donc, aujourd'hui, puisque ta maman nous a fourni un bon prétexte, je les ai insultés tout mon saoul. Et crois-moi, Chant, ils se sont faits tout petits. Ils vont envoyer quelqu'un pour te conduire au château de Chrestomanci…

Papa l'interrompit : il ne pouvait plus se contenir.

– C'est exactement ce que j'espérais pour toi, mon fils ! Gabriel de Witt va devenir ton tuteur légal, et en temps voulu tu deviendras le nouveau Chrestomanci.

– Le nouveau Chrestomanci ? répéta Christopher. Il regarda papa et sut qu'il n'était pas question qu'il le laisse choisir son futur métier. Tout était déjà arrangé. Il se vit en champion de cricket puis l'image se brouilla et disparut.

– Mais moi je ne veux pas...

Papa crut que Christopher n'avait pas compris.

– Tu vas devenir un homme très important, dit-il. Tu vas superviser toute la magie du monde et veiller à ce qu'elle ne soit pas utilisée à de mauvaises fins.

– Mais... dit Christopher avec colère.

C'était trop tard. Une silhouette brumeuse apparut au centre de l'étoile à cinq branches. Elle devint solide et un jeune homme pâle et potelé apparut, le visage tout en longueur, habillé sobrement d'un costume gris à grand col empesé blanc qui semblait beaucoup trop serré. Il portait quelque chose qui ressemblait à un télescope. Christopher se souvint de lui. C'était l'un de ceux qui étaient dans la chambre d'hôpital, quand tout le monde l'avait cru mort.

– Bonjour, dit le jeune homme en sortant du cercle. Je m'appelle Flavian Temple. Monseigneur de Witt m'a envoyé pour examiner le candidat.

– Examiner le candidat ! hurla le Dr Pawson. C'est déjà fait ! Par moi ! Pour qui me prenez-vous, vous ? Il jeta un regard furieux à papa. Bande de fonctionnaires !

Flavian Temple fut aussi terrorisé par le Dr Pawson que l'avait été Christopher. Il eut un instant d'hésitation.

– Oui, docteur, nous savons ce que vous avez fait. Mais on m'a ordonné de vérifier vos conclusions avant d'aller plus loin. Si ce garçon voulait bien entrer dans le pentagramme…

– Va, mon fils, dit papa. Va au milieu de l'étoile.

Furieux et désemparé à la fois, Christopher pénétra dans le cercle de craie et Flavian Temple le regarda à travers son télescope. « On devait vous voir tout petit, comme si vous n'aviez qu'une seule vie, pensa-t-il. Pourvu que ce soit ça ! » En fait, il n'était pas sûr que ce soit vraiment un télescope.

Flavian Temple fronça les sourcils.

– Je ne vois que sept vies.

– Il en a déjà perdu deux, crétin ! meugla le Dr Pawson. Ils ne t'ont rien expliqué, alors ? Dis-lui, Chant.

– J'ai déjà perdu deux vies, s'entendit dire Christopher.

Ce dessin devait être ensorcelé. Sinon, il aurait tout nié.

– Compris ? vociféra le Dr Pawson.

Flavian Temple sursauta et se rattrapa en faisant mine de s'incliner.

– Je comprends parfaitement, docteur. Les choses étant ce qu'elles sont, je vais bien entendu conduire ce garçon jusqu'à Monseigneur de Witt afin qu'il l'interroge.

A ces mots, Christopher frissonna. Peut-être tout n'était-il pas réglé. Mais papa pensait le contraire. Il s'approcha de lui et passa un bras autour de ses épaules.

– Au revoir, mon fils. Je suis à présent un homme heureux et fier. Dis au revoir au Dr Pawson.

Pour le Dr Pawson, les choses étaient apparemment

réglées aussi. Son fauteuil bondit en avant, il pointa un doigt pourpre et gros comme une banane vers Christopher.

– Salut, Chant. Ne fais pas attention à toutes ces procédures. Ce Flavian est un abruti de fonctionnaire, comme tous les autres d'ailleurs.

Christopher serra le doigt pourpre et juste à ce moment la vieille Mrs Pawson se matérialisa sur l'accoudoir du fauteuil, dans sa chemise de nuit blanche et empesée, son tricot tout froissé à la main.

– Au revoir, mon enfant, dit-elle. Tu fais très bien la lecture. Ceci est un cadeau que j'ai tricoté pour toi. Il est magique et il te protégera. Elle se pencha vers lui et enroula l'écharpe autour du cou de Christopher. Elle avait trois bons mètres de long et toutes les couleurs de l'arc-en-ciel.

– Merci, dit poliment Christopher.

– Allons-y, euh, non, Christopher, nous n'avons pas besoin de sortir du pentagramme, dit Flavian. Il le rejoignit dans le cercle, poussa Christopher et lui saisit le bras pour s'assurer qu'il ne bougerait pas. La vieille Mrs Pawson agita une main diaphane. Et avant d'avoir eu le temps de dire un mot, Christopher se retrouva dans un endroit totalement différent. C'était encore plus étonnant que d'être retiré de l'école par papa.

Flavian et lui se trouvaient au centre d'un autre pentagramme bien plus grand, formé de briques blanches, ou plutôt de pavés, sur le sol d'une pièce grandiose dont le plafond était un dôme de verre. Dessous, un majestueux escalier de marbre rose se déployait vers l'étage supérieur. D'immenses portes surmontées de statues s'alignaient sur les murs – la plus imposante était ornée d'une horloge et d'une statue – et un colossal lustre de cristal pendait du dôme au bout d'une longue chaîne. Quand Christopher se retourna, il vit une magnifique porte d'entrée. Il comprit qu'il était dans le hall d'une vaste demeure, mais personne ne prit la peine de le lui confirmer.

Toute une foule les attendait autour du pentagramme. « Comme ils avaient l'air sérieux, sinistre même ! » pensa Christopher. Hommes et femmes étaient vêtus de gris ou de noir. Les hommes avaient des cols blancs luisants et les femmes des mitaines de dentelle noire. Christopher sentit leurs regards sur lui : ils le jugaient, le critiquaient, l'examinaient froidement. Il se sentit devenir un tout petit garçon négligé et pensa brusquement qu'il n'avait pas changé de vêtements depuis qu'il avait quitté l'école.

Avant qu'il ait eu le temps d'examiner davantage les lieux, un homme avec une petite barbe grise et pointue s'avança vers lui et lui ôta l'écharpe rayée.

– Il n'aura pas besoin de cela ici, dit-il, l'air très choqué.

Christopher pensa que l'homme était Gabriel de Witt et se sentait prêt à le haïr mais Flavian dit, s'excusant pour Christopher :

– Bien sûr que non, Dr Simonson. C'est la vieille dame qui lui a fait un cadeau, vous comprenez. Dois-je...

Christopher décida qu'il haïrait quand même l'homme à la barbe.

Une petite dame dodue fit un pas en avant.

– Merci, Flavian, dit-elle d'un ton qui n'admettait pas de réplique. Je vais conduire Christopher à Gabriel. Suis-moi, jeune homme.

Elle tourna les talons et se dirigea vers l'escalier de

marbre dans un froissement d'étoffe. Flavian donna un coup de coude à Christopher qui sortit du pentagramme et la suivit. Il se sentait très petit et très sale. Il savait que son col était relevé d'un côté, que ses chaussures étaient pleines de poussière, qu'il y avait un trou dans sa chaussette gauche et que tout le monde pouvait le voir. Il suivit la dame dans l'escalier.

En haut des marches, il y avait une porte très haute et massive, la seule de la rangée qui soit peinte en noir. La dame marchad'un pas sonore jusqu'à la porte noire et frappa. Elle l'ouvrit et poussa fermement Christopher dans la pièce.

– Le voici, Gabriel, dit-elle.

Puis elle sortit et referma la porte. Christopher était seul dans une pièce ovale baignée d'une lumière crépusculaire.

La chambre était lambrissée de bois foncé, et le tapis était brun foncé. Le mobilier se résumait à un immense bureau noir. Quand Christopher fit son entrée, une longue silhouette mince se leva derrière le bureau – un homme maigre de près de deux mètres, pensa Christopher, et son cœur s'arrêta de battre. Le vieil homme avait une chevelure épaisse, toute blanche. Son visage et ses mains étaient les plus pâles que Christopher ait jamais vu, ses sourcils étaient très épais, ses pommettes très saillantes et ses yeux n'en paraissaient que plus enfoncés et plus pénétrants. Le nez était semblable à un crochet. Le visage se terminait par un tout petit menton pointu surmonté d'une bouche désagréablement pincée, qui s'ouvrit et dit :

– Je suis Gabriel de Witt. Heureux de vous revoir, maître Chant.

Christopher sut qu'il ne pourrait jamais oublier un tel homme. Gabriel de Witt était encore plus frappant que le Dr Pawson.

– Je ne vous ai jamais vu de ma vie, dit-il.

– Mais moi je vous ai vu. Vous étiez inconscient, alors, dit Gabriel de Witt. Je suppose que c'est ce qui explique que nous nous soyons à ce point trompés sur votre compte. Je peux voir au premier coup d'œil que vous possédez bel et bien sept vies et que vous devriez en avoir neuf.

Il y avait un grand nombre de fenêtres dans la pièce crépusculaire, remarqua Christopher, au moins six, en demi-cercle juste sous un plafond vaguement orange qui semblait absorber toute la lumière provenant des fenêtres. Mais Christopher ne parvenait pas à comprendre comment une pièce pourvue de tant de fenêtres pouvait rester si sombre.

– Malgré tout, dit Gabriel de Witt, j'ai beaucoup hésité avant de vous faire venir. Votre hérédité m'a effrayé, pour parler franchement. Les Chant sont, c'est bien connu, une famille d'enchanteurs respectables, mais qui produit un mouton noir par génération, alors que les Argent, bien qu'incontestablement doués, sont des gens que je ne saluerais pas si je les croisais dans la rue. Vos parents sont les dignes héritiers de leurs lignées respectives. Je ne suis pas sans savoir que votre père a fait faillite et que votre mère est une arriviste sans vergogne.

Même le cousin Francis n'avait pas osé dire les choses aussi crûment. La rage envahit Christopher.

– Grand merci à vous, monsieur, dit-il. J'apprécie à sa juste valeur un discours de bienvenue aussi aimable et chaleureux que le vôtre.

Le vieil homme écarquilla ses yeux perçants. Il sembla déconcerté.

– J'ai pensé qu'il était bon que je sois franc avec toi, dit-il. Je voudrais que tu comprennes que j'ai accepté de devenir ton tuteur légal parce que je considère que tes parents ne sont pas dignes d'élever le futur Chrestomanci.

– Je vois, monsieur, dit Christopher, de plus en plus furieux. Mais ne vous donnez pas cette peine. Je ne veux pas être le futur Chrestomanci. J'aimerais mieux perdre toutes mes vies que de le devenir.

Gabriel de Witt eut l'air agacé.

– Oui, oui, cela se passe souvent ainsi, puis l'on comprend que c'est à nous de faire ce travail, dit-il. Moi même j'ai commencé par refuser le poste quand on me l'a offert, mais j'avais plus de vingt ans et tu n'es qu'un enfant, plus inconscient encore que moi à cette époque. De plus, nous n'avons pas le choix. Toi et moi sommes les deux seuls enchanteurs dans tous les Mondes Parallèles à posséder neuf vies.

Il leva une des ses blanches mains. On entendit le tintement d'une clochette au loin et la petite dame boulotte revint dans la pièce.

– Miss Rosalie est ma première assistante, dit Gabriel de Witt. Elle va te montrer ta chambre et t'aider à t'installer. J'ai confié à Flavian Temple la mission d'être ton précepteur, bien qu'il me soit précieux par ailleurs, et je t'instruirai moi-même deux fois par semaine.

Christopher suivit la robe bruissante de miss Rosalie qui passa devant la rangée de portes et emprunta un long couloir. Personne ne semblait se soucier de ses sentiments. Il se demanda s'il ne devrait pas les exprimer en créant une tornade. Mais ce lieu était enchanté, il sentait une magie puissante, omniprésente. Depuis les leçons du Dr Pawson, Christopher pouvait détecter tous les sortilèges et, bien que ne discernant pas clairement le but de celui-ci, il était sûr et certain qu'il était inutile d'essayer de provoquer une tornade ou quoi que ce soit d'autre.

– Alors c'est ça le château du Chrestomanci ? demanda-t-il avec agressivité.

– C'est bien ici, dit miss Rosalie. Le gouvernement s'est installé ici il y a deux cents ans après la décapitation du dernier méchant sorcier. (Elle se retourna et lui sourit.) Gabriel de Witt est charmant, n'est-ce pas ? Je sais qu'il a l'air un peu sévère au premier abord, mais quand on le connaît mieux, on le trouve délicieux.

Christopher ouvrit de grands yeux. « Charmant » et « délicieux » étaient les deux derniers mots auxquels il aurait songé pour qualifier Gabriel de Witt.

Miss Rosalie ne remarqua pas sa réaction. Elle ouvrit tout grand une porte au fond du couloir.

– Voici ta chambre, dit-elle, avec fierté. J'espère que tu t'y plairas. Nous n'avons pas l'habitude de recevoir des enfants, mais nous nous sommes creusé la tête pour que tu te sentes comme chez toi.

« Ça n'a pas servi à grand-chose », pensa Christopher en contemplant une grande chambre marron meublée uniquement d'un haut lit blanc dans un angle.

– Merci, dit-il d'un air maussade.

Quand miss Rosalie fut partie, il découvrit un cabinet de toilette d'un confort spartiate à l'autre extrémité de la pièce et une étagère près de la fenêtre. Il y avait un ours en peluche sur l'étagère, un jeu de petits chevaux et un exemplaire des *Mille et Une Nuits*, mais sans les passages cochons. Il jeta tous les objets par terre et les piétina. Il allait haïr le château du Chestomanci.

Chapitre 11

Pendant la première semaine, Christopher ne pensa qu'à une chose : il haïssait le château de Chrestomanci et tous les gens qui y habitaient. Il réussissait à être encore plus horrible que l'école et la maison réunies. Le château était très beau, très grand, et en dehors des heures de classe, Christopher s'y promenait absolument seul. Oneir et Fenning lui manquaient terriblement, comme tous les autres garçons, sans parler du cricket. Les gens du château s'occupaient de leurs affaires d'adultes comme si Christopher n'était pas là. Il prenait presque tous ses repas tout seul dans la salle d'étude, comme à la maison, sauf qu'ici la salle d'étude donnait sur les pelouses vides et rases du château.

– Nous avons pensé que tu serais soulagé de ne pas avoir à écouter nos discussions d'adultes, dit miss Rosalie le dimanche suivant, tandis qu'ils revenaient de l'église par la grande allée. Mais tu peux partager notre repas du dimanche.

Christopher s'assit à table avec les autres, vêtus de leurs sinistres habits du dimanche, et pensa que cela n'aurait fait aucune différence s'il n'avait pas été là.

On n'entendait que le murmure des conversations, le cliquetis des couverts, et personne ne lui adressa la parole.

– Peu importe ce que disent les manuels, il faut mettre du cuivre dans le sublimé, expliquait le barbu Dr Simonson à Flavian Temple, et ensuite seulement, selon moi, on peut ajouter une quantité minimale de feu et placer le mélange dans le pentacle.

– Le sang de dragon des Wraith a envahi illégalement le marché, dit une jeune dame à l'autre bout de la table. Même les fournisseurs patentés laissent faire les choses. Ils savent bien qu'ainsi ils peuvent éviter de payer les taxes.

– Tout est dans l'art de réciter la bonne formule, dit le Dr Simonson à Flavian.

– Je sais que les statistiques sont trompeuses, dit un homme plus jeune que les autres, assis à côté de Christopher, mais le dernier échantillon que j'ai eu contenait deux fois la teneur légale en baume empoisonné. Il suffit de faire une extrapolation pour se rendre compte à quel point ces escrocs en importent.

– On doit ensuite absolument passer la teinture-mère de feu dans un filtre d'or, affirma le Dr Simonson.

Une voix couvrit la sienne, qui disait :

– Cette essence de champignon magique provient sans doute du Dix, mais je pense que le piège que nous avons installé a mis fin à la contrebande.

Et le Dr Simonson acheva :

– Si vous choisissez de travailler sans cuivre, cela va vous compliquer grandement les choses.

La voix de miss Rosalie s'éleva à l'autre bout de la table.

– Mais Gabriel, ils ont massacré toute une tribu de sirènes ! Je sais que c'est en partie la faute de nos magiciens puisqu'ils sont prêts à payer une fortune pour de la chair de sirène, mais il faut à tout prix faire cesser les agissements des Wraith.

La voix tranchante de Gabriel retentit au loin.

– Cette étape de l'opération a été menée à bien. Ce sont les armes qui viennent de la Un qui créent le plus de problèmes.

– Je vous conseille d'utiliser à ce moment-là le pentacle et le feu, pontifia le Dr Simonson, en utilisant les mots les plus simples pour enclencher le processus, puis de…

Christopher, silencieux sur sa chaise, pensa que s'il devenait le Chrestomanci, il interdirait aux gens de parler de travail à table. Définitivement. Il fut heureux d'avoir la permission de se lever, mais tout ce qu'il trouva à faire alors fut d'errer sans but. Tous les sortilèges qui imprégnaient ce lieu lui brûlaient la peau comme des piqûres de moustique. Il y avait des sorts dans les jardins à la française pour empêcher les mauvaises herbes de pousser et attirer les vers de terre, des sorts pour protéger des maladies les cèdres géants des pelouses et des sorts tout autour du parc pour repousser les intrus. Christopher pensa qu'il aurait pu briser ces derniers facilement et s'enfuir sans autre forme de procès, mais grâce aux leçons du Dr Pawson, il était devenu assez intuitif pour deviner que s'il brisait le sort qui entourait le parc, des alarmes retentiraient dans la loge à l'orée du parc et sans doute aussi à l'intérieur du château.

Le château était composé d'une partie ancienne

avec des tourelles et d'une autre plus moderne, accolée à la première en un ensemble hétérogène. Un bâtiment plus ancien encore s'élevait dans les jardins, et les arbres avaient poussé près des murs en ruine. Christopher aurait bien voulu explorer cet endroit, mais il y avait un sortilège qui chassait les curieux : si on tentait d'y pénétrer le bâtiment disparaissait et réapparaissait à un autre endroit. Il abandonna cette idée et retourna dans le château, où tous les sorts pesaient sur lui comme un fardeau. Les sorts du château étaient ceux qu'il détestait le plus. Ils ne le lui permettaient même pas d'être aussi en colère qu'il l'aurait voulu. Tout était émoussé, étouffé. Pour exprimer sa haine, Christopher s'enfonça dans le silence et la maussaderie. Quand les gens lui adressaient la parole et qu'il était obligé de répondre, il essayait d'être aussi sarcastique que possible.

Mais ce ne fut d'aucune utilité avec Flavian Temple qui était un précepteur gentil et honnête. En temps normal, Christopher aurait fini par l'aimer malgré ses cols trop serrés et son air trop guindé comme chez tous ceux qui entouraient Gabriel de Witt. Il haïssait Flavian simplement parce qu'il faisait partie de ces gens, et découvrit bien vite que Flavian était totalement dépourvu de sens de l'humour.

– Vous ne comprendrez jamais la plaisanterie, même si on vous donnait des cours d'humour, n'est-ce pas ? dit Christopher, le lendemain après-midi.

L'après-midi, il avait soit un cours de magie théorique soit des travaux pratiques.

– Oh je ne sais pas trop, dit Flavian, la semaine dernière j'ai lu quelque chose dans *Punch* qui m'a fait sourire. Mais revenons à nos moutons : à ton avis combien de Mondes Parallèles y a-t-il en tout ?

– Douze, dit Christopher, qui se souvenait que Tacroy appelait parfois les Ailleurs les Mondes Parallèles.

– Très bien ! dit Flavian. Quoique, en réalité, il y en ait davantage, car chaque Monde Parallèle est en fait composé de plusieurs mondes, et nous appelons cet ensemble une Série. La seule exception est la Série Onze qui ne contient qu'un seul et unique monde, mais laissons cela de côté pour le moment. Au commencement tous les mondes étaient probablement réunis en un seul mais quelque chose s'est produit pendant la préhistoire qui aurait pu donner deux résultats contradictoires. Supposons qu'un continent explose. Ou qu'il n'explose pas. Les deux choses ne peuvent pas être vraies toutes les deux à la fois, donc le monde s'est scindé en deux mondes voisins mais bien différenciés dont l'un contient ce continent et l'autre non. Et ainsi de suite jusqu'à douze.

Christopher écouta cet exposé avec un certain intérêt, parce qu'il s'était toujours demandé comment les Ailleurs avaient été créés.

– Alors les Séries se sont créées comme ça ? demanda-t-il.

– Absolument, dit Flavian, manifestement convaincu que Christopher était un très bon élève. Prenons par exemple la Série Sept, qui est composée de mondes montagneux. Pendant la préhistoire, la Terre a dû y trembler bien plus souvent qu'ici. Ou prenons la Série Cinq où les continents devinrent des îles, dont la superficie n'est jamais supérieure à celle de la France. Les choses se passent de la même façon dans chaque Série, mais bien entendu l'histoire se déroule de manière différente dans chaque monde. C'est le cours de l'histoire qui fait la différence. L'exemple le plus simple est notre propre Série, la Douze, où notre monde, que nous appelons le Monde A, est un monde de magie, ce qui est le cas de la majorité des mondes. Mais le monde voisin, appelé Monde B, connut une crise au XIVe siècle et se consacra aux sciences et techniques. Un autre monde proche, le Monde C, connut un changement à l'époque romaine et se divisa en grands empires. Et ainsi de suite jusqu'à neuf. En général il y a neuf mondes dans une Série.

– Pourquoi sont-ils numérotés de cette manière ? demanda Christopher.

– Parce que nous supposons que la Un a engendré les onze autres, dit Flavian. Le fait est que ce sont les Grands Mages de la Série Un qui ont découvert les autres mondes et qui leur ont attribué des numéros.

Ça c'était une bien meilleure explication que celle de Tacroy. Christopher en fut reconnaissant à Flavian. C'est pourquoi, quand Flavian demanda :

– A ton avis pourquoi appelons-nous ces douze éléments les Mondes Parallèles ?

Christopher se dit qu'il lui devait bien une réponse :

– Parce que leurs habitants parlent tous la même langue.

– Excellent ! dit Flavian. Son visage livide rosit de surprise et de plaisir. Tu es vraiment un bon élève !

– Oh, ça, je suis vraiment génial, dit Christopher avec amertume.

Malheureusement, quand Flavian passait aux travaux pratiques, un après-midi sur deux, Christopher était tout sauf génial. Avec le Dr Pawson il avait pris l'habitude d'utiliser des sorts qui avaient une utilité pratique. Mais avec Flavian il en revint à la magie pour grands débutants, tout à fait comme à l'école. Et Christopher s'ennuyait à mourir. Il bâillait et échouait et, en général, tout en gardant une expression neutre pour que Flavian ne s'aperçoive pas de ce qu'il faisait, il se débrouillait pour jeter des sorts sans passer par la procédure normale.

– Oh non, dit Flavian avec angoisse, quand il s'en aperçut. Ça, c'est du niveau d'un enchanteur chevronné. Selon le programme, nous ne devons aborder ce point que dans deux semaines. Tu dois d'abord apprendre la magie de base. Quand tu seras le Chrestomanci, il sera capital que tu saches si c'est un sorcier ou un magicien qui utilise son pouvoir à mauvais escient.

C'était ça le problème avec Flavian. Il répétait toujours la même chose : « Quand tu seras le Chrestomanci… » et Christopher sentait chaque fois la rage et l'amertume l'envahir.

– Gabriel de Witt va mourir bientôt ? dit-il

– Je ne le pense pas. Il lui reste encore huit vies, dit Flavian. Pourquoi poses-tu cette question ?

– Ça me passait par la tête, dit Christopher qui pensait à papa avec colère.

– Oh, mon Dieu, dit Flavian, ennuyé de voir qu'il ne captivait guère son élève, nous allons sortir dans le jardin et étudier les propriétés des plantes. Peut-être préféreras-tu cet aspect de la magie.

Ils descendirent dans le jardin, par une vilaine journée grise. C'était un de ces étés qui ressemblaient davantage à un hiver que bien des hivers eux-mêmes. Flavian s'arrêta sous un grand cèdre et fit une conférence sur l'usage du bois de cèdre. Christopher fut heureux d'apprendre que le bûcher funéraire d'où s'était échappé le Phénix était composé de bois de cèdre, mais il se garda bien de le montrer à Flavian. Tandis que Flavian parlait, son regard se posa sur le bâtiment en ruines. Il sut alors que s'il posait une question, Flavian répondrait que les sorts pour repousser les intrus étaient au programme du mois prochain... ce qui lui rappela qu'il aurait aimé savoir autre chose.

– Quand apprendrai-je à immobiliser une personne en clouant ses pieds au sol ? demanda-t-il.

Flavian le regarda bizarrement.

– Nous n'aborderons la magie susceptible de nuire à autrui que l'année prochaine, dit-il. A présent, approchons-nous de ces buissons de laurier et examinons-les.

Christopher soupira et suivit Flavian jusqu'aux grands buissons de laurier près de l'allée. Il aurait dû se douter que Flavian ne lui apprendrait rien d'utile ! Tandis qu'ils approchaient du buisson, un chat roux jaillit des feuilles luisantes, s'étira et leur jeta un regard peu amène. Quand il vit Flavian et Christopher, il trottina vers eux, coucha les oreilles en les regardant méchamment.

– Attention, dit Flavian, alarmé.

Christopher n'avait pas besoin qu'on le lui dise. Il savait ce que ce chat peu commun était capable de faire. Mais il était tellement stupéfait de voir Throgmorten au château de Chrestomanci qu'il en oublia de battre en retraite.

– Qui... qui est ce chat ? dit-il.

Throgmorten avait reconnu Christopher. Sa queue se dressa, plus mince et plus serpentine que jamais. Il s'arrêta et le regarda.

– Wong ? dit-il d'un air dubitatif.

Il avanca vers eux d'un air majestueux, tel un Premier ministre accueillant un président étranger.

– Wong, reprit-il.

– Sois prudent, dit Flavian en se mettant à l'abri derrière Christopher. C'est un chat du Temple d'Asheth. Mieux vaut ne pas s'en approcher.

Christopher le savait bien, mais Throgmorten faisait manifestement de tels efforts pour être aimable qu'il prit le risque de s'accroupir et tendit la main avec précaution.

– Oui, wong à toi aussi, dit-il.

Throgmorten avança son vieux nez orange et le frotta contre la paume de Christopher.

– Doux Jésus ! On dirait que cette chose t'aime bien ! dit Flavian. Personne n'ose s'en approcher à moins de deux mètres. Gabriel a dû fournir aux gardes du jardin des sorts de protection particulièrement puissants sinon ils menaçaient de démissionner. Les gens qui ne disposent que de protections ordinaires étaient couverts de balafres.

– Comment est-il arrivé ici ? demanda Christopher, laissant poliment Throgmorten examiner sa main.

– Personne ne sait comment il est entré, et personne ne sait comment il a réussi à sortir de la Série Dix, dit Flavian. Mordecai l'a trouvé à Londres et ce brave homme l'a ramené ici dans un panier. Il l'a reconnu à son aura et a dit que si lui avait pu repérer ce chat, les sorciers le pourraient aussi et le tueraient pour utiliser ses pouvoirs magiques. Beaucoup d'entre nous pensent que ce ne serait pas une grande perte, mais Gabriel était d'accord avec Mordecai.

Christopher n'était pas encore parvenu à retenir tous les noms des hommes en costume strict qui s'asseyaient à table le dimanche.

– Lequel est Mr. Mordecai ? dit-il.

– Mordecai Roberts est mon ami intime et tu ne l'as pas encore rencontré, dit Flavian. Il travaille pour nous à Londres ces jours-ci. Peut-être pourrions-nous continuer notre leçon de botanique ?

A ce moment, Throgmorten émit un curieux bruit de gorge, qui rappelait le grincement strident d'une meule mal huilée. Throgmorten ronronnait. Christopher, bizarrement, en fut ému.

– Est-ce qu'il a un nom ? demanda-t-il.

– La plupart des gens l'appellent La Chose, dit Flavian.

– Je l'appellerai Throgmorten, dit Christopher, et Throgmorten se mit à grincer de plus belle.

– Ça lui va bien, dit Flavian. A présent, s'il te plaît, étudions le laurier.

Avec Throgmorten qui gambadait joyeusement à ses côtés, Christopher trouva la conférence sur le laurier beaucoup moins pénible. Il fut ravi de voir que Flavian évitait soigneusement de s'approcher trop près de Throgmorten.

A partir de ce jour, Throgmorten, même s'il gardait ses distances, devint le seul ami de Christopher au château. Ils semblaient partager la même opinion sur ses habitants. Christopher assista un jour à la rencontre de Throgmorten et de Gabriel de Witt qui descendait les escaliers de marbre rose. Throgmorten cracha et vola vers les longues jambes maigres de Gabriel, et Christopher éprouva un plaisir intense en voyant à quelle vitesse les longues jambes maigres remontaient les escaliers.

Christopher haïssait Gabriel davantage à chacune des leçons qu'il lui donnait. Il en vint à la conclusion que si le bureau de Gabriel était si sombre malgré toutes les fenêtres, c'est qu'il était le reflet de la personnalité de Gabriel qui ne riait jamais. Il ne tolérait pas qu'on soit lent, ou qu'on se trompe, et semblait penser que Christopher devait retenir immédiatement ce qu'il lui enseignait, par une sorte d'automatisme. Le problème était que la première semaine, quand Flavian et Gabriel lui apprirent l'histoire des Mondes Parallèles, Christopher montra qu'il savait déjà ce qu'ils lui enseignaient, puisqu'il connaissait les Ailleurs, et Gabriel se mit en tête que Christopher mémorisait tout à la vitesse de l'éclair. Mais, ensuite, ils lui apprirent les différentes sortes de magie et Christopher n'arrivait pas à se mettre dans la tête que les sorciers ne travaillaient pas comme les enchanteurs, que les magiciennes n'étaient pas des fées, et que les magiciens pratiquaient une autre sorte de magie.

C'était toujours un grand soulagement pour Christopher quand les leçons avec Gabriel se terminaient. Après, Christopher faisait discrètement pénétrer Throgmorten dans le château et ils l'exploraient ensemble. On n'avait pas le droit de faire entrer Throgmorten dans le château, mais Christopher adorait désobéir. Une fois ou deux, par chance ou grâce à leur habileté, Throgmorten réussit à passer la nuit au pied du lit de Christopher et ronronna sans trêve comme une crécelle. Mais miss Rosalie avait le don de savoir où Throgmorten se cachait. Elle arrivait presque toujours munie de gants de jardinier et le chassait à coups de balayette. Heureusement miss Rosalie était souvent occupée après les leçons, si bien que Throgmorten pouvait galoper aux côtés de Christopher à travers les longs couloirs et jusqu'aux greniers, fourrer la tête dans tous les coins et donner son avis (Wong !) de temps en temps.

Le château était immense. Les sorts pesaient sur la plus grande partie, mais il y avait des endroits où personne n'allait jamais et où ils semblaient être en partie évaporés. C'était là que Christopher et Throgmorten étaient le plus heureux. La troisième semaine, ils découvrirent une grande pièce ronde dans une tour, qui semblait avoir été autrefois l'atelier d'un magicien. Les murs étaient couverts d'étagères, il y avait trois longs établis, et un pentagramme peint sur le sol de pierre. La pièce était désaffectée, poussiéreuse et pleine de l'odeur d'une vieille, très vieille, magie.

– Wong, dit Throgmorten d'une voix joyeuse.

– Oui, acquiesça Christopher. Dommage de ne pas utiliser une si belle pièce. Quand je serai le Chrestomanci, pensa-t-il, je ferai en sorte qu'on s'en serve. Puis il fut en colère contre lui-même, à l'idée qu'il ne serait jamais le Chrestomanci. Il avait attrapé la manie de Flavian. « Mais je pourrais en faire mon atelier secret, pensa-t-il. Je pourrais amener en secret des choses ici, petit à petit. »

Le lendemain, Throgmorten et Christopher explorèrent un autre grenier pour chercher des meubles qu'il pourrait utiliser dans la pièce de la tour. Ils découvrirent une deuxième tour en haut d'un deuxième petit escalier en colimaçon. Les sorts étaient presque totalement évaporés là-haut, car la tour était en ruines. La pièce était plus petite et il manquait la moitié du toit. La moitié du plancher était détrempée car il avait plu l'après-midi. Sur le mur on voyait quelque chose qui ressemblait à une fenêtre à meneaux. Mais ce n'était plus qu'un fragment de mur qui supportait un unique pilier de pierre.

– Wong, wong, dit Throgmorten d'un air approbateur.

Il trotta sur le sol humide et sauta sur le mur en ruines. Christopher le suivit avec enthousiasme. Ils enjambèrent ce qui restait de la fenêtre, s'installèrent sur une plate-forme en surplomb à demi effondrée et contemplèrent la pelouse tondue et le faîte des cèdres. Christopher pouvait voir une partie du bâtiment ensorcelé. Une partie seulement, car il était dissimulé par la tour. Christopher pensa qu'il se trouvait plus haut que la cime des arbres et qu'il pourrait plonger son regard à l'intérieur. Il s'agrippa à ce qui restait du pilier qui avait autrefois orné la fenêtre, avança un peu et se pencha en avant pour avoir un meilleur point de vue.

Le pilier se brisa en deux.

Christopher glissa sur la pierre humide. Il sentit qu'il tombait la tête la première et vit défiler les branches du cèdre. Dommage ! pensa-t-il. Encore une vie de perdue ! Il se souvint avoir ressenti une effroyable secousse en touchant le sol. Il eut le vague sentiment que Throgmorten l'avait suivi et l'entendit miauler d'effroi.

Chapitre 12

Ils dirent que cette fois il avait réussi à se rompre le cou. Miss Rosalie assura que les sorts du château auraient dû l'empêcher de tomber, ou faire en sorte que les gens soient avertis de sa chute. Mais les sorts étaient si usés là-haut que c'est grâce aux hurlements de Throgmorten qu'un jardiner était accouru, horrifié. Grâce à son heureuse intervention, Throgmorten fut autorisé à passer la nuit au pied du lit de Christopher, jusqu'à ce que les servantes se plaignent de l'odeur qui régnait dans la chambre le matin. Miss Rosalie apparut avec ses gants de jardin et son balai pour mettre Throgmorten à la porte.

Christopher songea avec amertume qu'il y avait bien peu de différence entre la façon dont les gens du château le traitaient et la façon dont ils traitaient Throgmorten. Le barbu Dr Simonson, quand il ne donnait pas des recettes alchimiques à qui voulait l'entendre, occupait la fonction de médecin-magicien. Il vint le lendemain matin et, l'air désinvolte et désapprobateur, regarda le cou de Christopher :

– Comme je m'en doutais, dit-il, dès que ta nouvelle vie est née les traces de fracture ont disparu. Mieux vaut rester au lit aujourd'hui le temps que tu te remettes du choc. Gabriel voudrait te dire deux mots à propos de ton escapade.

Puis il partit et plus personne ne vint voir Christopher, sauf les bonnes avec leurs plateaux et Flavian qui restait dans l'embrasure de la porte, respirant à peine car Throgmorten avait imprégné la pièce de son odeur particulière.

– Tout va bien, dit Chistopher. Miss Rosalie vient de le faire sortir.

– Bien, dit Flavian qui s'approcha du lit de Christopher les bras chargés de livres.

– Oh ça, c'est merveilleux ! dit Christopher en regardant tous les livres. Des montagnes de délicieux travail. Je meurs d'envie de faire de l'algèbre depuis qu'on m'a couché ici !

Flavian eut l'air un peu vexé.

– Mais non, ces livres viennent de la bibliothèque du château. J'ai pensé que cela pourrait te distraire, dit-il en partant.

Christopher regarda les livres et découvrit qu'il s'agissait de recueils de contes qui venaient de tous les coins du monde. Et même de l'univers. Tous avaient l'air intéressants. Christopher n'aurait pas cru qu'il y aurait dans la bibliothèque du château des choses dignes d'être lues. Il se mit à lire et décida qu'il se lèverait le lendemain pour jeter un coup d'œil à la bibliothèque.

Soudain, il sentit l'odeur de Throgmorten. L'odeur du chat et celle des livres lui rappelèrent la Déesse : il savait qu'il n'avait pas encore réglé un centième du prix du chat. Il dut faire un effort pour ne plus penser à la Série Dix et se concentrer sur son livre. A la seconde où il y parvint, miss Rosalie entra, rouge et hors d'haleine pour avoir longuement poursuivi Throgmorten. Elle l'interrompit à nouveau.

– Gabriel voudrait te parler de ta chute, dit-elle. Tu dois te rendre dans son bureau demain matin à 9 heures.

Avant de tourner les talons elle ajouta : Je vois que tu as des livres. Puis-je t'apporter quelque chose d'autre ? Des jeux ? Tu as déjà les petits chevaux, n'est-ce pas ?

– Il faut être deux pour y jouer, dit Christopher pertinemment.

– Oh, mon Dieu, dit miss Rosalie. J'ai bien peur de n'être pas douée pour les jeux. Et elle sortit.

Christopher posa son livre, regarda sa chambre marron et nue. Il se disait qu'il haïssait furieusement le château et tous ses habitants. Sa malle d'écolier était dans un coin de la pièce et sa chambre n'en paraissait que plus vide, car la malle lui rappelait tous ses camarades.

Il y avait un angle idéal pour gagner les Ailleurs, juste entre la malle et la cheminée. Il aurait voulu se réfugier dans un endroit où aucun sort ne pourrait l'atteindre et ne plus jamais revenir. Puis il se rendit compte que faute de mieux il pouvait s'enfuir et se cacher dans un Ailleurs. Il se demanda pourquoi il n'avait jamais essayé depuis son arrivée au château. Il mit cet oubli sur le compte des sortilèges. Ils l'avaient complètement abruti. Mais à présent, soit à cause du choc, soit grâce à cette nouvelle vie, saine et solide, qu'il sentait s'éveiller en lui, il pouvait réfléchir à nouveau. Peut-être lui serait-il possible d'aller dans un Ailleurs et d'y rester pour de bon.

L'ennui c'était que quand il allait dans les Ailleurs, il laissait, lui semblait-il, une part de lui-même dans son lit. Il devait bien être possible de partir là-bas tout entier. Christopher en avait conclu, d'après ce que Flavian et Gabriel avaient dit à propos des Mondes Parallèles, que certaines personnes allaient dans les mondes des autres Séries. Il n'avait qu'à patienter jusqu'au moment où il saurait comment faire. En attendant, rien ne l'empêchait de dénicher un Ailleurs où il pourrait se réfugier.

Christopher lut ses livres d'un air innocent jusqu'à ce que la bonne arrive pour éteindre les lampes à gaz. Il resta allongé dans le noir, tentant de détacher de lui cette part qui pouvait se rendre dans les Ailleurs. Pendant un moment, il essaya sans succès. Les sortilèges du château pesaient sur lui de tout leur poids, l'écrasaient au point de former un tout indissociable. Puis, tandis qu'il s'enfonçait dans le sommeil, il trouva le chemin, se glissa hors de lui-même et se glissa dans l'angle que formaient la malle et la cheminée.

Il lui sembla qu'il s'enfonçait dans une paroi de caoutchouc épais et rebondit dans sa chambre. Encore les sortilèges du château. Christopher serra les dents, appuya l'épaule contre la paroi élastique et poussa, poussa, poussa. Il progressa peu à peu, à chaque poussée, en douceur et en silence pour n'éveiller personne. Au bout d'une demi-heure il avait tellement tendu la paroi magique qu'elle avait presque atteint son point de rupture. Alors il la pinça entre deux doigts et tira doucement jusqu'à ce qu'elle se déchire.

Ce fut une sensation merveilleuse de passer par la fente et de pénétrer dans la vallée ; ses vêtements étaient toujours sur le chemin, un peu humides et trop petits pour lui, mais peu importait. Il les enfila. Puis, au lieu d'aller vers le Passage, il se dirigea de l'autre côté et descendit dans la vallée qui lui sembla devoir conduire à un des autres mondes de la Série Douze. Christopher espérait qu'il s'agirait du monde B. Il pensait qu'il serait habile de se cacher tout près, dans le monde non magique, là où il était sûr que personne, même pas Gabriel de Witt, ne penserait à le chercher.

Il n'eut pas le temps de vérifier qu'il était bien dans le Monde B car il n'y resta que trente secondes. Quand il atteignit l'extrémité de la vallée, il pleuvait des trombes d'eau. Christopher se retrouva dans une ville pleine de machines qui roulaient dans tous les sens, avec des roues qui glissaient sur une route noire et mouillée. Il entendit un grand bruit et se retourna juste à temps pour voir une énorme machine rouge foncer sur lui à travers le rideau blanc de la pluie. Il vit un numéro et les mots « tufnell park ». Il fit un brusque écart tandis qu'une vague de pluie le submergeait.

Christopher s'enfuit et retraversa la vallée, trempé jusqu'aux os. Le Monde B était le pire Ailleurs où il soit jamais allé. Mais il avait une autre bonne idée : aller dans le monde Onze, là où personne n'était jamais allé. Il sortit de la vallée et pénétra dans les rochers du Passage.

Il était si désolé, si informe et si vide que si Christopher n'était pas venu d'un endroit plus horrible encore il aurait peut-être fait demi-tour. Il eut le même sentiment de solitude et d'horreur que lorsqu'il était retourné dans le Passage depuis l'école. Il se domina et se dirigea résolument vers l'Ailleurs qui n'aimait pas les visiteurs. Il était sûr à présent qu'il devait s'agir du monde Onze.

Le chemin passait par l'embouchure de la vallée, puis il grimpait le long d'une paroi rocheuse escarpée et glissante. Christopher dut s'aider de ses doigts et de ses orteils, trempés et glacés depuis sa visite dans le Monde B. L'Ailleurs qui le surplombait ne cessait de le repousser et le vent qui balayait la montagne lui rappela l'attaque de maman à Cambridge. S'accrocher. Se hisser. Trouver une prise pour le pied. Puis pour la main. S'accrocher. Se hisser.

A mi-hauteur son pied glissa. Le vent souffla en rafales et ses doigts engourdis par le froid desserrèrent leur prise. Il tomba la tête la première, plus bas que là d'où il était parti, et atterrit sur la nuque. Quand il se remit à genoux, il sentit quelque chose bouger dans son cou et sa tête ne tenait pas droite. Il se sentit vraiment bizarre. Il réussit malgré tout à atteindre le rocher en surplomb, aidé par le Passage qui le renvoyait toujours d'où il venait. Il parvint à renfiler son pyjama, repassa par la fente dans le sortilège du château et se remit au lit. Il s'endormit, persuadé qu'il s'était à nouveau rompu le cou. « Bon, pensa-t-il. Comme ça je n'aurai pas à aller voir Gabriel de Witt demain matin. »

Mais quand il se réveilla il était en parfaite santé. Christopher n'eut pas le temps d'éprouver de la surprise, il était beaucoup trop ennuyé d'être obligé de voir Gabriel. Il rampa vers son petit déjeuner et trouva sur le plateau une jolie lettre parfumée qui venait de maman. Christopher la saisit avec avidité, espérant que cela l'empêcherait de penser à Gabriel. Mais ce ne fut pas le cas, ou du moins pas tout de suite. Il vit qu'elle avait été ouverte puis refermée. Il sentit le sortilège qui l'imprégnait. Haïssant plus que jamais les gens du château, il déplia la lettre.

« Cher Christopher,

Les lois sont si injustes. Il a suffi d'une signature de ton papa pour que tu sois envoyé en esclavage chez cet horrible vieil homme. Je n'ai toujours pas pardonné à ton papa. Ton oncle t'envoie son bon souvenir et espère avoir de tes nouvelles jeudi prochain. Ne le déçois pas, mon chéri.

Ta maman qui t'aime. »

Christopher fut absolument ravi à l'idée que Gabriel avait lu la lettre où on le traitait d'horrible vieil homme et fut impressionné par l'habileté avec laquelle l'oncle Ralph lui avait fait parvenir son message par l'intermédiaire de maman. Tout en prenant son petit déjeuner, il se réjouissait à l'idée de revoir Tacroy le jeudi suivant. Quelle chance d'avoir réussi à ouvrir une fente dans le sortilège du château ! « Esclavage est le mot juste », pensa-t-il en montant dans le bureau de Gabriel.

En chemin, il se remit à penser à la Déesse, cette fois avec un profond sentiment de culpabilité. Il aurait voulu de tout son cœur lui apporter d'autres livres. Throgmorten était un chat qui n'avait pas de prix.

Dans la pièce crépusculaire, Gabriel était debout derrière son grand bureau noir. C'était mauvais signe mais Christopher avait tant de choses à penser à présent qu'il n'était pas aussi effrayé qu'il aurait dû.

– Vraiment, Christopher, dit Gabriel de sa voix la plus glaciale, un garçon de ton âge devrait être assez raisonnable pour ne pas grimper sur une tour en ruines. Le résultat est que tu as gâché une vie par négligence, par stupidité et qu'il ne t'en reste plus que six. Tu auras besoin de ces vies quand tu seras le Chrestomanci. Qu'as-tu à dire pour ta défense ?

Christopher sentit la colère monter. Mais les sortilèges du château l'empêchèrent d'éclater, ce qui le rendit encore plus furieux.

– Pourquoi ne pas faire de Throgmorten le prochain Chrestomanci ? Il a neuf vies, lui aussi.

Gabriel le fixa une seconde.

– Il n'y a pas là matière à plaisanterie, dit-il. Te rends-tu compte des ennuis que tu as causés ? Des membres de mon équipe devront aller se poster dans les tours, dans les greniers et dans les caves, au cas où il te viendrait l'idée de grimper ici ou là, et cela leur prendra des jours pour en faire des lieux sûrs.

Christopher pensa aussitôt qu'ils trouveraient certainement la fente qu'il avait pratiquée, qu'ils la refermeraient et qu'il lui faudrait tout recommencer.

– Sois attentif, je te prie, dit Gabriel. Je peux difficilement me passer de mes troupes en ce moment. Tu es trop jeune pour en comprendre l'importance, mais je te dirai simplement que nous travaillons d'arrache-pied en ce moment pour capturer une bande de malfaiteurs qui se déplace d'un monde à un autre. Il regarda Christopher avec dureté : Tu n'as probablement jamais entendu parler des Wraith.

Après trois ennuyeux déjeuners du dimanche, Christopher pensa qu'il savait tout sur les Wraith. Les gens n'arrêtaient pas d'en parler. Mais il se dit que Gabriel oublierait de lui faire la leçon s'il faisait diversion en l'incitant à lui parler de la bande de malfaiteurs. Il répondit :

– Non monsieur, jamais.

– Les Wraith sont des contrebandiers, dit Gabriel. Nous savons qu'ils sévissent dans Londres, mais c'est à peu près tout, car ils sont aussi difficiles à attraper que des anguilles. Malgré tous nos pièges et notre étroite surveillance, ils font sortir en fraude de tous les Mondes Parallèles des substances magiques par tonnes. Ils ont importé des chargements entiers de sang de dragon, de narcotiques, de champignons magiques, des foies d'anguille de la Série Deux, des baumes empoisonnés de la Six, de l'élixir de rêve de la Neuf et du feu éternel de la Dix. Nous leur avons tendu un piège dans la Dix, ce qui leur a ôté un champ de manœuvre mais ne les a pas arrêtés pour autant. Nous n'avons connu un succès total que dans la Cinq où les Wraith découpaient les sirènes en morceaux pour les vendre dans tout Londres. La police locale nous a prêté main-forte et nous avons pu mettre un terme à leurs agissements. Mais… Gabriel leva les yeux fixés sur le plafond crépusculaire et sembla se perdre dans de sombres pensées.

– Cette année, dit-il, nous avons appris que les Wraith importaient des armes redoutables de la Série Un : une seule suffit pour anéantir le plus puissant des enchanteurs, et nous n'avons pas réussi à mettre fin à leurs agissements.

A ce moment, au grand dam de Christopher, Gabriel baissa les yeux sur lui.

– Comprends-tu à présent à quel point ton imprudente

escalade peut nous être nuisible ? Alors que nous nous précipitions vers le château pour venir à ton aide, nous avons peut-être perdu notre seule chance d'arrêter toute la bande. Tu dois apprendre à penser aux autres, Christopher.

– J'y pense, dit Christopher amèrement, mais vous autres vous ne pensez pas à moi. En général, on ne se fâche pas contre les gens parce qu'ils sont morts !

– Descends dans la bibliothèque, dit Gabriel, et copie-moi cent fois « Je dois regarder avant de sauter ». Et ferme la porte derrière toi, je te prie.

Christopher marcha jusqu'à la porte et l'ouvrit mais ne la referma pas. Ainsi Gabriel pourrait entendre ce qu'il dirait avant d'atteindre l'escalier de marbre rose.

– Je dois être la seule personne au monde, dit-il à haute et intelligible voix, qui ait jamais été punie pour s'être rompu le cou !

– Wong, renchérit Throgmorten, qui l'attendait sur le palier.

Christopher vit trop tard Throgmorten. Il trébucha sur le chat, perdit l'équilibre et roula jusqu'au bas des marches. Il entendit pendant sa chute les miaulements plaintifs de Throgmorten. « Oh non ! » pensa-t-il.

Quand sa nouvelle vie naquit, il était étendu sur le dos, près du pentacle du hall, les yeux fixés sur le dôme de verre. Puis il vit l'horloge qui surmontait la porte de la bibliothèque qui marquait 9 h 30. Chaque fois qu'il perdait une vie, la nouvelle apparaissait plus vite et plus facilement. Puis il vit les gens du château qui faisaient cercle autour de lui en le regardant d'un air sinistre. « On dirait un enterrement » pensa-t-il.

– Je me suis encore rompu le cou ? demanda-t-il.

– Oui, dit Gabriel de Witt qui s'avança et se pencha vers lui. C'est vraiment trop dommage après ce que je viens de t'expliquer… Peux-tu te relever ?

Christopher se retourna et se mit à genoux. Il aurait quelques bleus, mais il se sentait plutôt bien. Le Dr Simonson s'approcha de lui et tâta son cou.

– La fracture a déjà disparu, dit-il.

Christopher en conclut que, cette fois, il n'allait pas être autorisé à se reposer au lit.

– Très bien, dit Gabriel. Va dans la bibliothèque maintenant Christopher et écris ce que je t'ai dit. De plus, tu copieras cent fois « Il ne me reste que cinq vies ». Cela t'apprendra peut-être à être prudent.

Christopher boîta jusqu'à la bibliothèque, s'installa à l'un des bureaux recouverts de cuir rouge et fit ses lignes sur du papier à en-tête du gouvernement. Tandis qu'il écrivait, ses pensées s'envolèrent et il trouva qu'il était bizarre que Throgmorten soit toujours là quand il perdait une de ses vies. Il repensa à son accident dans la Série Dix. Juste avant que le crochet le frappe un homme avait parlé d'Asheth. Christopher redouta d'être la victime de la malédiction d'Asheth. Raison de plus pour apporter quelques livres à la Déesse.

Quand il eut fini ses lignes, Christopher se leva pour examiner les rayonnages. La bibliothèque était grande, majestueuse et paraissait renfermer des milliers de livres. Mais Christopher découvrit qu'il y en avait dix fois plus que ce qu'il pouvait voir. Les étagères étaient ensorcelées. Quand Christopher posa la main sur l'une d'elles, les livres glissèrent vers la droite et disparurent tandis que d'autres apparaissaient à gauche. Christopher chercha le rayon fiction, posa la main sur l'étagère et regarda les livres défiler jusqu'à ce qu'il trouve ce qu'il cherchait.

Il y avait toute une série de gros livres écrits par une certaine Angela Brazil. La plupart des titres contenaient le mot école. Christopher pensa aussitôt qu'ils conviendraient parfaitement à la Déesse. Il en prit trois et laissa filer les autres. Chacun d'eux portait la mention « exemplaire unique, imprimé dans le monde XII B ». Christopher espérait qu'ils suffiraient à rembourser Throgmorten.

Il prit une pile d'autres livres pour son usage personnel et emporta le tout dans sa chambre. Par malchance il rencontra Flavian dans le couloir.

– Cet après-midi nous travaillerons comme d'habitude, dit Flavian d'un air joyeux. Le Dr Simonson pense que ça ne peut pas te faire de mal.

– L'esclavage n'est pas aboli, grommela Christopher en entrant dans sa chambre.

Mais, en fait, l'après-midi ne se passa pas trop mal. En plein milieu des travaux dirigés de magie, Flavian dit tout à coup :

– T'intéresserais-tu au cricket, par hasard ?

Quelle question ! Christopher sentit son visage s'illuminer tandis qu'il répondait très calmement.

– Non, je ne m'y intéresse pas, j'en suis fou. Pourquoi ?

– Bien, dit Flavian. L'équipe du château joue contre celle du village samedi, sur le terrain communal. Nous avons pensé que tu aimerais compter les points.

– Il faudrait que quelqu'un m'accompagne dehors, dit Christopher. Le sortilège m'empêche de sortir quand je suis seul. Ceci dit : oui, oui, oui !

– Oh mon Dieu, j'aurais dû t'obtenir tout de suite un laissez-passer, dit Flavian. Je ne savais pas que tu avais envie de sortir. Je fais souvent de longues promenades. La prochaine fois je t'emmènerai avec moi, il y a toutes sortes d'exercices que nous pouvons faire en plein air, je crois seulement qu'il vaudrait mieux que tu maîtrises d'abord la vision magique.

Christopher vit que Flavian essayait de faire du chantage. Ils en étaient maintenant à la vision magique. Christopher n'avait eu aucun mal à apprendre comment faire passer les choses d'un endroit à un autre. C'était un peu comme la lévitation dont il avait fait une si belle démonstration chez le Dr Pawson, et ça ressemblait aussi à la formule qui faisait se lever le vent. Il avait eu un peu plus de mal à rendre des choses invisibles. Il pensa qu'il n'aurait pas trop de peine à invoquer le feu, du moins dès que Flavian l'autoriserait à essayer. Mais il n'arrivait pas à acquérir la vision magique. C'était tout simple pourtant, comme Flavian n'arrêtait pas de le lui répéter. Cela consistait à voir la réalité au-delà des apparences produites par la magie. Mais quand Flavian jeta un sort sur sa main droite qui se transforma en patte de lion, Christopher ne vit rien d'autre qu'une patte de lion.

Flavian recommença l'exercice sans trêve. Christopher bâillait, regardait dans le vide et continuait à voir une patte de lion. Il se mit à penser à autre chose et trouva soudain un très bon moyen de garder bien secs les livres qu'il devait apporter à la Déesse en traversant le Passage.

Chapitre 13

Cette nuit-là, Christopher pénétra dans l'angle formé par sa malle et la cheminée, bien décidé à pratiquer une autre fente dans le sortilège du château. A sa grande surprise, la fente était toujours là. Apparemment les gens du château n'avaient pas soupçonné son existence. Très doucement, avec précaution, il arracha deux longues bandes élastiques, l'une large et l'autre étroite. Puis, avec un fragment de sortilège flou et frémissant dans chaque main, il revint prendre les livres et les enveloppa dans le grand morceau. Il se servit de la bande étroite comme d'un ruban, prenant soin de laisser une extrémité plus longue pour la nouer à sa ceinture. Quand il cracha sur le paquet, de petites gouttes rondes de salive glissèrent sur la surface. Parfait.

Puis ce fut comme au bon vieux temps : l'escalade familière sur les rochers glissants dans des vêtements qui lui semblèrent encore plus courts et étriqués que la nuit précédente. Le souvenir de sa chute ne tourmenta pas Christopher le moins du monde. Il connaissait le chemin par cœur. Et comme naguère, il vit les vieillards qui charmaient les serpents sous les murailles de la ville. « C'est peut-être un rite religieux », pensa Christopher, parce qu'ils ne semblent pas le faire pour de l'argent. » Derrière les portes, la ville était toujours la même, bruyante, odorante, pleine de chèvres et de parapluies et les petits autels aux angles des rues débordaient toujours d'offrandes. La seule différence est qu'il faisait moins chaud que la dernière fois, quoiqu'il fît bien assez chaud pour quelqu'un qui ne connaissait que les étés anglais.

Cependant, bizarrement, Christopher se sentait mal à l'aise en ces lieux. Il n'avait pas peur des hommes armés de lances. Il avait vécu trop longtemps entouré de gens compassés et vêtus de noir : ses nerfs ne supportaient plus cette bruyante cité. Il eut la migraine bien avant d'atteindre le temple d'Asheth et dut s'asseoir sur une pile de vieux choux au fond de la venelle pour se reposer avant d'avoir la force de traverser le mur et le rideau de feuilles. Les chats de la cour prenaient leur bain de soleil coutumier. Il ne vit personne d'autre.

Dans une pièce située derrière sa chambre, la déesse était allongée sur un gros coussin blanc qui devait faire office de lit. Couverte d'un châle malgré la chaleur, elle était adossée à quelques coussins blancs. Comme Christopher, elle avait grandi, moins que lui malgré tout. Il pensa qu'elle devait être malade car elle restait immobile, le regard dans le vide. Son visage était plus maigre que dans son souvenir, beaucoup plus pâle aussi.

– Oh merci, dit-elle, avec l'air de penser à autre chose, quand Christopher jeta le paquet de livres sur le châle. Je n'ai rien à te donner en échange.

– Je continue à rembourser Throgmorten.

– Est-il donc si précieux ? dit la Déesse d'un air absent.

Avec lenteur et sans enthousiasme, elle commença à déchirer le sort qui enveloppait les livres. Christopher remarqua avec intérêt que, comme lui, elle n'avait aucun mal à le rompre. Quand on était la Vivante Asheth, on était aussi, semble-t-il, une puissante magicienne.

– Ces livres ont l'air intéressant, dit la Déesse poliment. Je les lirai... dès que je pourrai me concentrer.

– Tu es malade, n'est-ce-pas ? dit Christopher. Qu'est-ce que tu as ?

– Je ne suis pas contagieuse, dit-elle d'une voix faible. C'est la Fête. Elle a eu lieu il y a trois jours. Tu te souviens que c'est le seul jour de l'année où je suis autorisée à sortir, n'est-ce-pas ? Après des mois et des mois passés dans ce Temple si calme et si sombre, je me retrouve dehors, sous le soleil, dans une charrette, couverte de lourds vêtements, croulant sous les bijoux, le visage couvert de peinture. Tout le monde crie. Ils se jettent tous sur la charrette pour me toucher, comme un porte-bonheur, tu comprends, pas comme si j'étais un être humain. (Les larmes coulèrent lentement sur son visage.) Je ne pense pas qu'ils se soient aperçus que j'étais vivante. Et ça a duré toute la journée, les cris, le soleil, toutes ces mains qui me frappaient jusqu'à ce que je sois couverte de bleus. (Les larmes coulaient plus vite.) Quand j'étais petite ça me plaisait, dit-elle, mais maintenant je ne peux plus le supporter.

La chatte blanche de la Déesse bondit dans la pièce et sauta affectueusement sur ses genoux. La Déesse la caressa doucement. « C'est comme Throgmorten quand il se couche sur mon lit, pensa Christopher. Les chats du temple sentent quand leurs maîtres sont malheureux. » Il se souvint de ses propres sentiments en arrivant en ville et se dit qu'il pouvait comprendre ce que la Déesse avait dû endurer pendant la Fête.

– Je pense que c'est parce que je suis restée enfermée toute l'année et que je suis sortie trop brusquement, expliqua la Déesse en caressant Bethi.

Christopher voulait lui demander si c'était la malédiction d'Asheth qui le faisait mourir sans cesse, mais il se rendit compte que le moment était mal choisi. Il fallait empêcher la Déesse de penser à Asheth. Il s'assit sur les dalles à côté des coussins.

– Tu as eu l'intelligence de comprendre que c'était l'argent qui m'empêchait de faire de la magie, dit-il. Je ne le savais pas moi-même, jusqu'à ce que Papa m'emmène voir le Dr Pawson.

Puis il lui raconta comment il avait réussi à tout faire léviter. La Déesse sourit. Quand il lui parla de la vieille Mrs Pawson et du pot de chambre, elle tourna la tête vers lui et réussit presque à rire. Ça semblait lui faire tellement de bien qu'il lui raconta tout sur le château, sur Gabriel de Witt, et s'arrangea pour le faire d'une manière amusante. Quand il lui expliqua qu'il ne parvenait pas à voir une main sous une patte de lion, elle éclata de rire.

– Mais tu es complètement idiot ! dit-elle en gloussant. Quand Mère Proudfoot me demande de faire quelque chose qui est trop compliqué pour moi, je fais semblant d'y arriver. Tu n'as qu'à dire que tu vois sa main. Il te croira.

– Je n'y avais jamais pensé, avoua Christopher.

– C'est parce que tu es trop honnête, dit-elle en lui jetant un regard pénétrant. C'est l'argent qui te force à dire la vérité. Je le sais grâce au Pouvoir que m'a donné Asheth. Tu as pris l'habitude de ne jamais mentir. (Le nom d'Asheth la fit retomber dans sa mélancolie.) Merci de m'avoir parlé de toi, dit-elle gravement. Je pense que tu as eu une vie pourrie, vraiment pire que la mienne ! (Tout à coup elle se remit à pleurer.) Les gens ne s'intéressent à nous deux que parce que nous leur sommes utiles ! sanglota-t-elle. Toi à cause de tes neuf vies et moi parce que je suis une Déesse. Mais nous sommes tous les deux prisonniers, paralysés, piégés et on décide de notre avenir à notre place. C'est comme un long tunnel sans échappatoire.

Christopher fut un peu surpris de cette manière de présenter les choses, même si, furieux d'être obligé de devenir le prochain Chrestomanci, il se sentait bien souvent prisonnier. Mais il comprit que la Déesse parlait surtout d'elle-même.

– Quand tu seras grande tu ne seras plus la Vivante Asheth, fit-il remarquer.

– Oh, j'aimerais tellement ne plus l'être, pleura la Déesse. Je ne veux plus l'être maintenant. Je veux aller à l'école comme Millie dans les livres. Je veux faire des interros sur table, je veux manger à la cantine, je veux apprendre des langues vivantes, je veux jouer au hockey et je veux copier des lignes !

– Des lignes, non, tu n'aimerais pas ça, dit Christopher, inquiet de la voir s'emporter à ce point. Sincèrement, tu n'aimerais pas.

– Si, j'aimerais ça ! cria la Déesse. Je veux me

moquer des surveillants, tricher pendant les examens de géographie et dénoncer les copains ! Je veux être méchante, pas seulement gentille ! Je veux aller à l'école et être méchante, tu comprends ?

Elle s'était mise à genoux sur les coussins, le visage baigné de larmes qui tombaient sur le pelage blanc de la chatte, qui criait plus fort que Throgmorten quand Christopher l'avait fait sortir du Temple dans un panier. Comme on pouvait s'y attendre, une femme chaussée de sandales traversa les pièces voisines en courant et cria, hors d'haleine :

– Oh, Déesse, Déesse, que se passe-t-il ma chérie ?

Christopher pivota sur lui-même et plongea derrière le mur le plus proche sans prendre le temps de se relever. Il atterrit la tête la première dans la cour ensoleillée pleine de chats. Il se releva et courut vers le mur d'enceinte. Il ne ralentit pas sa course avant d'avoir atteint les portes de la ville. Ah les filles ! Elles étaient vraiment un Grand Mystère ! Imaginez un peu ! Prendre plaisir à faire des lignes !

Mais tandis qu'il remontait la vallée et escaladait le Passage, Christopher réfléchit sérieusement à plusieurs choses que la Déesse avait dites : sa vie lui semblait un long tunnel ; personne ne lui demandait jamais son avis. La raison pour laquelle il haïssait tant les gens du château était qu'on le considérait comme une chose, une chose utile pourvue de neuf vies qu'il fallait modeler pour qu'elle devienne un jour le Chrestomanci. Il se dit qu'il parlerait à Tacroy, qui comprendrait. Il n'avait jamais attendu un jeudi avec autant d'impatience.

A présent il était bien décidé à faire semblant de

posséder la vision magique. L'après-midi suivant, quand Flavian lui montra une patte de lion, Christopher dit :

– C'est votre main. Je peux la voir, à présent.

Flavian était ravi.

– Nous ferons une belle et longue promenade demain, dit-il.

Christopher n'était pas tout à fait sûr d'en avoir envie. Mais il brûlait d'envie de revoir Tacroy, qui était la seule personne qu'il connaissait qui ne le traitait pas comme une chose utile. A peine couché, il rampa hors de son lit et se glissa en hâte à travers la brèche dans le sortilège, espérant que Tacroy aurait pris soin d'être en avance.

Tacroy était là, appuyé contre la paroi au bout de la vallée, les bras croisés, l'air d'un homme qui se préparait à une longue attente.

– Hello, dit-il, très surpris de voir arriver Christopher.

Christopher comprit qu'il n'allait pas être aisé de confier à Tacroy tous ses soucis mais il lui sourit tout en fouillant dans son tas de vêtements.

– C'est bon de vous revoir, dit-il. Vous êtes la seule personne avec qui je puisse parler de tout. Où allons-nous cette nuit ?

Tacroy dit d'un air hésitant :

– La voiture sans chevaux nous attend dans la Huit. Tu es bien sûr de vouloir y aller ?

– Bien sûr, dit Christopher en serrant sa ceinture.

– Tu pourras me donner de tes nouvelles quand nous serons là-bas, dit Tacroy.

C'était encourageant. Christopher leva les yeux et

vit que Tacroy avait l'air étrangement sérieux. Ses yeux tristes étaient entourés de petites rides. Cela le mettait trop mal à l'aise pour qu'il ait envie de lui raconter quoi que ce soit.

– Que se passe-t-il ? demanda-t-il.

Tacroy haussa les épaules.

– Eh bien, dit-il, pour commencer, la dernière fois que je t'ai vu, tu avais la tête écrasée.

Christopher avait complètement oublié.

– Oh, mais je ne vous ai jamais remercié de m'avoir ramené jusqu'ici ! dit-il.

– Ce n'est rien, dit Tacroy. Bien que je doive t'avouer que c'est la chose la plus difficile que j'aie jamais faite ici : il a fallu que je reste assez solide pour ramener la voiture à la Frontière et te porter. Je me demandais tout le temps si c'était utile. Tu m'avais l'air extrêmement mort.

– J'ai neuf vies, expliqua Christopher.

– En tout cas, tu m'as l'air d'en avoir plus d'une, admit Tacroy avec un large sourire, l'air dubitatif. Écoute, est-ce que cet accident ne t'a pas donné à réfléchir ? Ton oncle a fait des centaines d'expériences, à présent. Nous lui avons fourni beaucoup d'éléments. Pour moi tout va bien, j'ai été payé. Mais il n'y a aucun avantage pour toi, tu risques seulement de te blesser à nouveau.

Tacroy parlait avec franchise. Christopher en était certain.

– Ça m'est égal, protesta-t-il. Honnêtement. Et l'oncle Ralph m'a donné deux souverains.

A ces mots Tacroy rejeta en arrière sa tête bouclée et se mit à rire.

– Deux souverains ! Nous lui avons rapporté des objets qui valent des centaines de livres, comme ce chat du Temple d'Asheth, par exemple.

– Je sais, dit Christopher, mais je veux continuer les expériences. Les choses étant ce qu'elles sont, c'est le seul plaisir qui me reste dans la vie. « Voilà, pensa-t-il. Maintenant Tacroy va me demander si j'ai des ennuis. »

Mais Tacroy ne fit que soupirer.

– Allons-y, alors.

Impossible de parler à Tacroy dans le Passage. Tandis que Christopher grimpait, glissait et trébuchait, Tacroy n'était qu'un fantôme diaphane poussé par le vent et transpercé par la pluie. Il ne se solidifia que lorsqu'ils furent arrivés dans la vallée, là où Christopher avait, il y a bien longtemps, écrit un grand 8 dans la boue du chemin. Le 8 était toujours là, comme si Christopher l'avait tracé la veille. La voiture était un peu plus loin, flottant au-dessus du sol. On l'avait perfectionnée et peinte d'un élégant bleu fumé.

– Tout est prêt, je vois, dit Tacroy.

Ils descendirent et tirèrent sur les cordes de la voiture qui se mit à se mouvoir doucement et les suivit jusque dans la vallée.

– Et le cricket ? demanda Tacroy aimablement.

Christopher sentit qu'il fallait saisir cette chance de lui parler.

– Je n'ai plus joué, dit-il d'un air sinistre, depuis que papa m'a retiré de l'école. Jusqu'à hier je crois que les gens du château n'avaient jamais entendu parler du cricket – tu sais que je vis au château, maintenant ?

– Non, dit Tacroy. Ton oncle ne m'a jamais raconté

beaucoup de choses sur toi. Qu'est-ce que c'est que ce château ?

– Le château de Chrestomanci, dit Christopher. Mais hier mon tuteur m'a dit qu'il y avait un match contre le village samedi prochain. Personne n'a songé à me demander de jouer, bien entendu, mais je dois compter les points.

– Vraiment ? dit Tacroy en plissant les yeux.

– Il ne savent pas que je suis venu ici, bien entendu, dit Christopher.

– Je me doute bien qu'ils n'en savent rien, dit Tacroy d'un ton qui signifiait que la conversation était finie.

Ils continuèrent à marcher en tirant la voiture, sans dire un mot, jusqu'à la ferme située à flanc de montagne. L'endroit avait l'air plus sinistre et plus perdu que jamais, le ciel gris et lourd faisait paraître la lande et les collines plus jaunes. Juste avant d'atteindre la ferme, Tacroy s'arrêta net car la voiture venait de cogner contre ses mollets Il la poussa rageusement du pied hors du chemin. Son visage était aussi morose, jaune et plissé que la lande.

– Tu sais, Christopher, dit-il, ces gens du château de Chestomanci ne vont pas être très contents quand ils sauront ce que tu fais ici.

Christopher éclata de rire.

– Mais ils ne le savent pas ! Et ils ne sont pas près de le savoir !

– N'en sois pas aussi sûr, dit Tacroy. Ils sont experts en toute sorte de magies, ces gens-là.

– C'est ce qui rend ma vengeance aussi savoureuse, expliqua Christopher. Je m'enfuis sous leur nez, mais eux ne voient même pas, ces gens sinistres et prétentieux, car ils pensent qu'ils sont les plus forts. Pour eux je suis seulement une Chose. Ils m'utilisent.

Les gens de la ferme les avaient vus arriver. Un petit groupe de femmes sortit dans la cour et les attendit près du tas de colis. L'une d'elles leur fit signe. Christopher fit signe à son tour. Comme Tacroy ne semblait pas tenir compte de ses sentiments, comme il l'avait espéré, il reprit son ascension. La voiture le suivit.

Tacroy se hâta de le rejoindre

– Tu n'as jamais pensé, dit-il, que ton oncle pourrait bien t'utiliser, lui aussi ?

– Pas comme les gens du château, dit Christopher. Je me prête volontairement à ces expériences.

A ces mots, Tacroy leva les yeux vers le ciel bas et nuageux.

– Au moins, j'aurai essayé ! lui dit-il.

Les femmes enveloppèrent Christopher de leur haleine à l'odeur d'ail en lui souhaitant la bienvenue dans la cour de la ferme, comme à leur habitude. Et, comme d'habitude, l'odeur de l'ail se mêla à celle qui s'exhalait des ballots qu'il commença à charger. Ils avaient toujours cette odeur dans la Huit – une odeur pénétrante, entêtante et acide. Christopher se souvint des travaux pratiques avec Flavian, fit une pause et renifla. Il connaissait cette odeur. Du sang de dragon ! Il en fut surpris, parce que c'était l'ingrédient magique le plus puissant et le plus dangereux. Il chargea le ballot suivant avec précaution et, tandis qu'il en saisissait avidement un autre, maintenant qu'il connaissait son contenu, il regarda Tacroy en se demandant si lui aussi le connaissait. Mais Tacroy était adossé au mur de la cour et regardait tristement le sommet. Il disait toujours que lorsqu'il sortait de son corps il perdait presque totalement le sens de l'odorat.

Alors que Christopher le regardait, Tacroy écarquilla les yeux et s'écarta prestement du mur.

– Oh non ! dit-il.

Une des femmes cria et montra du doigt le sommet de la colline. Christopher se retourna pour voir ce qui se passait et regarda fixement, paralysé par la stupéfaction, debout, un ballot dans les mains. Une créature de large envergure descendait en direction de la ferme. Elle était d'un noir pourpré. Juste au moment où Christopher posait les yeux sur elle, elle replia ses grandes ailes de cuir et enfonça ses pieds griffus dans le sol, puis elle glissa le long de la pente avec une telle rapidité qu'il ne put juger au premier regard de sa taille. Il crut qu'elle avait la taille de la ferme, mais quand elle se posa juste derrière le bâtiment, il comprit que s'il pouvait la voir presque complètement c'est que sa taille était bien supérieure.

– C'est un dragon ! hurla Tacroy. Christopher ! Couche-toi ! Ne regarde pas !

Tout autour de Christopher, les femmes s'enfuyaient vers les granges. L'une d'elles revint en courant, un gros pistolet dans les bras, essayant désespérément de le fixer sur un trépied. Le pistolet tomba.

Tandis qu'elle le ramassait, le dragon posa sa tête noire et hérissée sur le toit de la ferme, entre les cheminées. Il l'écrasa avec une déconcertante facilité puis regarda dans la cour de ses gros yeux verts et luisants.

– Qu'est-ce qu'il est gros ! dit Christopher.

Il n'avait jamais rien vu de pareil.

– A terre ! lui cria Tacroy.

Le regard du dragon croisa celui de Christopher. Il lui sembla qu'il voulait lui dire quelque chose car, au beau milieu du toit effondré, il le vit ouvrir une gueule immense. Ce fut comme si une porte s'était ouverte sur le soleil. Une lance jaune orangé jaillit du soleil, et une langue de feu atteignit Christopher de plein fouet. Il entendit un grand souffle et se retrouva au cœur d'une fournaise. Puis il entendit sa propre peau grésiller. Son agonie ne dura qu'un instant mais il eut le temps de penser : « Zut, cent lignes de plus… »

Le temps passa et Christopher entendit la respiration haletante de Tacroy. Il sentit que Tacroy s'efforçait de le faire descendre de la voiture puis l'allongeait sur le chemin. Il eut une vision floue de Tacroy et de la voiture à côté de son pyjama.

– Tout va bien, dit Christopher qui se relevait, l'air maussade.

Toute la peau de son corps le brûlait. Ses habits étaient partis en fumée. Il s'examina et vit un épiderme rose taché de charbon de bois qui provenait de la voiture à demi-consumée.

– Merci, dit-il d'une voix étranglée, quand il comprit que Tacroy l'avait encore sauvé.

– Ce n'est rien, dit Tacroy à bout de souffle.

Il n'était plus que l'ombre grise de lui-même, mais il parvint à faire un dernier effort. Il ferma les yeux, et sa bouche s'ouvrit en un large sourire, un sourire translucide, tandis que l'herbe de la vallée apparaissait derrière son visage. Puis, pendant une seconde il redevint net et solide. Il se pencha vers Christopher :

– C'est trop ! dit-il. Tu ne te rends pas compte. Tu ne feras plus jamais ça. Tu laisses tomber, d'accord ? Tu arrêtes. Ne reviens jamais, de toute façon moi je ne serai pas là.

Il se changea en une fumée grise, et devint d'une blancheur lactée.

– Je vais dire deux mots à ton oncle, chuchota-t-il.

Christopher devina plus qu'il entendit le dernier mot. Tacroy avait déjà disparu.

Christopher repoussa la voiture qui disparut à son tour. Il ne resta plus que la vallée, déserte et tranquille, et une forte odeur de brûlé.

– Mais moi je ne veux pas laisser tomber ! dit Christopher d'une voix si rauque et étouffée qu'elle couvrait à peine le bruit du torrent au creux de la vallée. Deux larmes coulèrent le long de son visage, laissant deux sillons luisants. Il ramassa son pyjama et prit d'un pas mal assuré le chemin du retour.

Chapitre 14

Comme à l'accoutumée, Christopher se réveilla en parfaite santé. Il écouta Flavian ce matin-là d'un air absent et poli et repensa au dragon avec émerveillement. Puis l'émerveillement fit place au chagrin quand il comprit qu'il ne verrait plus jamais Tacroy. Il dut faire un grand effort pour repenser au dragon. C'était terrifiant. Avoir vu une telle créature méritait presque qu'on y laisse une vie. Il se demanda combien de temps il faudrait aux gens du château pour s'apercevoir qu'il en avait perdu une de plus. Une petite voix angoissée disait tout au fond de lui même : « Et si je ne l'avais pas perdue après tout ? »

– J'ai demandé qu'on nous prépare un déjeuner à emporter, dit Flavian d'un air joyeux. La gouvernante a trouvé une huile pour la peau qui devrait te soulager. Dès que tu auras fini ta leçon d'anglais nous irons nous promener.

Il pleuvait à torrents. Christopher essaya d'être aussi lent que possible, espérant que Flavian déciderait que le temps était trop mauvais pour aller se promener. Mais quand Christopher eut conjugué « mon tailleur est riche » à tous les temps et à tous les modes, Flavian dit :

– Allons, allons ! Quelques gouttes d'eau n'ont jamais fait de mal à personne !

Mais, peu après midi, ils se retrouvèrent dehors sous des trombes d'eau.

Flavian était une heureuse nature. Patauger dans les flaques, pourvu de grosses chaussettes et d'un sac à dos, était selon toute apparence sa conception du bonheur. Christopher lécha l'eau qui ruisselait de ses cheveux sur son nez et pensa qu'au moins il était sorti du château. Mais tant qu'à être dans le vent et sous la pluie, autant aller faire un tour dans le Passage. Cela lui fit penser à Tacroy et il dut repousser la vague de chagrin qui le submergeait. Il essaya de penser au dragon mais il faisait trop humide. Tandis qu'ils pataugeaient sur des kilomètres de lande, Christopher ne pensait qu'à une chose : Tacroy allait terriblement lui manquer. Les buissons gorgés d'eau avaient l'air aussi tristes que lui. Il espéra qu'ils feraient bientôt une pause pour déjeuner et se mit à penser à la nourriture.

Ils arrivèrent à la lisière de la lande. Flavian montra du doigt d'un air conquérant une colline dans le lointain, qu'on apercevait à peine.

– Quand nous serons là-bas, nous nous arrêterons pour déjeuner dans les bois, sur cette colline, un peu plus loin.

– Mais c'est à des kilomètres ! dit Christopher, alarmé.

– Dix petits kilomètres seulement. Nous n'avons plus qu'à descendre dans cette vallée et remonter, voilà tout, dit Flavian, tout guilleret, en dévalant la pente.

Bien avant d'atteindre la colline, Christopher ne pensait plus à Tacroy. Il pensait seulement qu'il était gelé, trempé, épuisé et affamé. Il lui sembla qu'il devait être l'heure du thé et que l'heure du déjeuner était passée depuis longtemps. Il parvint à rejoindre Flavian qui entrait dans une clairière.

– Bien, dit Flavian en se délestant de son sac à dos et en se frottant les mains. Faisons un peu de magie pratique. Tu vas me ramasser du petit bois pour me faire un joli tas. Puis tu pourras t'exercer à invoquer le feu. Quand tu auras réussi à allumer un bon feu, nous ferons cuire des saucisses sur des brindilles et nous les mangerons.

Christopher leva les yeux vers les branches qui dégoulinaient de pluie. Il baissa les yeux vers l'herbe gorgée d'eau. Il regarda Flavian en se demandant si tout cela partait vraiment d'une bonne intention. Mais oui. Flavian pensait sincèrement que c'était amusant.

– Les brindilles sont mouillées, dit Christopher. Tout le bois est mouillé.

– C'est plus drôle quand c'est difficile, dit Flavian.

Christopher comprit qu'il était inutile d'expliquer à Flavian qu'il défaillait d'inanition. Il ramassa des brindilles trempées d'un air accablé. Il en fit un tas qui s'effondra. Il recommença. Puis il s'agenouilla et tandis que l'eau imbibait ses genoux et se glissait dans son cou, il invoqua le feu. Ridicule. Il réussit à obtenir une toute petit fumée jaune. Qui résista une seconde. Les brindilles n'étaient même pas tièdes.

– Concentre-toi quand tu lèves les mains, dit Flavian.

– Je sais ! dit Christopher en pensant de toutes ses forces : « le feu ! le feu ! ! le feu ! ! ! »

La pile devint en une seconde une colonne de

flammes de trois mètres de haut. Christopher, une fois encore, entendit sa peau grésiller, l'huile qui l'enduisait la fit brûler de plus belle. En un instant il fut au milieu d'un brasier. « C'est cette vie-là que le dragon m'a prise ! » pensa-t-il au cœur de l'agonie.

Quand sa cinquième vie s'éveilla, soit environ dix minutes plus tard, il entendit Flavian hurler, à bout de nerfs :

– Je sais, je sais, mais c'était parfaitement sans danger ! Le bois était mouillé. C'est pour ça que je lui ai dit d'essayer.

– Le Dr Pawson pensait à juste titre que quand Christopher s'en mêle tout peut arriver, dit une voix sèche un peu plus loin.

Christopher se retourna. On l'avait enduit de l'huile cosmétique de Flavian et, en dessous, il sentait sa peau neuve et douce. Devant lui, il vit le sol noir et carbonisé, dont la pluie faisait ressortir l'odeur de brûlé. Au-dessus de sa tête, les feuilles humides étaient marron et recroquevillées. Gabriel de Witt était assis sur un tabouret pliant à quelques mètres de lui, sous un grand parapluie noir, l'air soucieux. Cela faisait un drôle d'effet de le voir là. Quand Christopher posa les yeux sur lui, de petites flammes orange apparurent dans l'herbe fumante tout autour du tabouret. Gabriel regarda les flammes et fronça les sourcils. Les flammes s'éteignirent.

– Ah ! Il semble que ton existence ait repris son cours, dit-il. Sois assez aimable pour éteindre le feu de forêt que tu as allumé. Il couve d'une manière inconvenante et il est hors de question que l'incendie gagne le reste du pays.

– Pourrais-je avoir quelque chose à manger ? dit Christopher. Je meurs de faim.

– Donnez-lui un sandwich, dit Gabriel à Flavian. Je me souviens que lorsque j'ai perdu une vie j'ai eu besoin de beaucoup d'énergie pour passer à la suivante.

Il attendit que Flavian ait donné à Christopher un paquet de sandwiches à l'œuf. Tandis que Christopher les engloutissait, il dit :

– Flavian dit qu'il prend l'entière responsabilité de ta dernière bêtise. Tu peux le remercier car tu lui dois ma clémence. Je me contenterai de te dire que c'est par ta faute que j'ai dû quitter le château au moment même où nous allions mettre la main sur un membre de la bande des Wraith dont je t'ai déjà parlé. S'il parvient à nous échapper, ce sera par ta faute, Christopher. Maintenant je te prie de te lever et de m'éteindre ce feu.

Christopher se leva avec un certain soulagement. Il avait craint que Gabriel ne lui interdise de marquer les points pendant le match de cricket du lendemain.

« Pour éteindre un feu il faut réciter la formule à l'envers », avait dit Flavian. C'est ce que fit Christopher comme il l'avait dit. C'était facile, mais il était soulagé de pouvoir jouer au cricket, quelques flammes isolées continuèrent de brûler à la limite de la lisière.

Quand la fumée se fut évanouie, Gabriel dit :

– Je t'avertis solennellement, Christopher. Si tu as encore un accident, mortel ou non, je serai tenu de prendre des mesures drastiques.

Sur ces mots, Gabriel se leva et replia son tabouret

avec un claquement sec. Il le glissa sous son bras, prit son parapluie et le referma. Au moment même où le parapluie se repliait, Christopher se retrouva aux côtés de Flavian, au centre du pentacle, dans le hall du château. Miss Rosalie était dans l'escalier.

– Il a réussi à s'enfuir, Gabriel, dit-elle. Mais au moins nous savons comment ils s'y prennent.

Gabriel se retourna, livide, et fixa Christopher.

– Emmène-le dans sa chambre, Flavian, dit-il, et redescends, nous devons tenir une réunion. Puis à miss Rosalie : Dis à Frederick de se mettre en transe sans tarder. A partir de maintenant je veux que des patrouilles se relayent constamment aux Marches du Monde.

Christopher suivit Flavian avec difficulté. Il sentait sa peau huilée frissonner. Même ses chaussures avaient brûlé.

– Je t'ai vu flamber ! dit Flavian. J'étais terrifié.

Christopher le crut aisément. Le dragon l'avait consumé jusqu'à la moelle. Il était certain à présent que lorsqu'il perdait une vie dans les Ailleurs cela ne comptait pas, mais cela signifiait qu'il perdrait cette vie pour de bon dans son monde à lui, et d'une manière très similaire. « Moralité, pensa-t-il : à l'avenir, prends garde à toi quand tu iras là-bas. » Et tandis qu'il enfilait des vêtements il songea avec soulagement que Gabriel ne lui avait pas interdit d'aller au match de cricket. Mais il craignait que le match ne puisse avoir lieu à cause de la pluie. Il pleuvait toujours à verse.

La pluie cessa dans la nuit, mais il faisait toujours frais et gris. Christopher descendit au terrain du village avec l'équipe hétéroclite du château : des sorciers, un valet de pied, un jardinier, un garçon d'écurie, le Dr Simonson, Flavian, un jeune enchanteur venu tout exprès d'Oxford et, à la grande surprise de Christopher, miss Rosalie elle-même. Elle était toute rose dans sa robe blanche et portait des mitaines blanches. Elle trottinait dans ses petites chaussures blanches et déplorait grandement que le piège pour attraper les Wraith n'ait pas fonctionné.

– J'ai dit cent fois à Gabriel que nous devions surveiller les Marches du Monde, dit-elle. S'ils parviennent à regagner Londres avec leur butin il y a des centaines de cachettes à leur disposition.

Gabriel lui-même les accueillit sur le terrain, sa chaise pliante dans une main et un télégramme dans l'autre. Il s'était habillé pour l'occasion et portait un blazer rayé qui devait avoir été à la mode il y a un siècle et un grand panama.

– Mauvaise nouvelle, dit-il. Mordecai Roberts s'est démis l'épaule et ne pourra donc être des nôtres.

– Oh non ! s'écrièrent-ils tous, en proie au désespoir.

– C'est tout lui, dit miss Rosalie. Elle posa les yeux sur Christopher. Penses-tu pouvoir te servir d'une batte, mon chéri ? Juste pour venir en renfort à la fin du match, si nécessaire, bien sûr ?

Christopher essaya de rester de marbre, mais c'était impossible.

– Je pense que je peux, oui, dit-il.

Ce fut un après-midi de pur bonheur. Un des garçons d'écurie prêta une tenue à Christopher, un peu grande pour lui, un sorcier la fit gentiment venir du château et Christopher se mit au bord du terrain. L'équipe du village servit en premier – et gagna des points, parce que le meilleur joueur de l'équipe du château, Mordecai Roberts, était manquant. Christopher avait très froid, à cause du vent, mais il eut le bonheur de battre le forgeron. Les autres membres de l'équipe du château, qui faisaient cercle autour du terrain, chaudement vêtus, applaudirent à tout rompre.

Quand ce fut le tour du château de servir, Christopher s'assit avec le reste de l'équipe pour attendre son tour, en espérant avoir l'occasion de jouer. C'est alors qu'il découvrit avec fascination que miss Rosalie était un excellent et énergique lanceur. Elle envoya la balle dans tous les angles du terrain. Malheureusement, le forgeron se révéla être un receveur d'une habileté démoniaque. Il possédait tous les trucs dont Tacroy avait si souvent parlé à Christopher. Il sortit le Dr Simonson en un coup et l'enchanteur d'Oxford en deux. Puis les membres de l'équipe sortirent du jeu un à un, sauf miss Rosalie qui résistait. Son chignon effondré lui pendait sur l'épaule et son visage était empourpré par l'effort. Elle fit tant et si bien que quand Flavian entra sur le terrain le château n'avait plus que deux manches à gagner pour remporter la partie. Christopher s'agita dans sa tenue d'emprunt, sûr à présent qu'il n'aurait pas l'occasion de jouer.

– On ne sait jamais, dit le petit cireur de chaussures du château qui comptait les points à la place de Christopher. Regarde-le. Il est nul.

Effectivement, Flavian était nul. Christopher n'avait jamais vu quelqu'un jouer aussi mal. Soit il tenait sa batte comme un aveugle sa canne, soit il l'agitait frénétiquement dans la mauvaise direction. Il était évident qu'il sortirait du terrain dans peu de temps.

Christopher serra bien fort sa batte d'emprunt, plein d'espoir. Et ce fut miss Rosalie qui sortit. Le forgeron n'en avait fait qu'une bouchée. Les habitants du village massés autour du terrain hurlèrent, sûrs que la victoire était à eux. Christopher se leva au milieu des clameurs.

– Bonne chance, lui dirent les gens du château.

Le seul qui semblait penser que Christopher avait une chance était le petit cireur.

Christopher alla au centre du terrain – décidément sa tenue avait deux tailles de trop – sous les cris et les sifflements.

– Fais de ton mieux, mon chéri, dit miss Rosalie quand ils se croisèrent mais elle semblait avoir perdu espoir.

Christopher continua d'avancer, surpris de constater qu'il était parfaitement calme. Il se mit en position et les membres de l'équipe du village se frottaient les mains. Ils s'approchèrent en rangs serrés et attendirent avec impatience. Il vit de grandes mains tendues, des visages bruns et des sourires gourmands.

– Oh non, dit Flavian à l'autre bout du terrain. Ce n'est qu'un petit garçon, après tout !

– On a vu, dit le capitaine de l'équipe du village, qui sourit de plus belle.

Le forgeron fit montre du même mépris et envoya à Christopher une balle lente et molle.

Christopher la vit décrire un demi-cercle et eut le temps de se rappeler les paroles de Tacroy. Puisque l'équipe du village au complet formait un cercle étroit autour de lui, il ne lui restait plus qu'à envoyer la balle derrière eux s'il voulait marquer le point. Il contempla la trajectoire de la balle avec une parfaite concentration jusqu'à ce qu'elle vienne frapper sa batte. Il eut à peine besoin de bouger pour l'envoyer vigoureusement au-delà de la foule.

– Deux, dit-il d'une voix sèche à Flavian.

Flavian lui jeta un regard surpris et détala. Christopher courut, son pantalon flottant contre ses jambes. L'équipe du village fit demi-tour et courut avec frénésie après la balle, mais Flavian et Christopher avaient largement le temps de faire deux allers et retours. Ils auraient même eu le temps d'en faire trois, malgré les pantalons trop larges. Le château avait gagné. Christopher rayonnait de fierté et de joie.

Les spectateurs lui firent une ovation. Gabriel le félicita. Le petit cireur lui serra la main. Miss Rosalie, les cheveux toujours en bataille, lui donna l'accolade. Tous firent cercle autour de lui, disant qu'après tout, ils n'avaient plus besoin de Mordecai. Le soleil jaillit derrière le clocher de l'église pour la première fois de la journée. Pendant un court moment, Christopher pensa que la vie au château n'était pas si désagréable.

Mais le dimanche, au déjeuner, tout redevint comme par le passé. La conversation roula sur les mêmes thèmes, comment attraper la bande des Wraith, et Mr Wilkinson, le vieux sorcier qui occupait les fonctions de bibliothécaire, répétait sans cesse :

– Trois éditions rares sont manquantes. Je conçois difficilement que quelqu'un puisse prendre la peine de voler trois livres pour les petites filles qui viennent du Monde B, mais je ne les trouve nulle part dans le château.

Comme il s'agissait de livres de fille, Mr Wilkinson ne soupçonnait pas Christopher. En fait, ni lui ni personne ne faisait attention à Christopher sauf pour lui demander de passer le sel.

Le lundi, Christopher demanda à Flavian d'un air sarcastique :

– Il ne vient à l'idée de personne que je pourrais aider à attraper les Wraith ?

C'était la première fois qu'il faisait allusion aux Ailleurs. Mais ces dimanches étaient vraiment insupportables.

– Doux Jésus ! Des gens qui dépècent les sirènes ne feraient qu'une bouchée d'une petit garçon comme toi ! dit Flavian.

Christopher poussa un soupir.

– Les sirènes ne ressuscitent pas. Moi, si, fit-il remarquer.

– Toutes ces histoires de brigands me rendent malade, dit Flavian et il changea de sujet.

Christopher sentit plus que jamais qu'il était dans un tunnel dont il ne voyait pas la sortie. Sa situation était bien pire que celle de la Déesse car elle pourrait cesser d'être la Vivante Asheth quand elle serait grande, alors que lui deviendrait un homme comme Gabriel de Witt. Il se sentit encore plus mal quand il reçut à la fin de la semaine une lettre de papa. Elle avait été ouverte et refermée, mais contrairement à celle de maman l'enveloppe portait des timbres du plus haut intérêt. Papa était au Japon.

« Mon fils,

J'ai vu dans ton horoscope que tu vas courir de grands dangers. Je te supplie d'être prudent et de ne point mettre en péril ton avenir.

Ton papa qui t'aime. »

D'après la date, la lettre avait été écrite un mois auparavant.

– Mon avenir ! dit Christopher. Il veut probablement parler des vies que j'ai perdues. « Le pire de tout, pensa-t-il en songeant à ses malheurs, c'est que je n'aurai plus le plaisir de revoir Tacroy. »

Malgré tout, le jeudi, Christopher passa par la fente dans le sortilège, espérant que Tacroy serait là quand même. Mais la vallée était déserte. Il resta là un moment, désemparé. Puis il revint dans sa chambre, mit ses vêtements et repartit vers le Passage. Il allait rendre visite à la Déesse, la seule personne qu'il connaissait qui n'ait jamais essayé de se servir de lui.

Chapitre 15

La Déesse était dans sa chambre, assise en tailleur sur des coussins blancs, le menton dans les mains, manifestement en train de bouder. Bien qu'elle n'ait plus l'air du tout malade, il émanait d'elle quelque chose de différent, comme s'il y avait de l'orage dans l'air. Christopher le sentit dès qu'il eut passé le seuil et se sentit très inquiet.

Les bijoux de la Déesse cliquetèrent quand elle leva la tête pour voir qui entrait.

– Ah, tant mieux ! dit-elle. J'espérais que tu reviendrais bientôt. Il faut absolument que je te parle. Tu es la seule personne que je connaisse qui me comprendra.

– C'est pareil pour moi, dit Christopher, en s'asseyant sur les dalles, le dos au mur. Toi, tu es enfermée ici avec tes Prêtresses et moi je suis prisonnier là-bas, dans le château, avec les gens de Gabriel. Tous les deux nous sommes dans un tunnel…

– C'est justement ça mon problème, dit la Déessse. Je ne suis pas sûre d'être dans un tunnel. Les tunnels, on peut en sortir.

Sa voix était pleine de colère. La chatte blanche le

sentit immédiatement. Elle jaillit des coussins et grimpa péniblement sur ses genoux.

– Qu'est-ce que tu veux dire ? dit Christopher, en pensant une fois de plus que les filles étaient un Grand Mystère.

– Pauvre Bethi, dit la Déesse, qui caressait la chatte en faisant sonner ses bracelets. Elle va encore avoir des chatons. J'aimerais bien qu'elle arrête, ça l'épuise. Ce que je veux dire c'est que pendant ma maladie j'ai réfléchi à des tas de choses. J'ai pensé à toi et je me suis demandé comment tu faisais pour venir d'un autre monde. C'est difficile ?

– Non, c'est facile, dit Christopher. Enfin, pour moi du moins. Je pense que c'est parce que j'ai plusieurs vies. Je crois que j'en laisse une derrière moi dans mon lit et toutes les autres me servent à voyager.

– Quelle chance ! dit la Déesse. Mais comment peux-tu venir dans ce monde-ci ?

Christopher lui parla de la vallée, du Passage, et lui dit qu'il fallait toujours sortir par un angle.

Le regard de la Déesse erra sous la voûte sombre de la chambre.

– J'aimerais tant avoir plus d'une vie moi aussi, dit-elle. Mais moi, c'est différent… tu te souviens, la dernière fois, quand tu m'as dit que je cesserai d'être la Vivante Asheth quand je serai grande ?

– C'est toi qui me l'as dit la première fois que je suis venu, lui rappela Christopher. Tu as dit : la Vivante Asheth est toujours une petite fille. Tu te souviens ?

– Oui, mais personne ne le dit aussi clairement que toi, dit la Déesse. Ça m'a fait réfléchir. Qu'est-ce qui arrive aux Vivantes Asheth quand elles ne sont plus des petites filles ? Je ne suis plus une petite fille. J'ai presque l'âge où l'on devient officiellement une femme.

Ça devait vraiment arriver très tôt dans la Série Dix, se dit Christopher. Il se dit aussi qu'il aurait bien aimé être officiellement un homme.

– Est-ce que tu deviendras une Prêtresse ?

– Non, dit la Déesse. J'ai bien écouté, j'ai posé des questions et j'ai regardé dans les dossiers. Aucune Prêtresse n'a commencé par être une Déesse. Elle passa les doigts dans la fourrure du chat et fit de petites montagnes de poil qui ondulèrent doucement. Quand j'ai posé la question, dit-elle, Mère Proudfoot a dit que je ne devais pas me creuser la tête parce que Asheth prenait soin de tout. Qu'est-ce que ça veut dire, à ton avis ?

Christopher sentit qu'elle s'énervait de nouveau.

– Je pense que tu seras mise à la porte du Temple et que tu rentreras chez toi, dit-il pour l'apaiser. Il pensa qu'elle avait bien de la chance. Après tout, tu possèdes tous les pouvoirs magiques d'Asheth. Tu n'as qu'à les utiliser pour connaître ton avenir.

– Et qu'est-ce que tu crois que j'essaie de faire ? hurla la Déesse. Ses bracelets s'entrechoquèrent quand elle repoussa la pauvre Bethi.

Elle sauta sur ses pieds et regarda Christopher.

– Tu n'es qu'un idiot de garçon ! J'ai réfléchi et réfléchi, toute cette semaine, jusqu'à en avoir la migraine !

Christopher se releva en hâte pour appuyer son dos contre le mur, prêt à s'y enfoncer si la Déesse cherchait à le frapper. Mais elle se contenta de marcher de long en large en criant :

– Trouve un moyen pour que je puisse savoir, toi qui es si intelligent ! Trouve un moyen !

Comme chaque fois que la Déesse criait, des bruits de pieds nus résonnèrent dans les chambres voisines et une voix haletante se fit entendre :

– J'arrive, Déesse ! Qu'y a-t-il ?

Christopher battit en retraite à l'intérieur du mur, avec aisance et rapidité. La Déesse lui lança un regard de triomphe et se jeta dans les bras d'une vieille femme maigre qui apparut dans l'embrasure.

– Oh, Mère Proudfoot ! J'ai encore fait un horrible cauchemar !

Christopher s'aperçut avec horreur qu'il était coincé dans le mur. Il ne pouvait ni avancer ni reculer. La seule chose qu'il pensa à faire fut de se rendre invisible comme Flavian le lui avait appris. Il y réussit instantanément. Il s'était plié en deux avant de reculer et sa tête dépassait du mur. Bien qu'il se sache invisible, il se dit qu'il devait ressembler à une des têtes d'animaux empaillées qui ornaient les murs de la salle à manger du château. « Au moins, je peux voir, entendre et respirer », pensa-t-il, un peu étourdi. Il était stupéfait que la Déesse l'ait trahi.

On l'emmena dans une autre pièce, avec des murmures de consolation. Au bout de dix minutes environ, Christopher avait le cou coincé et une crampe dans une jambe. Elle revint, parfaitement calme.

– Inutile de te rendre invisible, dit-elle. Tout le monde ici possède la vision magique – sauf toi. Écoute, je m'excuse pour tout ça, mais j'ai terriblement besoin d'aide. Je promets que je te laisserai partir, mais il faut d'abord que tu m'aides.

Christopher ne se rendit pas visible pour autant. Il se sentait plus en sécurité comme ça.

– Tu ne mérites pas qu'on t'aide – tout ce que tu mérites c'est un bon coup sur la tête, dit-il avec colère. Comment veux-tu que j'aide quelqu'un dans cette position ? C'est intenable.

– Alors mets-toi à ton aise, comme ça tu pourras m'aider, dit la Déesse.

Christopher s'aperçut qu'il pouvait bouger un peu. Il sentit le mur devenir mou comme de la gelée, parvint à se redresser, à bouger un peu ses bras et à tendre ses jambes pour retrouver un semblant d'équilibre. Il donna quelques secousses, dans l'espoir de pouvoir s'extraire de la gelée, mais en vain. Il était sûr que c'était le même genre de sort que la Déesse avait utilisé quand elle avait collé ses pieds au sol la première fois, mais il ne comprenait pas plus aujourd'hui qu'alors comment elle avait fait. Il dit avec résignation :

– Que veux-tu que je fasse ?

– Que tu m'emmènes avec toi dans ton monde, dit la Déesse avec précipitation. Pour que j'aille à l'école comme dans une des histoires de Millie. J'ai pensé que tu pourrais me cacher quelque part dans ton château et moi je me chercherais une école.

Christopher pensa à Gabriel de Witt découvrant la Déesse cachée dans un des greniers.

– Non, dit-il. Je ne peux pas. C'est absolument impossible. Et d'ailleurs je n'essaierai même pas. Maintenant fais-moi sortir d'ici !

– Tu as emmené Throgmorten, dit la Déesse. Tu peux bien m'emmener moi.

– Throgmorten est un chat, dit Christopher. Donc il a neuf vies comme moi. Je t'ai déjà dit que je ne peux venir ici qu'en abandonnant derrière moi une de mes vies. Tu n'as qu'une seule vie, alors il tombe sous le sens que je ne peux pas t'emmener dans mon monde parce que si je le faisais tu mourrais !

– J'ai bien compris ! murmura la Déesse avec rage.

Il comprit qu'elle faisait un énorme effort pour ne pas se remettre à crier. Son visage ruisselait de larmes.

– Je sais que je n'ai qu'une seule vie et je ne veux pas la gâcher. Emmène-moi avec toi.

– Juste pour que tu puisses aller dans une école, comme dans ton livre ! rétorqua avec violence Christopher, qui se sentait toujours comme une tête d'animal accrochée au mur. Ne sois pas idiote à ce point !

– Alors tu resteras dans le mur jusqu'à ce que tu changes d'avis, dit la Déesse et elle s'éloigna en faisant sonner ses bijoux.

Christopher se retrouva flottant dans la gelée du mur, et maudit le jour où il avait apporté à la Déesse ces maudits livres de Millie. Puis il se maudit d'avoir pensé que la Déesse était compatissante. Elle était aussi égoïste et inflexible que toutes les autres personnes qu'il connaissait. Il se secoua, il lutta, il poussa pour sortir de ce mur, mais comme il n'avait pas la moindre idée de la formule qu'elle avait utilisée, il n'obtint pas le plus petit résultat.

Le pire était qu'à présent l'heure de la sieste était passée et l'endroit regorgeait de monde. Derrière lui, au-delà du mur, Christopher entendait une foule de gens dans la cour ensoleillée compter les chats et leur donner à manger. Dominant le vacarme, une voix de femme aboyait des ordres. Il entendit le bruit métallique des armures et des hampes de lances cogner le sol. Christopher se sentit pris de peur car son derrière invisible sortait du mur de la cour. Il s'imagina qu'une lance se fichait dans cette partie de lui-même et se tordit, tira et poussa pour tenter de s'échapper. Il ne savait pas ce qu'il redoutait le plus, qu'une lance le transperce ou la punition que Gabriel lui infligerait s'il perdait encore une vie.

Devant lui, il entendit la Déesse parler avec au moins trois Prêtresses puis elles murmurèrent des prières. Pourquoi Flavian ne lui avait-il pas appris de magie utile ? Il existait sûrement mille manières de briser facilement ce sort et il n'aurait plus qu'à se glisser tranquillement hors du mur, toujours invisible, mais Christopher n'en connaissait pas une seule. Il se demanda s'il pourrait s'en sortir en utilisant la lévitation et en invoquant une tornade ou un incendie. Peut-être, mais ce serait extrêmement difficile puisqu'il aurait les mains prises et, de toute façon, les gens se lanceraient à sa poursuite avec des lances… Il résolut d'essayer de négocier et de ruser.

Peu après, la Déesse vint voir s'il avait changé d'avis.

– Je vais la chercher, ma chérie, dit l'une des Prêtresses au-delà de la voûte.

– Non je veux surveiller Bethi moi-même, dit la Déesse en tournant la tête.

Elle revint voir la chatte blanche couchée sur les coussins du lit, l'air mécontent de son sort. La Déesse la caressa, puis vint mettre son nez contre celui de Christopher.

– Alors ? Tu vas m'aider ou non ?

– Qu'est-ce qui se passerait, demanda Christopher, si une Prêtresse entrait et voyait ma tête dépasser du mur ?

– Tu ferais mieux de te décider vite à m'aider. Elles te tueraient, chuchota la Déesse.

– Mort je ne te servirai plus à rien, fit remarquer Christopher. Laisse-moi partir ou je hurle.

– Chiche ! lui dit la Déesse en tournant les talons.

Le problème c'est que Christopher n'osa pas. C'était un cercle vicieux. Quand elle revint, il essaya autre chose.

– Écoute, dit-il. Tu ne te rends pas compte à quel point je suis accommodant. Je pourrais faire un énorme trou dans le Temple et m'enfuir à la minute, mais je ne le fais pas parce que je ne veux pas te trahir. Asheth et tes Prêtresses ne seraient pas très contentes de découvrir que tu veux t'enfuir dans un autre monde, non ?

Les yeux de la Déesse se remplirent de larmes.

– Je ne te demande pas grand-chose, dit-elle. Je croyais que tu étais gentil.

Cet argument-là semblait porter.

– Je ne vais pas tarder à faire exploser le Temple, si tu ne me libères pas, dit Christopher. Si je ne suis pas revenu avant le matin, quelqu'un du château entrera dans ma chambre et verra qu'une seule de mes vies est couchée dans mon lit. Alors, ils préviendront Gabriel de Witt et on aura des ennuis tous les deux. Je t'ai dit qu'il savait comment se rendre dans les autres mondes. S'il vient ici, tu ne vas pas aimer ça du tout.

– Tu es un égoïste, dit la Déesse. Tu n'es pas du tout compatissant ! Tu as peur, c'est tout.

Là, Christopher perdit patience.

– Laisse-moi partir, dit-il, ou je fais tout sauter !

La Déesse sortit de la pièce en s'essuyant le visage avec un coin de sa robe.

– Quelque chose ne va pas, ma chérie ? demanda une Prêtresse.

– Non, non, entendit Christopher. Bethi n'est pas très bien, c'est tout.

Cette fois, elle resta absente longtemps. Elle avait probablement détourné l'attention des Prêtresses pour éviter qu'elles viennent examiner la chatte blanche. Peu après, une odeur de nourriture épicée se répandit dans la pièce. Christopher devint inquiet. Le temps passait, ce serait bientôt le matin, là-bas, au château et là, il aurait vraiment des ennuis. Le temps passa encore. Il entendit dans la cour des gens compter les chats et les nourrir de nouveau. Quelqu'un dit :

– Bethi n'est pas là.

– Elle est toujours avec la Déesse Vivante, dit une autre voix. Elle va bientôt avoir des chatons.

Le temps passait toujours. Quand la Déesse reparut, Christopher, poussé par le désespoir, avait pris un autre parti. Il vit qu'il serait forcé de lui apporter une aide quelconque, sinon il ne partirait jamais d'ici avant le matin.

La Déesse se montrait inflexible mais pas inhumaine. Elle revint en apportant une espèce de crêpe chaude fourrée de viande épicée et de légumes. Elle en déchira des morceaux et les jeta dans la bouche de Christopher. Il y avait une espèce de poivre à l'intérieur. Ses yeux se mouillèrent.

– Dis-moi, dit-il, s'étranglant à moitié. Quel est ton

problème, au juste ? Pourquoi est-ce que tu as brusquement décidé de me forcer à t'aider ?

– Mais je te l'ai dit, dit la Déesse agacée. C'est parce que tu m'as dit, quand j'étais malade, que quand je serai grande je ne serai plus la Vivante Asheth. Après je n'ai plus pensé qu'à une seule chose : qu'est-ce qui allait m'arriver quand je serai grande ?

– Tu voudrais le savoir ? dit Christopher.

– Plus que tout au monde, dit la Déesse.

– Tu me laisseras partir si je t'aide à découvrir ce qui t'arrivera ? dit Christopher, qui essayait de négocier. Je ne peux pas t'emmener dans mon monde, tu le sais bien, mais je peux quand même t'aider.

La Déesse tordit entre ses doigts le dernier morceau de crêpe.

– Bon, dit-elle, d'accord. Mais je ne vois pas comment tu pourrais en savoir plus que moi.

– Moi, je sais, dit Christopher. Tout ce que tu as à faire c'est aller devant la statue dorée d'Asheth que tu m'as montrée et lui demander ce que tu deviendras quand tu ne seras plus la Vivante Asheth. Si la statue ne te répond rien, tu sauras qu'il ne se passera pas grand-chose et que tu pourras quitter ce Temple et aller à l'école.

Cela lui semblait très rusé : en effet, comment une statue d'or aurait pu dire quoi que ce soit.

– Mais pourquoi est-ce que je n'y ai pensé plus tôt ! s'exclama la Déesse. Très malin ! Mais... Elle tordit de nouveau le morceau de crêpe. Mais Asheth ne parle pas, tu sais, enfin pas exactement. Elle s'exprime toujours par signes. Et elle ne répond pas toujours aux questions des gens.

Ça, c'était ennuyeux.

– Mais à toi, elle te répondra, dit Christopher avec persuasion. Tu es censée être elle, après tout, alors en fait cela revient à lui demander de te rappeler quelque chose que vous savez déjà toutes les deux. Demande-lui un Présage. Donne-lui seulement un délai précis, comme ça s'il n'y a pas de réponse tu n'auras pas à attendre indéfiniment.

– Je vais faire ça, dit la Déesse d'un air décidé.

Elle enfonça le dernier morceau de crêpe dans la bouche de Christopher et s'essuya les mains avec détermination.

– J'y vais immédiatement.

Elle traversa la pièce, en faisant le même bruit métallique que les soldats qui défilaient dans la cour derrière Christopher.

Il recracha la crêpe, plissa les yeux pour chasser les larmes et regretta de ne pas pouvoir croiser les doigts.

Cinq minutes plus tard, la Déesse revint, l'air beaucoup plus joyeux.

– C'est fait, dit-elle. Elle ne voulait rien me dire. J'ai dû la forcer. Je lui ai demandé de ne plus prendre cette expression stupide et de ne pas se moquer de moi et elle a cédé. (Elle regarda Christopher d'un air interrogateur.) C'est la première fois que c'est moi qui commande !

– Bon, mais qu'est-ce qu'elle a dit ? demanda Christopher qui aurait trépigné d'impatience si le mur ne l'en avait pas empêché.

– Oh, rien pour le moment, dit la Déesse. Mais j'ai promis solennellement que je te laisserai partir quand elle aura répondu. Elle a dit qu'elle avait besoin de temps. Elle voulait que j'attende jusqu'à demain, mais j'ai rétorqué que c'était beaucoup trop long. Alors elle a dit que le mieux qu'elle pouvait faire c'était aujourd'hui minuit.

– Minuit ! s'exclama Christopher.

– Il n'y a plus que trois heures à attendre, dit la Déesse d'un air rassurant. Et j'ai ajouté qu'elle ferait bien d'être à l'heure, sinon je me mettrais vraiment en colère. Il faut que tu la comprennes : elle doit démêler les fils du Destin et ça, ça prend du temps.

Le cœur battant la chamade, Christopher essaya de calculer à quelle heure il serait rentré au château. Ce ne pouvait pas être avant 10 heures du matin. Peut-être la femme de chambre penserait-elle qu'il était fatigué et ne s'inquiéterait pas vraiment avant une heure. Avec un peu de chance il serait revenu avant qu'elle ait prévenu Flavian.

– Bon, minuit, dit-il en soupirant. Et tu me laisseras partir ou je ferai venir une tornade, je mettrai le feu et je ferai exploser le toit du temple.

Pendant ces trois heures, il se demanda pourquoi il ne le faisait pas tout de suite. D'abord, il ne voulait pas perdre une autre vie. Mais c'était aussi parce qu'il sentait qu'il devait rester pour consoler la Déesse. C'était lui qui l'avait rendue malheureuse en lui parlant, et bien avant cela c'était lui encore qui l'avait rendue mécontente de son sort en lui apportant des livres qui parlaient de l'école. Il se sentait proche d'elle car ils menaient tous les deux une vie solitaire et étrange. Il se souvenait que papa lui avait dit qu'on n'utilise pas la magie contre une dame. Pour toutes ces raisons, Christopher attendit patiemment minuit, à moitié assis dans le mur.

La Déesse passa une partie du temps assise sur ses coussins, caressant sa chatte d'une main tremblante, comme si elle s'attendait à avoir une réponse d'une seconde à l'autre. La plupart du temps elle était occupée. On venait la chercher pour des leçons, puis pour les prières et enfin pour prendre un bain. En son absence, Christopher, pris de désespoir, eut l'idée qu'il pourrait entrer en contact avec la vie qui l'attendait là-bas, couchée dans son lit. Il pensa qu'il serait peut-être possible de forcer ce Christopher-là à se lever et à assister aux leçons. Mais tout en sentant clairement qu'une partie de lui-même était là-bas, il ne parvenait pas à entrer en relation avec elle, du moins pas consciemment. « Va en classe ! pensa-t-il. Lève-toi, agis comme moi ! » Et pour la centième fois il se demanda pourquoi il ne faisait pas exploser le temple pour pouvoir s'enfuir.

Enfin la Déesse revint, vêtue d'une longue chemise de nuit blanche et parée seulement de deux bracelets. Elle souhaita bonne nuit à Mère Proudfoot en l'embrassant, s'installa sur ses coussins blancs et passa tendrement les bras autour de la chatte blanche.

– Il n'y en a plus pour longtemps, dit-elle à Christopher.

– J'espère bien ! dit-il. Sincèrement, je ne vois pas pourquoi tu te plains de ta vie. J'échangerais volontiers ta Mère Proudfoot contre Flavian et Gabriel !

– Oui, je suis peut-être une idiote après tout, convint la Déesse qui tombait de sommeil. D'un autre côté, tu ne crois pas en Asheth alors tu ne vois pas les choses comme moi, évidemment.

Christopher, en entendant sa respiration, comprit

qu'elle s'était endormie. Il dut lui aussi somnoler. Le mur de gelée n'était pas si inconfortable, après tout.

Un bruit étrange le réveilla, un petit cri aigu. C'était un cri bizarre, un cri de désespoir, un peu comme le pépiement des oisillons qui réclament à manger. Christopher ouvrit les yeux et vit un grand rayon de lune qui tombait sur les dalles.

– Oh, regarde, dit la Déesse. C'est le Présage.

Elle leva le bras et son bracelet oscilla dans la lumière. Elle montrait Bethi, la chatte blanche, toute raide, allongée dans le rai de lumière. Quelque chose de tout petit et de très, très blanc, se tordait et grimpait sur elle, en poussant des cris de désespoir. La Déesse surgit de ses coussins, tomba à genoux et saisit la minuscule chose blanche.

– Elle est glacée, dit-elle. Bethi a eu un chaton et... (Elle se tut un long moment.) Christopher, reprit la Déesse, faisant un effort pour garder son calme, Bethi est morte. Cela signifie que lorsqu'il y aura une nouvelle Asheth je mourrai moi aussi.

Agenouillée près de la chatte morte, elle se mit à hurler sans pouvoir s'arrêter.

Des lumières s'allumèrent. Des pieds rapides frappèrent les dalles. Christopher se démena pour s'enfoncer dans le mur. Il savait ce que la Déesse ressentait. Il avait senti la même chose quand il s'était réveillé à la morgue. Mais il aurait voulu qu'elle cesse de crier. Quand la Prêtresse maigre, Mère Proudfoot, se précipita dans la pièce suivie de deux autres, Christopher rassembla toutes ses forces pour réciter la formule de lévitation.

Mais la Déesse tint sa promesse. Sans cesser de crier, elle s'éloigna du cadavre de la pauvre Bethi comme s'il lui faisait horreur, elle leva le bras d'un air tragique et son bracelet vint cogner le nez invisible de Christopher. Le bracelet était en argent.

Christopher atterrit dans son lit, au château, avec le grand bruit auquel il était à présent habitué. Il était solide, bien visible et vêtu de son pyjama. D'après la lumière, il n'était pas loin de midi. Il s'assit en hâte. Gabriel de Witt était assis sur un fauteuil de bois non loin du lit et le regardait d'un air encore plus sinistre que de coutume.

Chapitre 16

Les coudes de Gabriel reposaient sur les bras du fauteuil et ses longues mains aux jointures saillantes étaient jointes juste sous son nez aquilin. Au-dessus, ses yeux semblaient exercer le même pouvoir de fascination que ceux du dragon.

– Ainsi donc tu as accompli un voyage par l'esprit, dit-il. Je soupçonnais que c'était dans tes habitudes. Ce qui expliquerait bien des choses. Aurais-tu la bonté de m'expliquer d'où tu viens et pourquoi tu es tellement en retard ?

Christopher était obligé de s'expliquer. Il aurait préféré être mort. Perdre une vie n'était rien en comparaison de l'effet que lui faisait le regard de Gabriel.

– Le Temple d'Asheth ! dit Gabriel. Tu es inconscient, mon garçon ! Asheth est l'une des Déesses les plus retorses et vindicatives des Mondes Parallèles. Sa redoutable Armée a poursuivi sans trêve des malheureux à travers les mondes et les temps, et pour des motifs infiniment plus futiles que ceux que tu as exposés, c'est une chose connue. Dieu merci, tu n'as pas fait exploser son temple. Et je suis soulagé que tu aies eu la présence d'esprit d'abandonner la Vivante Asheth à son destin.

– Son destin ? Ils ne vont pas la tuer, tout de même ? demanda Christopher

– Bien sûr que si, dit Gabriel de sa voix la plus posée et la plus sèche. Telle était la signification du présage : l'ancienne Déesse meurt quand la nouvelle est choisie. Leur théorie, j'imagine, est qu'en mourant l'ancienne vient accroître le pouvoir de la divinité. Cette petite fille doit leur être très précieuse, car elle semble être une puissante enchanteresse.

Christopher était horrifié. Il comprit soudain que la Déesse avait su, ou du moins soupçonné, ce qui allait lui arriver. C'est pourquoi elle avait essayé de le forcer à l'aider.

– Comment pouvez-vous rester si indifférent ? dit-il. Elle n'a qu'une seule vie. Ne pouvez-vous pas faire quelque chose pour l'aider ?

– Mon bon Christopher, dit Gabriel, il y a, dans toutes les Séries de tous les Mondes Parallèles, plus d'une centaine de mondes, et dans une bonne moitié d'entre eux il se pratique des choses qui horrifieraient n'importe quel être civilisé. Si je devais leur consacrer mon temps et ma sympathie, il ne m'en resterait pas pour faire ce pour quoi je suis payé, c'est-à-dire veiller à ce qu'on ne fasse pas mauvais usage de la magie dans ce monde-ci. C'est pourquoi je dois sévir en ce qui te concerne. Nies-tu le fait que tu as fait mauvais usage de la magie ?

– Je... dit Christopher.

– Donc tu le reconnais, dit Gabriel. Tu dois avoir perdu au moins trois de tes vies dans un autre monde et tu dois, pour autant que je le sache, en avoir perdu six au cours de tes voyages. Mais puisque la vie que tu aurais dû perdre restait ici plongée dans un sommeil apparent, les lois de la nature ont fait en sorte que tu la perdes à ton réveil d'une manière similaire. Continue ainsi, et tu seras le phénomène de la Série Douze.

– Cette fois je n'ai rien perdu, dit Christopher, sur la défensive.

– Alors tu as dû en perdre une pendant ton voyage précédent, dit Gabriel. Car, manifestement, tu en as une de moins. Et ceci n'arrivera plus, Christopher. Fais-moi le plaisir de t'habiller immédiatement et de me suivre dans mon bureau.

– Heu, dit Christopher, je n'ai pas encore pris mon petit déjeuner. Puis-je…

– Non, dit Gabriel.

Christopher pensa que les choses allaient vraiment très mal. Il découvrit qu'il tremblait quand il se leva pour aller dans la salle de bains. La porte ne fermait pas. Christopher comprit que Gabriel la maintenait ouverte grâce à un charme puissant, afin qu'il ne puisse pas s'échapper. Sous le regard de Gabriel, il se lava et s'habilla en un temps record.

– Christopher, dit Gabriel tandis que celui-ci se brossait les cheveux en hâte, tu dois comprendre que je suis extrêmement inquiet à ton sujet. Personne ne devrait perdre ses vies aussi vite que toi. Quel est le problème ?

– Je ne fais pas ça pour vous créer des ennuis, dit Christopher avec amertume, si c'est ce que vous voulez dire.

Gabriel soupira.

– Je suis sans doute un bien piètre tuteur, mais je connais mon devoir, dit-il. Suis-moi.

Il longea le couloir d'un pas raide et Christopher dut presque courir pour rester à sa hauteur. « Qu'est-il advenu de ma sixième vie ? » se demandait-il, l'esprit à demi obscurci par la terreur. Il était enclin à penser que Gabriel avait mal compté.

Dans le bureau crépusculaire, miss Rosalie et le Dr Simonson les attendaient en compagnie d'un des jeunes hommes de l'équipe du château. Tous baignaient dans une brume magique. Christopher les regarda avec appréhension puis aperçut un divan de cuir au centre de la pièce noire. Il lui rappela le fauteuil du dentiste. Derrière, il y avait un socle qui supportait deux amphores de métal. Celle de gauche était surmontée d'une grosse bobine suspendue dans les airs, et celle de droite ne semblait contenir qu'une espèce d'anneau de rideau.

– Qu'est-ce que vous allez faire ? dit Christopher. Sa voix n'était plus qu'un petit filet rauque.

Miss Rosalie s'avança vers Gabriel et lui tendit un plateau de verre où reposaient des gants. Gabriel glissa les doigts dans les gants et dit :

– Je t'avais prévenu, après l'épisode du feu : ceci est une mesure drastique. Je dois extraire de toi ta neuvième vie sans te blesser et sans l'endommager. Après quoi je la mettrai dans le coffre du château, fermé par neuf sorts que je serai le seul à pouvoir briser. Comme pour en faire usage il te faudra désormais venir à moi et me demander de briser ces neuf sorts, cela t'incitera à être plus prudent avec les deux vies qui te restent.

Miss Rosalie et le Dr Simonson commencèrent à envelopper Christopher dans une brume magique semblable à la leur.

– Extraire une vie intacte est quelque chose que seul Gabriel sait faire, dit miss Rosalie avec fierté.

Le Dr Simonson, à la grande surprise de Christopher, essaya d'être gentil. Il dit :

– Cette brume sert seulement à créer un espace stérile. Tu n'as aucune raison d'avoir peur. Allonge-toi sur le divan. Je te promets que tu n'auras pas mal du tout.

« C'est exactement ce que le dentiste avait dit ! » pensa Christopher tandis qu'il s'allongeait en tremblant.

Gabriel se tourna d'un côté puis de l'autre pour que la brume l'enveloppe complètement.

– Frederick Parkinson est avec nous, dit-il, au lieu de surveiller les Marches du Monde, car nous devons être sûrs que ton esprit ne sortira pas de toi pendant que nous extrairons ta vie. Cela te mettrait en grand danger, Christopher, alors, s'il te plaît, essaye de rester en ce monde pendant que nous travaillons.

A ce moment quelqu'un jeta un sort très puissant pour le forcer à dormir. Christopher s'endormit en un éclair. Le Dr Simonson avait donc bien dit la vérité. Pendant plusieurs heures il ne ressentit rien. Quand il se réveilla, il mourait de faim et quelque chose le démangeait tout au fond de lui. Il se sentait trahi. S'il était vraiment nécessaire qu'on lui ôte une vie, il aurait au moins aimé voir comment ça se passait.

Gabriel et les autres étaient appuyés contre le bureau noir et buvaient du thé, l'air exténué. Frederick Parkinson dit :

– Tu n'as pas cessé d'essayer de t'enfuir. J'ai dû interrompre mon travail pour t'en empêcher.

Miss Rosalie s'empressa d'apporter une tasse de thé à Christopher.

– Nous t'avons maintenu endormi jusqu'à ce que ta vie soit enroulée sur la bobine, dit-elle. Maintenant, elle se dévide dans l'anneau d'or. Regarde. Elle montrait les deux amphores. La bobine de gauche était recouverte d'un fil rosâtre et luisant, elle tournait lentement, bien droit dans les airs. A droite, l'anneau flottait à présent dans les airs et tournait rapidement en oscillant.

– Comment te sens-tu, mon chéri, demanda miss Rosalie.

– Tu as mal ? Ou te sens-tu tout à fait bien maintenant ? demanda Gabriel. Il semblait très inquiet.

Le Dr Simonson semblait l'être tout autant. Il prit le pouls de Christopher puis testa son intelligence en lui posant un petit problème de calcul mental. Il déclara aux autres :

– Il a l'air d'aller bien.

– Dieu merci ! dit Gabriel en se frottant le visage. Dis à Flavian – non, il est aux Marches du Monde, n'est-ce pas ? Frederick, voudriez-vous emmener Christopher se coucher et dire à la gouvernante qu'il est en état d'ingérer une nourriture consistante ?

Tout le monde était si nerveux et si inquiet à son sujet que Christopher se rendit compte que c'était la première fois qu'on essayait d'extraire une des vies de quelqu'un. Il n'était pas sûr de voir clair dans ses sentiments. Qu'auraient-ils fait si ça n'avait pas marché ? Il était perplexe, tandis que, assis dans son lit, il engloutissait autant de poulet et de biscuits fourrés à la crème qu'il le pouvait. Frederick Parkinson resta assis près de lui pendant qu'il mangeait, et ne bougea pas de tout l'après-midi. Christopher ne savait pas ce qui l'énervait le plus : l'attitude de Frederick ou cette démangeaison tout au fond de lui. Il décida de dormir tôt pour ne plus y penser.

Il se réveilla au milieu de la nuit et vit qu'il était seul dans la chambre et que le gaz brûlait. Il sortit du lit immédiatement et alla voir si on avait bouché la fente dans le sort du château. Il fut surpris de constater qu'elle était intacte. Apparemment personne n'avait compris comment il parvenait à se rendre dans les Ailleurs. Il allait s'engager dans la fente quand ses yeux se posèrent sur son lit. Le garçon qui gisait au milieu des couvertures froissées avait un air flou et irréel, comme Tacroy avant qu'il se solidifie. Christopher eut un frisson. Il ne lui restait plus à présent en tout et pour tout que deux vies. La seconde étant dans le coffre du château, il ne pouvait s'en servir sans demander la permission à Gabriel. Il haïssait Gabriel plus que jamais. Il retourna se coucher.

Le lendemain matin, Flavian apporta son petit déjeuner à Christopher.

– Es-tu prêt à prendre tes leçons aujourd'hui ? demanda-t-il avec angoisse. Je pensais que nous pourrions y aller doucement. Hier, j'ai eu une dure journée, j'ai arpenté les Marches du Monde sans résultat, et je ne serais pas mécontent d'avoir une matinée calme. Je pensais que nous pourrions aller dans la bibliothèque et compulser quelques livres de référence, l'Almanach de Moore, le Glossaire de Prynne, ce genre de choses.

La démangeaison avait disparu. Christopher se sentait bien, sans doute mieux que Flavian, qui avait l'air pâle et fatigué. Il était agacé que tout le monde ne cesse de le surveiller, mais il savait qu'il était inutile de récriminer. Il avala son petit déjeuner, s'habilla et suivit Flavian dans les couloirs jusqu'au grand escalier de marbre rose.

Ils descendaient les marches quand l'étoile à cinq branches du hall sembla entrer en ébullition. Frederick Parkinson jaillit en premier et fit signe à Flavian. « Nous en avons enfin capturé quelques-uns ! » ; son cri de triomphe résonnait encore dans le hall quand miss Rosalie apparut. Elle tenait fermement une vieille dame très en colère qui tentait de lui donner des coups sur la tête avec son violon. Deux policiers se matérialisèrent derrière eux. Ils portaient quelqu'un, l'un tenant la tête et l'autre les pieds. Ils contournèrent maladroitement miss Rosalie et la belliqueuse vieille dame et posèrent l'homme sur les dalles avec précaution. Il resta par terre sans bouger, aussi paisible que s'il était endormi, sa tête bouclée tournée vers les escaliers.

Christopher réalisa qu'il regardait Tacroy.

Au même moment, Flavian dit :

– Mon Dieu ! C'est Mordecai Roberts !

– J'en ai peur, dit Frederick Parkinson. Il fait bel et bien partie du gang des Wraith. Je l'ai suivi jusque dans la Série Sept puis je suis revenu pour localiser son corps. Il était l'un de leurs éclaireurs. Il transportait un gros butin avec lui.

D'autres policiers apparurent derrière lui, portant des boîtes et ces ballots enveloppés dans de la toile imperméable que Christopher connaissait bien.

Gabriel de Witt passa devant Christopher et Flavian

et resta au pied des escaliers, les yeux baissés sur Tacroy, tel un oiseau de proie noir.

– Ainsi donc Roberts travaillait pour eux, n'est-ce-pas ? dit-il. Ceci explique nos échecs répétés.

Le hall était plein de monde à présent : d'autres policiers, et le reste de l'équipe du château, valets de pied, majordome, ainsi qu'une foule de bonnes très intéressées.

– Emmenez-le dans la salle de transe, dit Gabriel au Dr Simonson, et ayez soin qu'il ne s'aperçoive pas qu'il a été découvert. Je tiens à récupérer tout ce qu'il a volé, si c'est possible. (Il se retourna et regarda Flavian et Christopher.) Christopher, tu ferais mieux d'être présent durant l'interrogatoire quand Roberts regagnera son corps, dit-il. Ce sera pour toi une leçon fort profitable.

Christopher se fraya un chemin à travers le hall avec Flavian. Il ne sentait plus son corps. Il était si horrifié qu'il ne ressentait rien d'autre. Ainsi c'était cela les « expériences » de l'oncle Ralph ! « Oh non ! pensa-t-il. Si seulement tout cela n'était pas vrai ! »

Dans la bibliothèque, il découvrit qu'il lui était impossible de se concentrer. Il entendait sans cesse la voix de miss Rosalie dire : « Mais Gabriel, ils ont vraiment découpé en morceaux toute une tribu de sirènes ! » Il se souvint des ballots à l'odeur de poisson qu'il avait chargés sur la voiture sans chevaux dans la Série Cinq, puis il se rappela les dames excentriques qui avaient cru qu'il était un animal nommé Klistof. Il se dit qu'il était impossible que ces paquets à l'odeur de poisson aient contenu des morceaux de sirène. Tout cela devait être une terrible erreur. Mais se souvenant que Tacroy avait tenté de l'avertir, non seulement avant l'attaque du dragon, mais bien des fois auparavant, il comprit qu'il ne s'agissait pas d'une erreur. Il en eut des nausées.

Flavian était presque aussi bouleversé.

– Imagine un peu ! Mordecai ! répétait-il sans cesse. Il appartient depuis des années à l'équipe du château. Et moi qui l'aimais bien !

Tous deux se sentirent presque soulagés quand un valet de pied vint les conduire au salon. « Au moins, pensa Christopher tandis qu'il suivait Flavian à travers le hall, quand ils découvriront toute la vérité, plus personne ne me demandera d'être le prochain Chrestomanci. » Mais bizarrement cette pensée ne lui fit pas aussi plaisir qu'il l'avait escompté.

Dans l'immense salon, Gabriel était assis au centre d'une rangée de fauteuils en amphithéâtre, tel un vieux monarque noir et gris sur son trône. D'un côté étaient assis des policiers à l'air solennel munis de calepins, et trois hommes avec des cartables qui portaient tous des favoris encore plus gros que ceux de papa. Flavian chuchota que ces hommes étaient envoyés par le gouvernement. Miss Rosalie et le reste de l'équipe de Gabriel étaient assis sur l'autre côté de l'hémicycle. On fit asseoir Christopher sur une chaise un peu plus loin. De là il pouvait observer tout ce qui se passait. Deux valets de pied robustes et armés jusqu'aux dents firent entrer Tacroy et l'assirent sur une chaise face aux autres.

– Mordecai Roberts, dit l'un des policiers, vous êtes en état d'arrestation et je dois vous avertir que tout ce que vous direz sera dûment consigné et pourra être utilisé à charge ultérieurement. Voulez-vous être assisté d'un avocat ?

– Pas particulièrement, dit Tacroy.

Ce corps ne ressemblait pas au Tacroy que Christopher avait connu. Au lieu du vieux costume vert, il portait un très élégant complet marron, avec une cravate de soie bleue et une pochette assortie. Il était chaussé de luxueuses bottes de cuir. Ses boucles étaient exactement les mêmes, mais son visage était tout différent et portait les marques de l'insolence et de l'amertume. Il fit mine de s'installer confortablement sur sa chaise, croisa les jambes et balança sa botte d'un air insouciant, mais Christopher voyait bien qu'il était bouleversé.

– Un avocat est inutile, dit-il. Après tout, vous m'avez pris en flagrant délit. Je suis un agent double depuis des années. Inutile de nier.

– Qu'est-ce qui vous a poussé à faire ça ? s'exclama miss Rosalie.

– L'argent, dit Tacroy d'un air désinvolte.

– Pourriez-vous nous en dire un peu plus ? dit Gabriel. Quand vous avez quitté le château pour infiltrer le gang des Wraith, le gouvernement avait accepté de vous payer un bon salaire et de vous fournir un confortable logement de fonction dans Baker Street. Vous bénéficiez toujours des deux.

« Et la soupente de Covent Garden, alors ? » songea Christopher avec amertume.

– Ah mais ça c'était vrai au début, dit Tacroy, quand Wraith et ses hommes n'opéraient que dans la Série Douze. Wraith ne pouvait à l'époque m'offrir assez pour me tenter. Dès qu'il eut élargi son champ d'action au reste des Mondes Parallèles, il m'a offert tout ce que je demandais.

Il sortit de sa poche de poitrine le mouchoir de soie et fit semblant d'épousseter soigneusement ses belles bottes brillantes.

– Je n'ai pas immédiatement accepté leur offre, vous savez, dit-il. Je me suis laissé prendre petit à petit. Quand on fait des dépenses excessives, on est pris au piège.

– Mais qui est le chef de la bande ? demanda Gabriel. Vous devez au moins fournir cette information au gouvernement.

Tacroy agita le pied. Il plia soigneusement son mouchoir et regarda la foule d'un air distrait. Christopher prit l'air le plus neutre qu'il put, mais Tacroy posa ses yeux sur lui exactement comme sur les autres, tout à fait comme s'il ne l'avait jamais vu auparavant.

– Je ne peux pas vous renseigner, dit-il. L'homme dissimule soigneusement son identité. Je n'ai eu affaire qu'à ses subordonnés.

– Comme la dénommée Effisia Bell qui est propriétaire de la maison de Kensington où votre corps a été arrêté ? demanda un des policiers.

Tacroy haussa les épaules.

– Oui, elle faisait partie de la bande.

« Miss Belle, la Dernière Gouvernante, pensa Christopher. Bien sûr, elle faisait partie de la bande. » Il garda un visage aussi impassible que la statue dorée d'Asheth.

– Quels autres noms pourriez-vous donner ? demanda quelqu'un d'autre.

– Bien peu, j'en ai peur, dit Tacroy.

Beaucoup d'autres lui posèrent la même question sous des formes différentes, mais Tacroy se contenta de balancer son pied et de dire qu'il n'arrivait pas à s'en souvenir. Au bout d'un moment, Gabriel s'agita sur son fauteuil.

– Nous avons examiné rapidement cette voiture sans chevaux que votre esprit a utilisée pour sortir des marchandises en fraude, dit-il. C'est un petit chef-d'œuvre, Roberts.

– N'est-ce pas ? renchérit Tacroy. C'est le résultat d'un travail acharné. Comme vous imaginez, elle devait être assez fluide pour franchir les Marches du Monde, mais assez solide pour que les gens des autres Séries puissent réussir à effectuer le chargement. J'ai l'impression que la bande des Wraith n'a pu étendre son champ d'action à tous les Mondes Parallèles qu'après avoir mis au point ce moyen de transport.

« Mais c'est faux ! pensa Christopher. C'était moi qui le chargeais ! Il ment sur toute la ligne ! »

– Bien des magiciens ont dû y travailler, Mordecai, dit miss Rosalie. Qui étaient-ils ?

– Dieu seul le sait, dit Tacroy. Non, attendez une minute. Effisia Bell a laissé échapper un nom. Phelps, peut-être ? Felper ? Felperin ?

Gabriel et les policiers échangèrent un regard. Flavian murmura :

– Les frères Felterin ! Depuis des années nous les soupçonnons d'être des traîtres !

– Autre chose m'étonne, Roberts, dit Gabriel. Notre bref examen de la voiture a révélé qu'elle a été en partie détruite par le feu.

Christopher retint son souffle.

– Un accident à l'atelier, je suppose, dit Tacroy.

– Par le feu que crache un dragon, Mordecai, dit le Dr Simonson. Je l'ai vu tout de suite.

Les yeux de Tacroy, anxieux, amers, rieurs, se posèrent sur chaque visage tour à tour. Christopher ne parvenait plus à respirer. Mais une fois de plus Tacroy regarda à peine Christopher, comme s'il ne l'avait jamais rencontré. Il se mit à rire.

– Je plaisantais. Quand je vois tous mes juges assis en face de moi, je ne peux me retenir de mentir. Oui, elle a été brûlée par un dragon qui n'appréciait pas que je transporte le sang de dragon que j'avais récolté dans la Série Huit. C'est arrivé il y a environ un an.

Christopher se remit à respirer.

– J'ai perdu tout le chargement, continua Tacroy. Et j'étais si ébranlé que j'ai failli ne pas pouvoir réintégrer mon corps. Nous avons dû suspendre la plupart des opérations l'automne dernier jusqu'à ce que la voiture soit réparée. Souvenez-vous que je vous ai dit que le gang des Wraith avait cessé ses agissements à cette époque.

Christopher poussa un long soupir de soulagement et essaya de rester discret. C'est alors qu'un des hommes du gouvernement prit la parole.

– Opériez-vous toujours en solitaire ? demanda-t-il, et Christopher en eut à nouveau le souffle coupé.

– Évidemment, j'étais seul, dit Tacroy. A quoi m'aurait servi d'être accompagné par un autre voyageur ? Ne vous en déplaise, je n'avais absolument aucun moyen de savoir combien de voitures les Wraith utilisaient. Peut-être des centaines, après tout.

« Mais c'est absurde ! pensa Christopher. Il n'y en avait qu'une, et c'était la nôtre, la preuve, ils avaient tout arrêté l'automne dernier, quand j'étais allé à l'école et que j'avais oublié tout le reste. » Il commença à comprendre à ce moment que Tacroy le protégeait, et il en eut la certitude à la fin de la matinée. Les questions se succédèrent sans relâche. Les yeux de Tacroy glissèrent sur Christopher encore et encore, sans qu'il montre jamais qu'il le connaissait. Et chaque fois que Tacroy aurait pu incriminer Christopher par une de ses réponses, il mentait puis détournait l'attention de ses juges en changeant de sujet. A force de garder toujours la même expression, Christopher finit par avoir une crampe. Il examina le visage amer de Tacroy et se sentit horriblement mal. Il faillit au moins deux fois se lever d'un bond et tout avouer. Mais il aurait ruiné tous les efforts de Tacroy. L'interrogatoire continua pendant l'heure du déjeuner. Le maître d'hôtel apporta un chariot couvert de sandwiches que tout le monde mangea en gardant notes et dossiers sur ses genoux, tout en posant d'autres questions. Christopher fut heureux de voir qu'un des valets de pied apportait à Tacroy quelques sandwiches. Tacroy était de la couleur du café au lait et son pied tremblait. Il mordit dans les sandwiches comme s'il mourait de faim et répondit la bouche pleine aux questions qui suivirent.

Christopher mordit dans son sandwich au saumon. Il pensa aux sirènes et eut envie de vomir.

– Qu'est-ce qui t'arrive ? chuchota Flavian.

– Rien. Je n'aime pas le saumon, c'est tout, répondit Christopher en chuchotant.

Ce serait trop bête de se trahir maintenant, alors que Tacroy avait fait tant d'efforts pour le tenir en dehors de tout ça.

Il approcha le sandwich de sa bouche, mais ne put se résoudre à en prendre une autre bouchée.

– Ce doit être un effet secondaire de ton extraction, murmura Flavian avec inquiétude.

– Oui, je crois que ça doit être ça, dit Christopher. Il reposa le sandwich, en se demandant comment Tacroy faisait pour bâfrer de cette façon.

Ils continuèrent à lui poser des questions et le maître d'hôtel poussa le chariot hors de la pièce. Il revint presque aussitôt et chuchota quelque chose à l'oreille de Gabriel de Witt qui réfléchit, prit une décision et hocha la tête. Puis, à la surprise de Christopher, le maître d'hôtel s'approcha et se pencha vers lui.

– Votre mère est ici, monsieur Christopher, elle attend dans le petit salon. Si vous voulez bien me suivre.

Christopher regarda Gabriel, mais Gabriel était penché en avant et demandait à Tacroy qui réceptionnait les colis à Londres. Christopher se leva et suivit le maître d'hôtel. Les yeux de Tacroy le suivirent.

– Désolé, entendit Christopher. Je crois que je souffre de surmenage. Vous allez devoir répéter votre question.

« Les sirènes, pensa Christopher en traversant le hall derrière le maître d'hôtel. Les paquets qui sentaient le poisson. Les ballots de sang de dragon. Je savais bien qu'il s'agissait de sang de dragon dans la Série Huit, mais je ne savais pas que le dragon n'était pas d'accord. Que va-t-il advenir de Tacroy à présent ? » Quand le majordome ouvrit la porte du petit salon et l'introduisit, il put à peine fixer son attention sur la vaste et élégante pièce et sur les deux dames.

Les deux dames ?

Christopher cligna des yeux et vit deux larges robes de soie. La robe rose et lavande appartenait à maman, qui était pâle et émue. La robe marron et or, très élégante aussi, appartenait à la Dernière Gouvernante. Christopher cessa de penser aux sirènes et au sang de dragon et s'arrêta au beau milieu du tapis d'Orient.

Maman tendit vers lui un gant lavande.

– Mon cher garçon, dit-elle en tremblant. Comme tu es grand ! Tu te souviens de cette chère miss Belle, n'est-ce pas, Christopher ? Elle habite avec moi, maintenant. Ton oncle nous a trouvé une jolie maison à Kensington.

– Les murs ont des oreilles, fit remarquer miss Belle de sa voix la plus terne. Christopher se souvint que sa beauté cachée ne se dévoilait jamais devant maman. Il eut de la peine pour maman.

– Christopher peut régler ce problème, n'est-ce pas, mon chéri ? dit maman.

Christopher reprit ses esprits. Il était sûr et certain que le salon était bourré de sortilèges, et qu'il y en avait probablement derrière chaque cadre doré. « Je devrais dire à la police que la Dernière Gouvernante est ici, pensa-t-il. Mais si la Dernière Gouvernante vit avec maman, cela veut dire que maman aussi aura des ennuis. » Il savait que s'il dénonçait la Dernière Gouvernante, elle parlerait de ce qu'il avait fait et réduirait à néant tous les efforts de Tacroy.

– Comment es-tu entrée ici ? dit-il. Il y a un sortilège tout autour du parc.

– Ta maman a beaucoup pleuré à la loge du gardien, dit la Dernière Gouvernante en faisant de grands gestes pour faire comprendre à Christopher qu'il devait agir.

Christopher aurait bien voulu faire semblant de ne pas comprendre, mais il n'osa pas manquer de respect à la Dernière Gouvernante. Il fallait un sort de silence, c'était facile pour un enchanteur comme lui. Il cligna des yeux, agacé, récita la formule et, comme d'habitude, il en fit trop. Il crut qu'il était devenu sourd. Puis il vit que maman se tapotait l'oreille, l'air interrogateur, et la Dernière Gouvernante secoua la tête, comme si elle avait les oreilles bouchées. Il pratiqua une ouverture au centre du nuage de silence afin qu'ils puissent converser.

– Mon chéri, dit maman en larmes, nous sommes venues t'arracher à ton triste sort. Le taxi qui nous a amenées de la gare attend dehors, et tu vas venir vivre avec moi à Kensington. Ton oncle veut que je sois heureuse et il dit qu'il sait que je ne peux pas l'être sans toi. Il a raison, comme d'habitude.

« Ce matin, pensa Christopher avec colère, j'aurais sauté de joie en entendant maman dire ça. » Maintenant il savait que c'était juste une ruse pour anéantir les efforts de Tacroy. « Encore une autre machination de l'oncle Ralph, évidemment. Oncle Ralph ? Oncle Wraith ! » pensa-t-il. Il regarda maman et maman le regarda, l'air implorant. Il vit qu'elle était sincère en un sens, même si elle avait laissé l'oncle Ralph prendre possession de son âme. Christopher ne pouvait pas vraiment lui en vouloir. Après tout, lui aussi avait été séduit par l'oncle Ralph, des années auparavant, quand il lui avait fait l'aumône de six pence.

Il regarda la Dernière Gouvernante.

– Ta maman est une dame très fortunée à présent, lui

dit-elle d'une voix douce, l'air hypocrite. Ton oncle a déjà reconstitué presque la moitié de la fortune de ta maman.

« Près de la moitié ! pensa Christopher. Mais qu'est-ce qu'il avait bien pu faire du reste de l'argent que je lui ai fait gagner, sans être rémunéré ? A présent, il devrait être au moins multi-millionnaire ! »

– Comme tu vas nous aider, dit la Dernière Gouvernante, comme par le passé, ta maman va récupérer le reste de sa fortune en un clin d'œil !

« Comme par le passé ! » se répéta Christopher. Il se souvint comment la Dernière Gouvernante l'avait manœuvré en douceur, il se rappela comment elle l'avait amené à parler des Ailleurs et comment, plus tard, elle l'avait poussé à faire exactement ce que l'oncle Ralph voulait. Il ne pouvait pas lui pardonner ça, elle était encore plus dévouée à l'oncle Ralph que maman. Il regarda à nouveau maman. L'amour de maman pour Christopher était sans doute réel, mais elle l'avait abandonné aux mains des dames de la nursery et des gouvernantes et elle le confierait à la Dernière Gouvernante dès qu'ils seraient arrivés à Kensington.

– Tout repose sur toi, mon chéri, dit maman. Pourquoi as-tu l'air si lointain ? Tout ce que tu as à faire est de sortir par la fenêtre et de te cacher dans le taxi, et nous partirons tous les trois, ni vu ni connu.

« Je vois », pensa Christopher. L'oncle Ralph savait que Tacroy avait été capturé. Et maintenant il voulait que Christopher continue à sortir des marchandises en fraude. Il avait envoyé maman le chercher et la Dernière Gouvernante devait s'assurer qu'ils feraient bien ce que l'oncle Ralph voulait. Peut-être avait-il peur que Tacroy ne dénonce Christopher. Après tout, si Tacroy pouvait mentir, Christopher pouvait en faire autant.

– J'aimerais bien, dit-il d'une voix triste et hésitante alors qu'en réalité il se sentait aussi calme et hypocrite que la Dernière Gouvernante. Je meurs d'envie de sortir d'ici... mais je ne peux pas. Quand le dragon m'a brûlé dans la Série Huit, il a pris mon avant-dernière vie. Gabriel de Witt s'est mis tellement en colère qu'il a pris toutes mes autres vies et les a cachées. Si je sors du château, je meurs.

Maman éclata en sanglots.

– Cet horrible vieil homme ! Comme c'est ennuyeux pour nous !

– Je pense, dit la Dernière Gouvernante en se levant, que dans ce cas plus rien ne nous retient ici.

– Tu as raison, ma chère, sanglota maman. Elle essuya ses yeux et donna à Christopher un baiser parfumé. Ce doit être terrible de ne plus posséder ses propres vies ! dit-elle. Peut-être ton oncle aura-t-il une idée.

Christopher regarda les deux femmes s'éloigner en toute hâte, et entendit l'étoffe de leur robe balayer le tapis dès qu'elles furent sorties du nuage de silence. Il brisa le sort d'un geste désespéré. Bien qu'il ne se fît plus aucune illusion sur elles deux, il se sentait blessé et déçu. Il les vit par la fenêtre monter dans le taxi qui attendait sous les cèdres de l'allée. La seule personne qu'il connaissait qui n'ait pas essayé de l'utiliser était Tacroy, un criminel, un agent double.

« Et moi aussi ! » pensa Christopher.

Maintenant qu'il avait réussi à se l'avouer, il s'aperçut qu'il ne pourrait pas supporter de retourner dans le salon et d'entendre tous ces gens poser des questions à Tacroy. Il se traîna misérablement dans sa chambre. Il ouvrit la porte.

Et il écarquilla les yeux.

Une petite fille dans une robe marron, trempée, était assise sur le bord de son lit, toute tremblante. Ses cheveux pendaient en mèches humides tout autour de son visage pâle et rond. Dans une main, elle semblait tenir une poignée de fourrure blanche imbibée d'eau. Son autre main tenait fermement un grand paquet enveloppé de papier glacé qui paraissait contenir des livres.

« Il ne manquait plus que ça ! » pensa Christopher. La Déesse avait réussi à venir jusqu'ici et avait emporté toutes ses affaires avec elle.

Chapitre 17

Comment es-tu arrivée jusqu'ici ? dit Christopher.

La Déesse était agitée de tremblements. Elle avait abandonné tous ses bijoux, et elle paraissait plus bizarre et moins jolie.

– Jjje me suis souvenue de ce que tu avais dit, répondit-elle en claquant des dents, que tu lllaissais chaque fois une vvvie ddderrière toi. Et évidemment, moi j'en ai dddeux, si on compte la statue ddd'or. Mmmais ce n'était pas facile. Jjj'ai essayé sssix fois de suite de trouver un angle dans le mmmur de la chambre avant ddd'y arriver. Tttu dois être vraiment cccourageux pour pppasser tout le temps dddans cet affreux Pppassage. C'était horrible… J'ai fffailli nnnoyer PPProudfoot dddeux fois.

– Proudfoot ? dit Christopher.

La Déesse ouvrit la main qui tenait la fourrure blanche. La fourrure blanche protesta en couinant et commença à trembler.

– C'est mon chaton, expliqua la Déesse.

Christopher se souvint comme il faisait chaud dans la Série Dix. Naguère, quelqu'un avait soigneusement rangé dans sa commode l'écharpe que la vieille Mrs Pawson lui avait tricotée. Il se mit à la chercher.

– Je ne pppouvais pas la lllaisser, dit la Déesse d'une voix plaintive. J'ai apporté son bbbiberon avec moi. Quand j'ai compris le sens du ppprésage, j'ai décidé de mmm'enfuir dès que je ssserai ssseule. Elles savaient que je savais. J'ai entendu MMMère PPProudfoot dire qu'elles devaient chercher une nouvelle DDDéesse tttout de sssuite.

« Il faut aussi que je trouve des vêtements pour la Déesse », pensa Christopher, en entendant le bruit que faisaient ses dents. Il lui jeta l'écharpe.

– Enveloppe le chaton là-dedans. Elle a été tricotée par une sorcière, elle le protégera sans doute. Comment diable as-tu fait pour trouver le château ?

– J'ai eeexaminé chaque vvvallée où j'ai pppénétré, dit la Déesse. Je ne comprends pas pppourquoi tu dis que tu ne ppossèdes pas la vvvision mmmagique. J'ai fffailli ne pas voir la fffente dans le sort. Elle est si fffine !

– C'est ça la vision magique ? dit Christopher d'un air distrait. (Il prit ses vêtements les plus chauds et les jeta en vrac sur le lit à côté d'elle.) Va dans la salle de bains et enfile ça avant de geler.

La Déesse posa par terre le chaton soigneusement enveloppé dans l'écharpe. Il était si petit qu'il ressemblait à un rat blanc. Christopher se demanda comment il était parvenu à survivre.

– MMMais ce sont dddes habits de gggarçon ! dit la Déesse.

– C'est tout ce que j'ai, dit-il. Et fais vite. Les bonnes peuvent entrer ici d'un instant à l'autre. Tu dois te cacher. Gabriel de Witt m'a dit de ne rien avoir à faire avec Asheth. Je ne sais pas ce qu'il ferait s'il te trouvait ici !

A ces mots la Déesse sauta du lit et prit les habits. Christopher fut heureux de voir qu'elle avait l'air sincèrement effrayé. Il courut vers la porte.

– Je vais te trouver une cachette, dit-il. Attends ici.

Il courut dans la grande chambre de la vieille tour, celle qui avait été autrefois l'atelier d'un magicien. « Une Déesse en fuite ici, ça c'est le comble ! » pensa-t-il. En tout cas c'était une chance que tout le monde soit mobilisé par le pauvre Tacroy. Avec un peu d'astuce, il devrait être capable de dissimuler la Déesse dans le château. Il écrirait ensuite au Dr Pawson pour lui demander ce qu'il pourrait bien faire d'elle.

Il grimpa en courant l'escalier en colimaçon et regarda la pièce pleine de poussière. Il n'avait guère amélioré l'ameublement. Elle était vide à l'exception d'un vieux tabouret, d'établis mangés par les vers et d'un brasero de fer rouillé. Quelle détresse pour une Déesse ! Christopher se mit désespérément à réciter des formules. Il apporta tous les coussins du petit boudoir. Puis il réfléchit et se dit que quelqu'un allait s'apercevoir de leur disparition. Il en renvoya la plus grande partie et fit venir des coussins du grand salon, du grand boudoir, de l'autre boudoir et du petit salon, de toutes les pièces qu'il jugeait inoccupées. Le charbon de la remise du jardinier vint remplir le brasero. Christopher invoqua le feu, si vite qu'il prit à peine le temps de remarquer que, pour une fois, il avait fait juste ce qu'il fallait. Il se souvint qu'une casserole et une vieille bouilloire traînaient près des écuries et il les fit venir. Il tira un seau d'eau à la pompe près de la porte de la cuisine. Quoi d'autre ? Du lait pour le chaton. Un bidon entier de lait apparut et il dut en verser un peu dans la casserole avant de renvoyer le bidon. L'ennui c'est qu'il ne connaissait pas l'endroit où l'on rangeait les choses dans ce château. Une théière, du thé – il n'avait aucune idée d'où ils venaient, et d'ailleurs la Déesse buvait-elle du thé ? Elle n'avait pas le choix. Quoi encore ? Oh, une tasse, une soucoupe, des assiettes. Ils les fit venir du grand vaisselier de la salle à manger. Elles étaient vraiment jolies. Elle les aimerait. Puis une cuillère, un couteau, une fourchette. Évidemment, impossible d'agir sur les couverts en argent. Christopher fit venir à grand bruit le gros tiroir de la cuisine qui contenait tous les couverts, fouilla rapidement dedans et renvoya le tout comme le bidon. Elle aurait aussi besoin de nourriture. Qu'y avait-il dans le garde-manger ?

Les sandwiches au saumon arrivèrent, soigneusement enveloppés dans une serviette blanche. Christopher avala de travers. Les sirènes. Malgré tout il les plaça avec le reste sur l'établi et jeta un rapide coup d'œil à la ronde. Le charbon commençait à rougeoyer dans le brasero, mais il manquait encore quelque chose pour que la Déesse se sente chez elle. Bien sûr, un tapis. Le joli tapis rond de la bibliothèque ferait l'affaire. Quand le tapis arriva, il se révéla être deux fois plus grand que dans son souvenir. Il dut déplacer le brasero pour faire de la place. Voilà. Parfait.

Il fila jusqu'à sa chambre. Il arriva exactement au moment où Flavian ouvrait la porte et s'apprêtait à entrer.

Christopher jeta bien vite un sort d'invisibilité le

plus puissant possible. Flavian ouvrit la porte sur le vide absolu. Au soulagement de Christopher, il s'arrêta sur le seuil.

– Hum, hum ! dit Christopher derrière lui.

Flavian fit volte-face comme si Christopher l'avait poignardé dans le dos. Christopher dit avec désinvolture et aussi fort qu'il le put :

– J'étais en train de faire quelques exercices pratiques, Flavian.

Les bruits étouffés qui venaient de la chambre cessèrent. La Déesse avait compris que Flavian était là. Il devait la faire sortir.

– Oh vraiment ? Bien, dit Flavian. Je suis désolé de t'interrompre, mais Gabriel a dit que je devais te donner une leçon maintenant parce que je ne serai pas là demain. Il veut que toute l'équipe du château aille à la poursuite des Wraith.

Tandis que Flavian parlait, Christopher utilisa un sixième sens magique qu'il ignorait posséder, et visualisa dans sa chambre la Déesse debout près de son lit, puis le chaton niché dans l'écharpe sur le lit, et se concentra pour les envoyer toutes deux dans la chambre de la tour. Il espéra que ça avait marché. Il n'avait jamais transporté d'êtres vivants auparavant et il n'était pas sûr que la procédure soit la même. Il entendit un grand souffle, comme un bruissement d'ailes, au sein de la chambre invisible, et comme c'était le même bruit qu'avait fait le bidon de lait, il sut que la Déesse s'était envolée ailleurs. Il ne lui restait plus qu'à espérer qu'elle comprendrait. Après tout, elle avait prouvé qu'elle savait se débrouiller.

Il brisa le sort d'invisibilité. La chambre était vide.

– J'aime bien être tranquille quand je travaille, dit-il à Flavian.

Flavian le regarda.

– Viens dans la salle d'étude.

Il marchèrent dans le couloir, Christopher se souvint de ce que Flavian avait dit.

– Vous allez à la poursuite des Wraith demain ?

– J'aimerais capturer leur chef, dit Flavian. Après ton départ, Mordecai a cédé et nous a livré quelques noms et adresses. Nous pensons qu'il a dit la vérité. (Il soupira.) J'espère que nous allons arrêter toute la bande, mais je n'arrive pas à me faire à l'idée que Mordecai soit l'un des leurs.

« Et maman dans tout ça ? » se demanda Christopher avec inquiétude. Il aurait aimé trouver un moyen de l'avertir, mais il n'avait pas la moindre idée de l'endroit exact de Kensington où elle vivait.

Ils atteignirent la salle d'étude. Au moment où ils entraient, Christopher réalisa que sa chambre était redevenue normale mais que la Déesse et le chaton étaient toujours invisibles. Il se creusa la tête et essaya de la visualiser dans la chambre de la tour, si elle s'y trouvait, pour la rendre visible à nouveau. Mais où qu'il l'ait envoyée, elle était à présent hors de sa portée. Il n'entendit pas un mot de ce que disait Flavian pendant au moins vingt minutes.

– Je te disais, insista Flavian, que tu sembles un peu distrait.

« Il a répété cela bien des fois », se dit Christopher. Il répondit en hâte :

– Je me demandais ce qu'il allait arriver à T..., à Mordecai Roberts maintenant.

– Il ira en prison, j'imagine, répondit tristement Flavian. Il sera enfermé pendant des années.

– Mais il vont devoir mettre les menottes à son esprit, pour l'empêcher de voyager, non ? dit Christopher.

A sa grande surprise, Flavian explosa.

– Ça, c'est bien le genre de remarque qu'un gamin imbécile, superficiel et insensible comme toi peut faire, cria-t-il. Tu es le pire de tous les garnements cruels, prétentieux et inhumains que j'ai rencontrés dans ma vie ! Parfois je me demande si tu as une âme ou s'il y a juste un gros tas de vies inutiles à l'intérieur de ton crâne !

Christopher vit le visage de Flavian, habituellement pâle, rosi par l'excitation, et essaya d'expliquer qu'il n'avait jamais voulu paraître insensible. Il avait juste voulu dire que c'était difficile de garder un rêveur en prison. Mais Flavian continua sur sa lancée. Il semblait intarissable.

– Tu as l'air de penser, hurla-t-il, que ces neuf vies te donnent le droit de te comporter comme si tu étais Celui qui a créé l'Univers ! Tu vis dans ta tour d'ivoire. Si quelqu'un a l'outrecuidance de vouloir se comporter en ami, tout ce qu'il récolte c'est un air hautain ou un regard vague quand ce n'est pas de la pure grossièreté ! Dieu sait que j'ai essayé. Gabriel a essayé. Rosalie a essayé. C'est comme les bonnes, elles disent toutes que tu ne leur as même pas accordé un regard. Et maintenant tu te permets de rire du sort de ce pauvre Mordecai ! J'en ai assez ! Tu me dégoûtes !

Christopher n'avait aucune idée de la manière dont les autres le percevaient. Il était absolument stupéfait. « Mais qu'est-ce que j'ai fait de mal ? pensa-t-il. Je suis gentil, au fond ! » Quand il était un petit garçon, tous les habitants des Ailleurs l'aimaient bien. Tout le monde lui souriait. Des gens qu'il n'avait jamais vus lui faisaient des cadeaux. Christopher comprit qu'il avait eu le tort de croire qu'il suffisait qu'on le voie pour l'aimer, mais il était évident que personne ne l'aimait. Il observa Flavian, hors d'haleine, qui le regardait fixement. Apparemment il avait profondément blessé Flavian. Il n'avait pas pensé que Flavian avait des sentiments. C'était d'autant plus grave qu'il n'avait absolument pas voulu faire une plaisanterie douteuse sur Tacroy – puisque Tacroy n'avait fait que mentir pour le protéger toute la journée. Il aimait bien Tacroy, vraiment. Le problème était qu'il n'osait pas le dire à Flavian. Et il n'osait pas lui dire non plus qu'il n'avait fait que penser à la Déesse pendant qu'il lui parlait. Alors qu'est-ce qu'il pouvait bien répondre ?

– Je suis désolé, dit-il. Sincèrement désolé. (Il était si bouleversé que sa voix en tremblait.) Je ne voulais pas vous blesser, pas cette fois en tout cas, c'est vrai.

– Bon, dit Flavian. Son visage redevint pâle. Il s'adossa à sa chaise et le regarda. C'est la première fois que je t'entends demander pardon, enfin, le demander sincèrement. Je suppose qu'on peut appeler ça un progrès. Il repoussa sa chaise et se leva. Je m'excuse d'avoir perdu mon calme, mais je ne crois pas être en état de continuer la leçon aujourd'hui. Je suis trop bouleversé. Allez file, nous rattraperons ça après-demain.

Christopher se retrouva libre, et pas très heureux de l'être. Il fallait retrouver la Déesse. Il courut à la chambre de la tour.

A son grand soulagement, elle y était, baignant dans une odeur forte de lait brûlé, assise sur des coussins de soie multicolores, nourrissant le chaton à l'aide d'un minuscule biberon de poupée. Le charbon réchauffait l'atmosphère et grâce au tapis qui recouvrait le sol de pierre, et qui portait maintenant une trace de brûlure, la chambre avait l'air très accueillante. La Déesse eut un petit rire qui n'avait rien de digne ni de divin.

– Tu as oublié de me rendre visible à nouveau ! Je n'avais jamais étudié l'invisibilité, ça m'a pris un temps fou pour briser le sort, et j'ai dû rester immobile tout le temps de peur de marcher sur Proudfoot. Merci d'avoir arrangé cette chambre. Ces tasses sont vraiment jolies.

Christopher eut le même petit rire en voyant la Déesse affublée d'une veste molletonnée et de pantalons épais. Dans ces habits, elle ressemblait à un petit garçon dodu, du genre d'Oneir, mais si on regardait ses pieds nus et ses longs cheveux, on ne savait plus très bien quoi penser.

– Tu ne ressembles pas vraiment à la Vivante Asheth ! commença-t-il.

– Non ! La Déesse bondit sur ses genoux, prenant soin de ne pas lâcher le chaton ni le biberon. Ne prononce pas ce nom ! N'y pense même pas ! Elle est moi, tu sais, autant que je suis elle, et si quelqu'un l'appelle, elle saura où je suis et enverra son Armée !

Christopher comprit qu'elle devait avoir raison, puisque, après tout, elle avait réussi à rejoindre ce monde saine et sauve.

– Alors comment veux-tu que je t'appelle ?

– Millie, dit la Déesse d'une voix ferme, comme la petite fille dans les livres qui parlent de l'école.

Il se doutait bien qu'elle aurait fini par parler de l'école. Il essaya de détourner la conversation en demandant :

– Pourquoi as-tu appelé le chaton Proudfoot ? Ce n'est pas dangereux, ça ?

– Un peu, admit la Déesse. Il a fallu que je détourne l'attention de Mère Proudfoot – elle a été très flattée – mais j'ai eu honte de la trahir. Il y a une autre bonne raison pour laquelle je l'ai nommée ainsi. Regarde.

Elle posa le biberon miniature sur le sol et appuya doucement du bout du doigt sur les minuscules coussinets roses du chaton. Ses griffes étaient roses. « La patte ressemble à une minuscule marguerite », pensa Christopher, qui se mit à genoux pour mieux voir. Puis il réalisa qu'il y avait vraiment beaucoup de griffes roses – au moins sept en réalité.

– Elle possède un pied sacré, dit la Déesse solennellement. Cela signifie qu'elle a été bénie par une Déesse dorée que nous connaissons. Quand je l'ai vu, j'ai compris que c'était le Signe que j'arriverais jusqu'ici et que j'irais à l'école.

Ils en étaient revenus au sujet favori de la Déesse. Heureusement, à cet instant une belle voix grave retentit derrière la porte :

– Wong !

– Throgmorten ! dit Christopher. (Il sauta sur ses pieds, soulagé, et alla ouvrir la porte.) Il ne va pas blesser le chaton, au moins ?

– Il n'a pas intérêt ! dit la Déesse.

Mais Throgmorten était absolument ravi de les voir tous réunis. Il courut vers la Déesse, la queue bien droite, et la Déesse, en dépit de ses paroles peu amènes – « Bonjour, vilain chat » – gratta les oreilles de Throgmorten et parut heureuse de le revoir.

Throgmorten renifla affectueusement le chaton et s'installa entre Christopher et le feu, en ronronnant comme une crécelle rouillée.

En dépit de cette interruption, il ne se passa guère de temps avant que la Déesse ne revienne à l'école.

– Tu t'es trouvé en mauvaise posture, hein, quand je t'ai enfermé dans le mur, dit-elle, avec inquiétude en mangeant un sandwich au saumon. Christopher dut détourner les yeux.

– Je sais que c'est vrai, sinon tu m'aurais dit le contraire. Quelle est cette nourriture étrange au goût de poisson ?

– Des sandwiches au saumon, dit Christopher en frissonnant, puis il lui raconta comment Gabriel avait pris sa neuvième vie, afin de penser à autre chose qu'aux sirènes.

– Sans te demander d'abord la permission ? dit la Déesse, indignée. De nous deux, tu es le plus mal parti. Dès que je serai à l'école, je trouverai un moyen de te rendre ta vie.

Christopher réalisa qu'il était temps d'expliquer à la Déesse le sens de la vie dans la Série Douze.

– Écoute, dit-il, aussi gentiment qu'il le put, je ne pense pas que tu puisses aller à l'école, en tout cas pas dans un pensionnat comme dans tes livres. Ça coûte un argent fou. Même les uniformes sont chers. Et tu n'as plus de bijoux à vendre.

A sa grande surprise, la Déesse n'eut pas l'air préoccupée.

– Mes bijoux sont presque tous en argent. Je ne pou

vais pas les apporter ici sans te nuire, fit-elle remarquer. Mais je sais comment gagner de l'argent.

Christopher se demanda comment. En exhibant ses quatre bras dans un cirque ?

– Je sais que j'en suis capable, dit la Déesse, très sûre d'elle. Le pied sacré de Proudfoot en est la preuve.

Elle avait l'air d'y croire vraiment.

– Mon idée était d'écrire au Dr Pawson, dit Christopher.

– Ça pourrait nous aider, convint la Déesse. Quand le père de la copine de Millie, Cora Hope-Fforbes, s'est brisé le cou en tombant de cheval, Cora a dû emprunter pour payer l'école. Tu vois que je connais la vie.

Christopher soupira et fit venir du papier et un crayon de la salle de classe pour écrire au Dr Pawson. Cela intrigua profondément la Déesse.

– Comment as-tu fait ça ? Est-ce que je peux apprendre moi aussi ? demanda-t-elle.

– Pourquoi pas ? dit Christopher. Gabriel a dit que tu étais manifestement une enchanteresse. La règle de base c'est de visualiser exactement la chose que tu désires et de la faire venir, elle et elle seule. Quand Flavian a commencé les leçons, je faisais venir la table et des morceaux de mur.

Ils passèrent l'heure suivante à faire venir des choses dont la Déesse avait besoin : des réserves de charbon, une caisse pour le chat, des chaussettes pour la Déesse, une couverture et plusieurs diffuseurs de parfum pour masquer l'odeur entêtante de Throgmorten. Entre deux sorts, ils réfléchissaient à la teneur de la lettre au Dr Pawson et la Déesse prenait des notes de son écriture penchée et exotique. Ils n'avaient guère avancé dans l'élaboration de la lettre quand le gong retentit au loin, signe que c'était l'heure du souper. Christopher dut convenir que la Déesse était capable de faire venir son plateau repas jusqu'à la tour.

– Mais il faut d'abord que je retourne dans la salle d'étude, lui dit-il, sinon la bonne qui apporte le plateau va se douter de quelque chose. Donne-moi cinq minutes.

Il arriva dans la salle en même temps que la bonne. Christopher se souvint des paroles de Flavian, il la regarda bien en face et lui sourit, d'abord pour éviter qu'elle ne s'aperçoive de la présence de la Déesse, mais aussi, simplement, parce qu'il en avait envie.

La bonne était manifestement ravie qu'il fasse attention à elle. Elle posa le plateau, s'accouda à la table et commença à lui faire la conversation.

– La police a emmené la vieille femme, dit-elle, il y a une bonne heure. Elle ne faisait que crier et donner des coups de pied. Moi et Sally on est allées dans le hall pour voir. C'était aussi bien qu'au théâtre !

– Et T... Mordecai Roberts ? demanda Christopher.

– On le retient pour complément d'informations, dit la bonne, il est tout couvert de sorts. Pauvre Mr Roberts, Sally dit qu'il était quasi mort de fatigue quand elle lui a apporté son dîner. Il est dans la petite pièce près de la bibliothèque. Je sais qu'il ne s'est pas bien conduit, mais j'essaye sans arrêt de trouver une excuse pour aller lui faire la causette, et lui remonter le moral. Bertha, elle, elle a pu le voir parce qu'on l'a envoyée faire son lit !

Christopher aurait voulu que la bonne s'en aille, mais il avait aussi envie d'en savoir plus.

– Mais vous connaissez Mordecai Roberts ?

– Si je le connais ! dit la bonne. Quand il travaillait au château, je vous jure bien qu'on avait toutes le béguin pour lui !

Christopher remarqua alors que le plateau commençait à trembler. Il posa résolument la main dessus.

– Vous devez admettre, dit la bonne, qui, par bonheur, ne regardait pas le plateau, que Mr Roberts est plutôt joli garçon, et bien aimable, en plus ! Je ne veux pas donner de noms, mais je connais pas mal de filles qui ont fait des petits détours exprès pour se cogner à Mr Roberts dans les couloirs. Les idiotes ! Tout le monde savait bien qu'il n'avait d'yeux que pour miss Rosalie !

– Miss Rosalie ! s'exclama Christopher, de plus en plus intéressé.

Il pesa de tout son poids sur le plateau. La Déesse devait penser qu'elle ne se concentrait pas suffisamment et redoublait d'efforts.

– Oh, oui. C'est Mr Roberts qui a appris à miss Rosalie à jouer au cricket, dit la bonne. Mais, je ne sais pas pourquoi, ils en sont restés là. On a dit que c'était à cause d'elle qu'on avait envoyé Mr Roberts travailler là-bas à Londres. Elle lui a joué un mauvais tour, cette miss Rosalie.

Puis, au grand soulagement de Christopher, elle ajouta :

– Mais je crois qu'il vaudrait mieux que je vous laisse manger votre dîner avant qu'il soit froid.

– Oui, dit Christopher avec soulagement, en

appuyant de toutes ses forces sur le plateau et en essayant désespérément de ne pas avoir l'air mal élevé.

– Euh, si vous voyez Tac… Mr Roberts, transmettez-lui mes amitiés. Nous nous sommes vus à Londres une fois.

– Comptez sur moi, dit la bonne chaleureusement et elle partit enfin. Christopher n'aurait pas pu tenir plus longtemps. Le plateau lui jaillit des mains et disparut. Un grand morceau de la table partit avec. Christopher retourna dans la tour.

– Espèce d'idiote ! dit-il en ouvrant la porte.

La Déesse lui montrait les deux tiers du petit bureau en équilibre sur l'établi. Tous les deux hurlèrent de rire.

« Ça c'est une réussite », pensa Christopher quand il eut retrouvé suffisamment ses esprits pour partager son souper avec la Déesse et Throgmorten. Une personne comme elle, dotée des mêmes pouvoirs que lui, pouvait devenir une amie. Il eut le sentiment que c'était la raison pour laquelle il était retourné si souvent au Temple d'Asheth. Mais depuis que la bonne lui avait parlé de Tacroy, Christopher ne cessait de penser à lui. Tout en parlant et en riant avec la Déesse, il pouvait sentir la présence de Tacroy quelque part au rez-de-chaussée, à l'autre extrémité du château, et les sorts qui le retenaient prisonnier, qui étaient manifestement difficiles à supporter. Il pouvait sentir aussi que Tacroy avait perdu tout espoir.

– Voudrais-tu m'aider à faire quelque chose ? demanda-t-il à la Déesse. Je sais que moi je ne t'ai pas aidé mais…

– Mais si, tu m'as aidée ! dit la Déesse. Tu m'aides en ce moment, je te dérange et tu ne te plains même pas.

– Un de mes amis est prisonnier au rez-de-chaussée, dit Christopher. Je pense que nous ne serons pas trop de deux pour briser les sorts et l'aider à s'évader.

– D'accord, dit la Déesse.

Elle avait répondu avec une telle spontanéité que Christopher se sentit obligé de lui dire pourquoi Tacroy était ici. S'il la laissait l'aider sans lui dire la vérité, il serait aussi méchant que l'oncle Ralph.

– Attends, dit-il, il faut que je te dise que je suis aussi coupable que lui.

Et il lui raconta tout, les Wraith, les expériences de l'oncle Ralph, et même les sirènes – absolument tout.

– Flûte ! dit la Déesse. C'était un mot qu'elle avait dû lire dans une de ses histoires de Millie. On peut dire que tu as de sacrés ennuis ! Alors Throgmorten a griffé ton oncle ? Le brave chat !

Elle était d'avis d'aller au secours de Tacroy sur-le-champ. Christopher dut la retenir par le pan de sa veste molletonnée.

– Non, attends ! dit-il. Ils vont partir demain pour arrêter le reste de la bande des Wraith. On pourra libérer Tacroy quand ils seront absents. Et s'ils attrapent mon oncle, Gabriel sera si content que ça lui sera égal que Tacroy ait disparu.

La Déesse consentit à attendre jusqu'au matin. Christopher fit venir pour elle une paire de pyjama et lui laissa les sandwiches pour qu'elle les mange avant de se coucher. Mais, se souvenant qu'elle l'avait trahi une fois, il prit soin de sceller la porte derrière lui en utilisant la formule la plus puissante qu'il connaisse.

Il fut réveillé le lendemain matin par un bidon de lait qui atterrit au pied de son lit. Le bidon fut suivi par les restes du bureau de la salle d'étude. Christopher les renvoya d'où ils venaient et courut vers la tour en finissant de s'habiller. Apparemment la Déesse s'impatientait. Elle était déjà levée et fixait une pile de tartines et un gros jambon.

– J'ai oublié comment on fait pour renvoyer les choses d'où elles viennent, avoua-t-elle. J'ai mis ce sachet de thé dans la bouilloire, mais ça a un drôle de goût. Qu'est-ce que j'ai fait de travers ?

Christopher lui vint en aide de son mieux et partit dans la salle d'étude prendre son petit déjeuner. La bonne était déjà là, avec un plateau, l'air perplexe. Christopher lui adressa un sourire gêné. Elle lui fit un large sourire et un signe de tête en direction de la table.

– Oh, dit-il. Euh, je...

– Allez, mets-toi à table, dit-elle. C'est bien toi qu'as fait disparaître les tasses anciennes qui étaient dans la salle à manger, pas vrai ? J'ai dit au majordome que tu rembourserais.

– Oui, oui, dit Christopher qui savait qu'en ce moment même la Déesse buvait du thé tout chaud dans une des tasses en question. Je les remettrai en place. Elles ne sont pas cassées.

– J'espère bien, dit la bonne. Elles valent une petite fortune, ces tasses. Maintenant ce serait gentil que tu répares la table comme ça je pourrai mettre le plateau dessus, et fais vite parce que je vais tout lâcher.

Tandis que Christopher redonnait à la table sa forme d'origine, elle fit remarquer :

– Alors comme ça on s'est aperçu qu'on avait des petits talents ? Ce matin, des tas de choses volaient dans les airs un peu partout. Si tu veux mon avis, tu as intérêt à tout remettre en place avant 10 heures. Quand monsieur de Witt et les autres seront partis attraper les voleurs, le majordome va faire des rondes dans tout le château.

Elle s'installa, mangea des tartines de confiture et fit remarquer qu'elle avait pris son petit déjeuner deux heures avant. Elle s'appelait Erica. C'était une fille bien gentille et, surtout, une précieuse source d'information. Christopher se dit qu'il n'aurait jamais dû apprendre à la Déesse à faire venir les choses dont elle avait besoin. A ce train-là, on ne tarderait pas à la découvrir. Après le départ d'Erica, Christopher, qui avait tout le loisir de réfléchir au problème, eut soudain l'idée qu'il pouvait faire d'une pierre deux coups. Il suffisait de demander à Tacroy d'emmener la Déesse avec lui. Il fallait libérer Tacroy sans perdre une minute.

Chapitre 18

Gabriel de Witt et ses assistants partirent à 10 heures précises. Tout le monde se retrouva dans le hall, autour de l'étoile à cinq branches, certains portaient des serviettes de cuir, d'autres des vêtements de sport. La plupart des valets de pied et deux aides-palefreniers les accompagnaient. Tous avaient l'air calme et déterminé, sauf Flavian qui, pour une fois, avait l'air très nerveux. Il ne cessait de passer ses doigts sous son col empesé. Christopher pouvait voir depuis le haut des escaliers qu'il était en sueur.

Christopher et la Déesse les observèrent, derrière la balustrade de marbre, près de la porte noire du bureau de Gabriel. Ils étaient nichés au cœur d'un nuage d'invisibilité soigneusement opaque, qui les dissimulait complètement tous deux, contrairement à Throgmorten qui trottinait à leurs pieds car il avait refusé d'y entrer avec eux, mais rien au monde ne l'aurait dissuadé de les suivre.

– Laisse-le, dit la Déesse. Il sait ce qu'il risque s'il nous fait repérer.

Quand l'horloge de la bibliothèque sonna 10 heures de sa voix argentine, Gabriel sortit de son bureau et descendit majestueusement les escaliers, coiffé d'un chapeau plus haut et plus luisant que celui de papa. Throgmorten, au grand soulagement de Christopher, ne lui prêta aucune attention. Mais une grande bouffée de remords monta en lui quand il pensa à maman. Elle allait certainement être arrêtée, alors que son seul tort était d'avoir cru les mensonges de l'oncle Ralph.

Gabriel atteignit le hall et vérifia que ses troupes étaient au complet. Quand il vit qu'il ne manquait personne, il enfila une paire de gants noirs et pénétra au centre de l'étoile à cinq branches. Il continua à marcher et se mit à rapetisser à mesure qu'il s'éloignait. Miss Rosalie et le Dr Simonson le suivirent et se mirent également à rétrécir. Les autres suivirent deux par deux. Quand ils ne furent plus qu'une minuscule ligne noire, Christopher dit :

– Je crois que nous pouvons y aller, maintenant.

Ils se glissèrent dans l'escalier, toujours cachés dans leur nuage. Ils n'avaient pas descendu trois marches, que Gabriel et ses troupes disparurent. Ils accélérèrent le pas. Mais, alors qu'ils étaient à mi-chemin, les choses commencèrent à se gâter. Des flammes apparurent et léchèrent toute la surface de l'étoile. Elles avaient une couleur perverse, pourpre avec des reflets verts, et le hall se remplit d'une fumée verte à l'odeur écœurante.

– Qu'est-ce que c'est ? dit la Déesse en toussant.

– Ils se servent du sang de dragon, dit Christopher.

Il essayait de parler d'une voix rassurante mais il regardait les flammes avec inquiétude.

Soudain, cinq langues de flammes de cinq ou six mètres de haut jaillirent du pentacle. Les cheveux invisibles de la Déesse grésillèrent. Avant qu'ils aient pu remonter les escaliers et se mettre à l'abri, les flammes avaient décru et retombaient majestueusement de chaque côté. Miss Rosalie sortit de la faille en titubant et en tenant Flavian par un bras. Puis vint le Dr Simonson traînant hors du château une sorcière qui hurlait – « ce doit être Beryl », se dit Christopher. Il était figé sur place, contemplant l'armée de Gabriel en déroute. Roussis par les flammes, l'air piteux et le pas mal assuré, tous ceux qui venaient de sortir tentèrent de revenir près du pentacle mais durent battre en retraite vers l'extrémité du hall, en se couvrant le visage de leurs bras repliés, suffoqués par la fumée verte.

Christopher regarda de son mieux, mais il ne vit nulle part Gabriel de Witt.

Dès que Frederick Parkinson et le dernier valet de pied sortirent en trébuchant, les flammes faiblirent puis moururent. Le dôme et le marbre rose de l'escalier étaient maculés de vert. Le pentagramme ouvert sur le néant se couvrit de flammes chatoyantes. Oncle Ralph sortit prudemment des flammes. Il portait un long fusil sous un bras et tenait à la main quelque chose qui ressemblait à un sac. Il rappelait à Christopher ses oncles Chant qui partaient chasser dans les champs après la moisson. C'était probablement à cause des vêtements de tweed froissés de l'oncle Ralph. Il se dit avec tristesse qu'il était dommage qu'il ait été aussi naïf quand il avait fait la connaissance de l'oncle Ralph. Il avait l'air rusé comme un renard. Christopher se dit qu'à présent il n'éprouverait aucune admiration pour quelqu'un comme l'oncle Ralph.

– Tu veux que je l'assomme avec un évier en marbre ? chuchota la Déesse.

– Attention... je crois qu'il a aussi des pouvoirs magiques, répondit Christopher tout bas.

– Christopher ! hurla oncle Ralph. Sa voix résonna sous le dôme taché de vert. Christopher ! Où te caches-tu ? Je sens que tu n'es pas loin ! Montre-toi ou tu le regretteras !

A regret, Christopher fendit le nuage d'invisibilité et descendit jusqu'au milieu de l'escalier.

– Qu'est-il arrivé à Gabriel de Witt ? dit-il.

Oncle Ralph se mit à rire.

– Regarde-le.

Il lança le sac qu'il portait, qui tomba au pied de l'escalier et s'ouvrit. Christopher baissa les yeux et regarda quelque chose qui ressemblait au Tacroy d'autrefois. Il vit une forme longue, molle et transparente qui était sans doute possible Gabriel de Witt.

– C'est sa huitième vie, dit oncle Ralph. J'ai fait ça avec les armes que tu m'as rapportées de la Série Un, Christopher. Celle-ci fonctionne très bien aussi. (Il cala son arme sous son aisselle.) J'ai dispersé toutes ses autres vies aux quatre coins des Mondes Parallèles. Il ne pourra plus nous nuire. Et les autres armes que tu m'as rapportées marchent encore mieux. (Il frisa sa moustache d'un air satisfait et fit un grand sourire à Christopher.) J'étais armé et prêt à recevoir de Witt et ses acolytes et je les ai dépouillés de leur magie en un clin d'œil. Aucun d'eux n'est en état de jeter un sort pour sauver sa vie. Alors plus rien ne nous empêche de travailler ensemble comme au bon vieux temps. Tu travailles toujours pour moi, n'est-ce pas, Christopher ?

– Non, dit Christopher qui s'attendait d'une seconde à l'autre à ce que les vies qui lui restaient soient pulvérisées.

L'oncle Ralph se contenta de rire.

– Mais si, mon pauvre garçon. Tu es démasqué. Tous ces gens que tu vois là savent bien maintenant que tu étais mon principal fournisseur. Soit tu travailles avec moi, soit tu vas en prison – quant à moi, je m'installe dans ce château avec toi pour m'assurer que tu te conduiras correctement.

Derrière Christopher un long cri plaintif se fit entendre. Un éclair orangé fila au bas des escaliers. Oncle Ralph regarda, comprit le danger et esquissa le geste d'épauler son fusil. Mais Throgmorten était déjà sur lui. Oncle Ralph comprit qu'il n'aurait pas le temps de tirer et choisit prudemment de disparaître dans un tourbillon de vapeur verte. Tout ce que Throgmorten put récolter fut un triangle de tweed taché de sang. Dépité, il fit le gros dos face au pentacle noir et cracha de rage.

Christopher descendit les escaliers en courant.

– Fermez toutes les portes ! cria-t-il aux gens du château, qui le regardaient, paralysés par la surprise. Ne laissez pas Throgmorten sortir du hall ! Je veux qu'il monte la garde pour empêcher l'oncle Ralph de revenir.

– Ne sois pas stupide ! cria la Déesse qui le suivait en courant, bien visible à présent. Throgmorten est un chat sacré – il comprend la langue des humains. Tu n'as qu'à lui demander !

Christopher se dit qu'il aurait préféré le savoir avant. Puisqu'il était trop tard pour changer quoi que ce soit, il s'agenouilla sur le sol verdâtre et souillé et parla à Throgmorten.

– Pourrais-tu, s'il te plaît, garder ce pentacle et veiller à ce que l'oncle Ralph ne revienne pas ? Tu te souviens que l'oncle Ralph voulait te couper en morceaux ? Eh bien, si jamais il pointe son nez tu n'as qu'à le couper, lui, en morceaux !

– Wong !

Throgmorten était d'accord et agita la queue avec enthousiasme. Il s'assit à l'extrémité d'une des branches de l'étoile et regarda fixement, comme s'il guettait un trou de souris géant. Ce chat était malin jusqu'au bout des griffes. Il était clair que l'oncle Ralph n'échapperait pas à Throgmorten, même en faisant vite. Christopher se releva et vit que les hommes de Gabriel, désemparés, avaient fait cercle autour d'eux. Ils regardaient tous la Déesse.

– Je vous présente mon amie la D... Millie, dit-il.

– Ravi de faire votre connaissance, dit Flavian d'un air triste.

Le Dr Simonson écarta Flavian.

– Qu'est-ce que nous allons faire, maintenant ? dit-il. Gabriel est parti et nous avons ce garnement sur les bras – qui s'est révélé être un petit escroc, ce que j'avais toujours soupçonné – et nous avons perdu nos pouvoirs ! Moi je serais d'avis que...

– Nous devons informer le Ministre, dit Mr Wilkinson, le bibliothécaire.

– Attendez un peu, conseilla miss Rosalie. Le Ministre n'est qu'un magicien de second ordre, et Christopher a bien dit qu'il ne travaillait plus pour les Wraith.

– Cet enfant dit n'importe quoi, affirma le Dr Simonson.

Comme à leur habitude, ils se comportaient comme si Christopher n'était pas là. Il fit signe à la Déesse et s'éloigna de la foule massée autour de miss Rosalie qui avait pris la parole.

– Qu'est-ce qu'on va faire ? demanda la Déesse.

– On va sortir Tacroy de ce mauvais pas avant qu'ils essaient de nous en empêcher, répondit Christopher. Ensuite, je ferai le nécessaire pour que Throgmorten attrape oncle Ralph, même si c'est la dernière chose que je fais.

Ils trouvèrent Tacroy assis à une table dans une petite pièce vide, l'air abattu. Le lit de camp dans un angle était dans un tel état qu'on pouvait en conclure que Tacroy n'avait pas fermé l'œil de la nuit. La porte de la chambre était entrouverte et, à première vue, on ne comprenait pas pourquoi Tacroy n'essayait pas de sortir. Mais Christopher se souvenait de ce que la Déesse lui avait expliqué à propos de la vision magique. Il lui suffisait de regarder la pièce d'une manière particulière, comme il regardait le Passage, pour comprendre pourquoi Tacroy ne bougeait pas. Des filaments magiques et invisibles étaient tendus en travers de la porte. Ils recouvraient aussi le plancher jusqu'à mi-jambe. Tacroy lui-même était au cœur d'une masse compacte de filaments ensorcelés, noués très serrés, tout particulièrement autour de sa tête.

– Tu n'avais pas tort de dire que nous ne serions pas trop de deux, dit la Déesse. Tu t'occupes de lui, moi je vais chercher un balai et je m'occuperai du reste.

Christopher arracha les filaments qui bloquaient la

porte et marcha péniblement jusqu'à Tacroy qui ne leva pas les yeux. Peut-être ne pouvait-il ni voir ni entendre Christopher qui s'était mis à dénouer doucement les sorts, tout à fait comme on défait les nœuds d'une ficelle autour d'un paquet. C'était un travail si lassant et si minutieux qu'il se mit à parler à Tacroy pour se distraire tout en travaillant. Il parla tout le temps, en l'absence de la Déesse. Tout naturellement, il lui parla du match de cricket.

– Tu as fait exprès de le manquer, n'est-ce pas ? dit-il. Tu avais peur que je te dénonce ? Tacroy fit mine de ne pas avoir entendu, mais quand Christopher lui raconta comment miss Rosalie avait manié sa batte et à quel point Flavian avait été nul, il vit le visage fatigué et crispé se détendre peu à peu et il redevint le Tacroy que Christopher avait rencontré dans le Passage.

– Je voulais te remercier de tout ce que tu m'as appris, on a gagné au bout de deux sets, disait Christopher quand la Déesse réapparut avec le balai que miss Rosalie utilisait pour chasser Throgmorten.

Elle se mit à balayer les sorts et à en faire de petits tas, comme si c'était des toiles d'araignée.

Tacroy esquissa un sourire. Christopher lui dit qui était la Déesse et raconta ce qui venait d'arriver dans le hall. Le sourire disparut et son visage s'assombrit. Il dit nerveusement :

– Alors, si je comprends bien, j'ai perdu mon temps en essayant de te tenir à l'écart de tout ça ?

– Pas vraiment, dit Christopher, qui s'efforçait de dénouer un sort juste au-dessus de l'oreille gauche de Tacroy.

Les traits de Tacroy se crispèrent de nouveau.

– Ne t'imagine pas que je suis une espèce de preux chevalier, dit-il. Je savais plus ou moins ce que contenaient les paquets.

– C'étaient les sirènes ? demanda Christopher – question la plus importante qu'il ait jamais posée.

– Oui mais je ne l'ai pas su tout de suite, avoua Tacroy. Et tu remarqueras que je n'ai pas arrêté pour autant. A l'époque où j'ai fait ta connaissance, j'aurais été capable de te dénoncer sans remords à Gabriel de Witt. Mais tu n'étais qu'un petit garçon. Et je savais que Gabriel avait posé une espèce de piège dans la Série Dix, là où tu as perdu une vie. Seulement je ne savais pas que tu en mourrais. Et....

– La ferme, Tacroy, dit Christopher.

– Tacroy ? dit Tacroy. C'est ça mon nom spirituel ?

Quand Christopher acquiesça, en s'efforçant de venir à bout du nœud, Tacroy murmura : « Voilà au moins quelque chose qu'ils ignorent ». Puis la Déesse, qui avait terminé le ménage, s'approcha de lui et, les deux mains posées sur son balai, examina son visage. Tandis que Christopher continuait son travail, il lui dit :

– Eh bien, jeune demoiselle, que pensez-vous de moi ?

La Déesse hocha la tête.

– Je pense que vous êtes comme Christopher et moi. Une part de vous est ailleurs.

Le visage de Tacroy devint tout à coup très rouge. Christopher sentit qu'il transpirait. Très étonné, il demanda :

– Mais où est cette part de toi ?

Tacroy leva vers lui des yeux implorants.

– Dans la Série Onze – ne me demande rien d'autre ! Ne demande rien, surtout ! dit-il. Je suis ensorcelé. Je vais être obligé de tout dire et c'est contagieux !

Il avait l'air si désespéré que Christopher décida de ne plus poser de questions – mais il ne put s'empêcher d'échanger un regard avec la Déesse – puis il travailla jusqu'à ce qu'il ait défait le dernier nœud. C'était le nœud clé. Les filaments lâchèrent d'un seul coup et tombèrent à côté des belles bottes de Tacroy, qui se leva d'un bond et s'étira.

– Merci, dit-il. Ça fait du bien ! Tu ne peux pas imaginer à quel point c'est humiliant de se sentir enroulé dans une espèce de filet à provisions ! Qu'est-ce qu'on fait, maintenant ?

– On court ! dit Christopher. Veux-tu que je brise les sorts qui entourent le parc ?

Tacroy resta les bras en l'air.

– Hé, maintenant c'est toi qui la fermes ! dit-il. Si j'ai bien compris ce que tu as dit, à part vous deux, jeunes gens, et moi il n'y a plus personne dans ce château qui ait le moindre pouvoir magique et ton oncle peut revenir d'un instant à l'autre. Et tu veux que je prenne le risque de sortir d'ici ?

– Heuh..., dit Christopher.

A ce moment-là, miss Rosalie entra accompagnée du Dr Simonson et suivie par la plus grande partie de l'équipe de Gabriel.

– Comment, Mordecai ! dit-elle avec ironie. T'aurais-je par hasard entendu faire preuve d'un noble sentiment ?

Tacroy baissa les bras et les croisa.

– C'était simplement une façon de parler, dit-il. Tu me connais, Rosalie. Es-tu venue pour m'ensorceler à nouveau ? Je vois mal comment tu vas t'y prendre, sans pouvoirs magiques, mais ne te prive pas d'essayer.

Miss Rosalie se dressa de toute sa hauteur, soit un peu plus d'un mètre cinquante.

– Je n'étais pas venue ici pour te voir, dit-elle. Nous cherchions Christopher. Christopher, nous sommes dans l'obligation de te demander de devenir le Chrestomanci. Ce n'est que provisoire. Le gouvernement finira sans doute par nommer un autre enchanteur mais nous traversons une crise si grave que nous avons besoin de toi. Crois-tu que tu sauras, mon chéri ?

Ils regardaient tous Christopher d'un air implorant, même le Dr Simonson. Christopher avait envie de rire.

– Vous saviez que j'accepterais, dit-il. Mais à deux conditions. Je veux que Mordecai Roberts soit libre et qu'il le reste. Et je veux que la D... que Millie soit mon bras droit et qu'elle soit récompensée en étant envoyée dans un pensionnat.

– Tout ce que tu voudras, mon chéri, dit miss Rosalie aussitôt.

– Bon, dit Christopher. Maintenant retournons dans le hall.

Dans le hall, les gens, l'air triste, étaient rassemblés sous le dôme maculé de vert. Le majordome était là, ainsi que deux hommes coiffés d'une toque de cuisinier, la gouvernante et la plupart des bonnes et des valets de pied.

– Dites-leur d'aller chercher les jardiniers et des garçons d'écurie, dit Christopher, puis il se dirigea vers l'étoile à cinq branches où Throgmorten montait la garde.

Il plissa les yeux et utilisa de son mieux la vision magique. Il aperçut un minuscule trou rond au centre de l'étoile – comme un trou de souris fantôme – que Throgmorten ne quittait pas des yeux. Les pouvoirs de Throgmorten étaient vraiment impressionnants. Throgmorten serait trop content si l'oncle Ralph revenait.

– Comment peut-on empêcher quelqu'un de sortir par là ? demanda Christopher.

Tacroy courut vers un placard sous l'escalier et revint les bras chargés de bougies bizarres plantées dans des bougeoirs en forme d'étoile. Il montra à Christopher et à la Déesse où les placer puis leur indiqua la bonne formule. Enfin, il fit reculer Christopher et ordonna aux bougies de s'allumer. Christopher comprit que Tacroy était, entre autres choses, un magicien expérimenté. Quand les bougies s'allumèrent, la queue de Throgmorten s'agita nerveusement.

– Ce chat a raison, dit Tacroy. Ceci suffirait à arrêter la plupart des gens mais si l'on pense à la quantité de sang de dragon que votre oncle a en réserve, il peut forcer le passage quand il le veut.

– Eh bien, nous l'attraperons, dit Christopher.

Il savait bien ce qu'il ferait lui-même, sachant que Throgmorten était à l'affût, et il était absolument sûr que l'oncle Ralph ferait la même chose. Il avait le sentiment que leurs deux têtes fonctionnaient de la même manière. Si son intuition était bonne, l'oncle Ralph aurait besoin d'un peu de temps pour se préparer.

Une foule de gens avait entre-temps pénétré dans le hall par la grande porte d'entrée ; ils arrachèrent leur couvre-chefs et époussetèrent maladroitement leurs bottes poussiéreuses. Christopher monta quelques marches et regarda tout ce qui restait de Gabriel de Witt, cette longue chose molle, et tous les visages, angoissés et découragés, éclairés par la lumière verdâtre qui descendait du dôme ainsi que par les flammes des bougies. Il sut exactement ce qu'il fallait dire et s'aperçut, à sa grande surprise, qu'il s'amusait énormément. Il cria :

– Tout ceux qui savent faire de la magie, levez la main !

Les jardiniers levèrent presque tous la main, ainsi que deux valets d'écurie. Quand il regarda les gens qui travaillaient dans le château, il vit que le majordome et un des cuisiniers avaient levé la main. Il y avait aussi le petit cireur qui avait marqué les points au match et trois bonnes, dont Erica. La main de Tacroy était levée, comme celle de la Déesse. Tous les autres, l'air lugubre, avaient les yeux rivés au sol. Christopher hurla :

– Maintenant, que tous ceux qui savent travailler le bois ou le métal lèvent la main !

Un bon nombre de gens levèrent tristement la main, l'air surpris. Le Dr Simonson faisait partie du lot, ainsi que Flavian. Tous les gens de l'écurie levèrent la main, comme les jardiniers. Bon. Maintenant il leur fallait quelques mots d'encouragement.

– Bien, dit Christopher. Nous devons faire deux choses. Nous devons empêcher mon oncle d'entrer ici avant que nous soyons prêts à l'attraper. Et nous devons ramener Gabriel de Witt.

En entendant le dernier point, tous murmurèrent,

d'abord incrédules, puis pleins d'espoir. Christopher sut qu'il avait eu raison de parler ainsi, même s'il ignorait comment faire ; de son point de vue, Gabriel pouvait bien rester en huit morceaux pour tout le temps qu'il leur restait à vivre tous deux. Il s'aperçut qu'il s'amusait plus que jamais.

– Oui, c'est bien ce que j'ai dit, annonça-t-il. Mon oncle n'a pas tué Gabriel. Il a seulement éparpillé ses vies. Nous devons les retrouver et les réunir. Mais d'abord…

Il leva les yeux vers le dôme vert et examina le lustre qui pendait au bout d'une longue chaîne.

– Je veux que vous construisiez quelque chose qui ressemble à une cage à oiseau, assez grande pour recouvrir le pentacle, et que vous la suspendiez là-haut, de manière qu'on puisse par magie la faire descendre sur tout ce qui essaierait d'entrer. Il désigna le Dr Simonson.

– Vous dirigerez les travaux. Prenez avec vous tous ceux qui savent travailler le bois ou le métal, mais assurez-vous qu'ils savent aussi faire de la magie. Je veux que la cage soit ensorcelée afin que personne ne puisse en sortir.

La barbe du Dr Simonson se dressa fièrement. Il s'inclina d'un air légèrement moqueur.

– Ce sera fait.

Christopher se dit que c'était bien fait pour lui. Il se comportait d'une telle manière que la Dernière Gouvernante aurait dit qu'il avait la grosse tête. Mais il trouva qu'il obtenait de bien meilleurs résultats quand il était dans cet état d'exaltation. Et il éprouva de la rancune envers la Dernière Gouvernante.

– Avant de commencer à construire la cage, dit-il, il faut renforcer les sorts qui entourent le parc, car mon oncle risque d'entrer par là avec la bande des Wraith. Je veux que tout le monde sauf T… Mordecai et la D… Millie aillent près des barrières, des murs et des haies et jettent tous les sorts qu'ils connaissent pour empêcher tout le monde d'entrer.

Les spectateurs eurent l'air déconcerté. Jardiniers et femmes de chambre se regardèrent d'un air dubitatif. Un des jardiniers leva la main et dit :

– Je suis McLintock, jardinier en chef. Je ne remets pas en cause vos capacités, mon garçon, je souhaiterais juste insister sur un point : notre spécialité est de faire pousser des choses, nous avons tous les pouces verts mais nous n'avons guère d'expérience en matière de défense.

– Mais vous pourrez faire pousser des cactus, des buissons couverts de longues épines et des orties de trois mètres de haut, n'est-ce pas ? dit Christopher.

Mr McLintock acquiesça avec un sourire rusé.

– Certes. Même des chardons et du sumac vénéneux.

Cet échange de propos décida le cuisinier à lever la main.

– Je suis français, dit-il. Et je ne sais donc faire que la cuisine. Ma magie est d'ordre strictement gastronomique.

– Je parie que vous sauriez inverser la vapeur, dit Christopher. Allez donc empoisonner les murs. Si vous n'y arrivez pas, accrochez-y des steaks pourris et des soufflés moisis.

– Mais je n'ai jamais fait ça depuis la fin de mes études… s'indigna le cuisinier. Puis il sembla soudain se souvenir de quelque chose. Il prit l'air pensif, et afficha un large sourire. Je vais essayer, conclut-il.

Erica leva la main à son tour.

– S'il vous plaît, dit-elle, moi, Sally et Bertha on peut faire des petites choses, comme charmer, ensorceler, et tout ça…

– Alors n'hésitez pas, toutes autant que vous êtes. Après tout, les petits ruisseaux font les grandes rivières, dit Christopher qui aimait beaucoup ce dicton.

Il croisa le regard de la Déesse.

– Si vous êtes à court de formules, consultez mon assistante, Millie. Elle est pleine de bonnes idées.

La Déesse sourit. Le petit cireur aussi. Il avait l'air décidé et impatient de mettre en pratique de grandes idées. Christopher regarda avec satisfaction le petit cireur sortir d'un air martial avec les jardiniers, le cuisinier et les bonnes.

Il fit signe à Flavian.

– Flavian, il y a des tas de choses en matière de magie que j'ignore. Voudriez-vous rester à mes côtés et me les apprendre au fur et à mesure que les problèmes surgiront ?

– Eh bien, je…

Flavian jeta un coup d'œil gêné à Mordecai appuyé sur la rampe un peu au-dessous de Christopher.

– Mordecai ferait aussi bien l'affaire.

– Oui, mais je vais avoir besoin de lui : il faudra qu'il entre en transe pour chercher les vies de Gabriel, dit Christopher.

– Vraiment ? dit Tacroy. Et Gabriel, quand il me verra , en pleurera des larmes de joie, c'est ça ?

– J'irai avec toi, dit Christopher.

– Comme dans le bon vieux temps, dit Tacroy. Gabriel va éclater en sanglots quand il te verra toi aussi. Ah l'amour… (Ses yeux se posèrent sur miss Rosalie.) Si seulement ma jeune dame pouvait jouer de la harpe pour moi…

– Ne dites pas d'absurdités, Mordecai, dit miss Rosalie. Vous aurez tout ce dont vous avez besoin. Que veux-tu que nous fassions, Christopher ? Mr Wilkinson et moi ne connaissons rien au travail du bois, non plus que Beryl et Yolande.

– Vous serez mes conseillers, dit Christopher.

Chapitre 19

Les vingt-quatre heures qui suivirent furent les plus actives de la vie de Christopher. On tint un conseil de guerre dans le bureau crépusculaire de Gabriel, et Christopher découvrit que certains panneaux pivotaient et donnaient sur les pièces voisines. Il demanda qu'on pousse contre les murs les tables et les machines à écrire et transforma le bureau en quartier général. La pièce devint beaucoup plus lumineuse, plus bruyante, et diverses opérations furent envisagées.

Ils expliquèrent tous à Christopher qu'il y avait divers moyens de deviner si une personne vivante se trouvait dans un monde donné. Mr Wilkinson avait toute une liste de méthodes. Il fut décidé qu'ils les utiliseraient pour limiter les recherches de Tacroy. On les étudia une à une, mais comme personne n'était sûr que les vies de Gabriel seraient aussi aisément repérables qu'un individu complet, ils comprirent qu'il faudrait utiliser des formules extrêmement efficaces. Il s'avéra que, Christopher mis à part, seule la Déesse possédait une magie assez puissante pour effectuer des repérages dans toutes les Séries. Les autres les regardaient faire. La pièce fut bientôt remplie de spectateurs passionnés qui regardaient dans des boules de cristal, des flaques de mercure ou d'encre, et des linges imbibés de cristaux liquides, tandis que la Déesse s'efforçait de réciter des bonnes formules et copiait un mode d'emploi, de son écriture exotique, afin que tous puissent observer la suite des opérations.

Miss Rosalie demanda durant le conseil de guerre qu'on envisage la possibilité d'avertir le Ministère, mais aucune décision ne fut prise, car Christopher devait sans cesse aller surveiller la bonne marche des opérations. Le Dr Simonson lui demanda de descendre dans le hall pour donner ses instructions concernant la construction de la cage à oiseau. Il prenait les choses beaucoup plus à cœur que Christopher l'avait prévu.

– Ceci n'est guère déontologique, dit-il, mais, après tout quelle importance si nous parvenons à attraper notre homme ?

Christopher s'apprêtait à remonter quand le majordome vint lui dire qu'ils en avaient fini avec le parc : Maître Christopher pourrait-il venir donner son avis ? Christopher alla voir et en fut ravi. La grande porte et les portes adjacentes étaient recouvertes de maléfices et dégoulinaient de poison. Les murs étaient tapissés de ronces portant des épines de quinze centimètres de long, et les haies rappelèrent à Christopher le château de la Belle au Bois Dormant, tant elles étaient hautes et hérissées d'épines, d'orties et d'herbes vénéneuses. Des chardons hauts de trois mètres et des cactus géants renforçaient les barrières.

Le petit cireur, qui avait bourré de pièges le moindre interstice, lui démontra qu'à tel endroit un intrus serait changé en chenille, dans tel autre il serait englouti dans un puits sans fond, ailleurs encore il serait la proie d'un homard géant. En tout il avait posé dix-neuf pièges, tous plus dangereux les uns que les autres. Christopher courut au château en se disant que, s'ils parvenaient à ramener Gabriel, il lui faudrait demander une promotion pour le petit cireur. Il gâchait ses compétences en ne s'occupant que de chaussures.

De retour au quartier général, il ordonna qu'on déploie une série de miroirs magiques afin de pouvoir observer les différents points clés et de savoir immédiatement s'ils étaient attaqués sur tel ou tel flanc. Flavian lui montrait comment réciter les formules inscrites au dos des miroirs pour qu'ils fonctionnent quand la gouvernante les interrompit :

– Maître Christopher, ce château ne peut soutenir un siège. Comment pourrais-je être ravitaillée en viande, en pain et en lait ? Il y a tant de bouches à nourrir, ici.

Christopher demanda qu'on lui communique le planning des livraisons afin que la Déesse et lui puissent leur faire traverser les murs en temps voulu. La Déesse le punaisa à côté des tours de garde pour les miroirs, des formules et des équipes de surveillance si bien que le mur fut bientôt couvert de listes de toutes sortes.

Au beau milieu de tout cela, deux dames nommées Yolande et Beryl (que Christopher ne parvenait pas à différencier) s'assirent devant les machines à écrire et commencèrent à taper avec frénésie.

– Il est possible que nous ne soyons plus des sorcières, dit Beryl (à moins que ce soit Yolande), mais cela ne nous empêche pas d'accomplir notre travail quotidien. Nous sommes en mesure de donner suite aux requêtes urgentes et de fournir des informations

Elles ne tardèrent pas à faire appel à Christopher.

– Le problème, avoua Yolande (à moins que ce ne soit Beryl), est que Gabriel signe habituellement toutes les lettres. Loin de nous l'idée que vous devriez imiter sa signature mais ne pourriez-vous pas simplement signer « Chrestomanci » ?

– Et pourriez-vous faire parvenir le courrier au bureau de poste ? ajouta Beryl (ou peut-être Yolande).

Elles montrèrent à Christopher comment apposer sur le mot Chrestomanci la marque secrète que détient tout enchanteur à neuf vies, afin que ce mot ne soit pas utilisé contre lui par un sorcier. Christopher s'amusa beaucoup à essayer différentes signatures et joua avec le signe secret qui protégeait son nom des agissements de l'oncle Ralph. Il ne s'était jamais autant amusé de sa vie. Papa avait raison. Il était fait pour être le prochain Chrestomanci. « Qu'est-ce qui serait arrivé si ça n'avait pas été le cas ? » pensa Christopher en gribouillant une autre signature. C'était une vraie chance qu'il soit lui-même. « Eh bien, pensa-t-il, sinon on aurait bien trouvé une solution. Aucune raison de se sentir piégé. »

Quelqu'un le héla de l'autre bout de la pièce.

– Je crois que j'ai le boulot le moins fatigant, dit Tacroy en riant, couché sur le divan où il s'apprêtait à entrer pour la première fois en transe.

Il était convenu que Tacroy aurait toute une série de brèves transes, pour explorer autant de mondes que possible. Miss Rosalie, qui avait accepté de jouer de la harpe pour lui, bien qu'elle soit démunie de tout pouvoir magique, était assise au bord du divan. Quand

Christopher s'approcha, Tacroy ferma les yeux et miss Rosalie fit doucement résonner une corde. Tacroy ouvrit brusquement les yeux.

– Plus fort, femme ! Essaierais-tu d'engluer mon esprit dans une quelconque mélasse ? Ne pourrais-tu jouer de la vraie musique ?

– Du plus loin que je m'en souvienne, vous avez toujours trouvé à redire à ma musique ! rétorqua miss Rosalie. Alors autant jouer ce qui me plaît !

– Vous avez des goûts musicaux déplorables ! grogna Tacroy.

– Calmez-vous ou vous n'entrerez jamais en transe. Je ne veux pas me faire mal aux doigts pour rien ! asséna miss Rosalie.

Ils rappelaient quelque chose à Christopher, ou plutôt quelqu'un. Il tourna la tête vers la flaque d'encre au-dessus de laquelle Flavian faisait des passes magiques. Tacroy et miss Rosalie restaient les yeux dans les yeux, chacun reprochant à l'autre d'être très blessant. « Où ai-je déjà vu un regard comme celui-là ? » se demanda Christopher. Il comprenait que Tacroy et miss Rosalie auraient aimé se réconcilier, au fond, mais ils étaient trop fiers pour faire le premier pas. Qui cela lui rappelait-il ?

Quand Christopher se pencha sur la flaque d'encre, il comprit : papa et maman ! Ils faisaient exactement la même chose !

Quand il vit dans la flaque le Monde C de la Série Huit, Christopher observa à nouveau miss Rosalie qui regardait droit devant elle d'un air vexé et jouait une gigue, tandis que Beryl et Yolande dactylographiaient en cadence.

– Puis-je envoyer à quelqu'un une lettre officielle ? demanda-t-il.

– Il vous suffit de dicter, dit Yolande (à moins que ce ne soit Beryl), les doigts sur les touches.

Christopher lui donna l'adresse du Dr Pawson.

« Cher Monsieur, commença-t-il, puisque toutes les lettres qu'il avait signées commençaient par ces mots, nous vous saurions gré de nous fournir par le moyen de la voyance les coordonnées de monsieur Cosimo Chant, résidant autrefois au Japon, et de transmettre son adresse à madame Miranda Chant, résidant naguère à Kensington.

Rougissant un peu, il demanda :

– Est-ce correct ?

– Puisqu'il s'agit du Dr Pawson, dit Beryl (ou peut-être Yolande), vous devez ajouter : « Envoyez-nous votre note de frais ». Le Dr Pawson ne travaille jamais gratis. Je transmettrai une demande au service comptable pour vous. Mr Wilkinson vous réclame près de la coupe de vif-argent.

Tandis que Christopher retraversait la pièce en courant, la Déesse se souvint du chaton Proudfoot et pensa qu'il devait être mort de faim à cette heure. Elle le fit venir de la chambre de la tour, avec écharpe et biberon. Quelqu'un courut chercher du lait, ce qui prit un certain temps. Proudfoot, qui ne supportait pas d'attendre, ouvrit des yeux semblables à deux éclats de saphir et jeta un coup d'œil à la ronde. Elle réclama son lait en ouvrant une gueule rose immense d'où sortit un piaillement : « Viiiiiiiite ! ».

Quand un chaton ordinaire ouvre les yeux pour la

première fois, c'est un spectacle ravissant. Comme Proudfoot était un chat du Temple d'Asheth, ce fut un instant exceptionnel. Elle acquit instantanément une personnalité aussi forte que celle de Throgmorten, à cette différence que c'était une personnalité radicalement opposée. Elle passa de main en main car chacun voulait la câliner et la nourrir. Flavian en devint tellement gâteux qu'il ne se résolut à s'en séparer que lorsque Tacroy fut sorti de sa transe, très déprimé, car il n'avait senti Gabriel dans aucun des trois mondes qu'il avait visités. Flavian lui tendit Proudfoot pour le réconforter. Tacroy la mit sous son menton et ronronna, mais miss Rosalie la lui prit des mains et lui donna une tasse de thé bien fort, après quoi elle passa une bonne demi-heure à bêtifier avec Proudfoot.

« Ce spectacle ne doit pas être très agréable pour Throgmorten », pensa Christopher. Il descendit l'escalier pour voir si Throgmorten allait bien, et s'arrêta au beau milieu des marches, frappé par le changement qui s'était opéré au rez-de-chaussée. Le vert du sang de dragon s'estompait, mais la lumière qui descendait du dôme avait toujours un reflet vert. Sous le dôme, le Dr Simonson, Frederick Parkinson et une foule d'ouvriers en manches de chemise sciaient, martelaient, et soudaient. Le hall était recouvert de bois, d'outils, de barres de métal, et des gens ne cessaient d'apporter d'autres morceaux de bois et des outils par la porte d'entrée grande ouverte. Tous les autres étaient assis sur les marches et buvaient du thé en attendant de prendre leur tour de garde devant les miroirs magiques. Christopher pensa que si quelqu'un lui avait dit une semaine auparavant que le château de

Chrestomanci ressemblerait à un atelier en grand désordre, il n'en aurait rien cru.

Les bougies brûlaient toujours, leurs flammes vacillaient dans le courant d'air qui venait de la porte d'entrée, et, dans le pentacle noir, telle une statue, Throgmorten fixait avec férocité le trou de souris d'où était sorti l'oncle Ralph. Christopher était heureux de voir qu'il était entouré de tout ce qu'un chat pouvait désirer : une caisse, un bol de lait, des plats de poisson, une assiette de viande et une aile de poulet étaient soigneusement disposés entre les bougies, sur les branches de l'étoile. Mais Throgmorten ne s'en souciait même pas.

Personne n'avait osé toucher à la vie de Gabriel. Elle était toujours sur le sol, là où l'oncle Ralph l'avait jetée, toute molle et transparente. Quelqu'un l'avait entourée de quatre chaises de la bibliothèque et avait soigneusement tendu des cordes noires aux barreaux afin de l'isoler. Christopher l'examina. « Pas étonnant que Tacroy ne puisse rien trouver, et que les techniques de divination restent sans effet, si toutes les vies sont dans cet état », pensa-t-il. Un des jardiniers arriva en courant par la porte d'entrée et lui fit des signes désespérés.

– Pourriez-vous venir voir, haleta-t-il. Nous ne savons pas si ce sont les Wraith. Il y a des centaines de gens, tout autour du parc, et ils sont tous déguisés !

– Je vais regarder les miroirs ! répondit Christopher.

Il courut au quartier général et se précipita vers les miroirs magiques. Celui qui reflétait la grande porte offrait une vue parfaite des soldats à l'allure étrange qui regardaient à travers les barreaux. Ils étaient vêtus de courtes tuniques, et portaient des masques d'argent et des lances. Christopher en eut de violentes crampes d'estomac. Il se retourna et regarda la Déesse. Elle était livide.

– C'est l'Armée d'Asheth, chuchota-t-elle. Ils m'ont retrouvée.

– Je vais aller m'assurer qu'ils ne pourront pas entrer, dit Christopher. Il redescendit en trombe les escaliers, courut à travers le hall et sortit dans le parc avec le jardinier. Sur la pelouse, Mr McLintock passait en revue son équipe et vérifiait que chacun était muni d'une serpette ou d'une binette bien aiguisée.

– Je n'ai pas l'intention de laisser pénétrer un seul de ces infâmes Païens dans mon jardin ! dit-il.

– Leurs lances sont redoutables. Il faut que tout le monde se tienne hors de portée, dit Christopher.

Il lui suffisait d'y penser pour sentir une douleur aiguë dans la poitrine.

Il fit le tour du parc avec Mr McLintock, en s'approchant autant que possible des clôtures et des murs. Les soldats de l'Armée d'Asheth restaient de l'autre côté, comme si les sorts les empêchaient d'entrer, mais, pour plus de sécurité, Christopher en augmenta la puissance. Un simple coup d'œil sur les masques d'argent et les fers de lance lui suffit pour se sentir mal.

Il fit demi-tour et, tandis qu'il revenait en hâte au château, se rendit compte qu'il ne s'amusait plus du tout. Il se sentait petit, faible et apeuré. Combattre l'oncle Ralph était faisable, mais il ignorait absolument comment lutter contre l'Armée d'Asheth. « Si seulement Gabriel était là ! se surprit-il à penser. Gabriel savait tout sur le Temple d'Asheth. Il aurait sans doute calmement renvoyé les soldats avec un petit mot sec. Après quoi, il m'aurait puni pour avoir caché la Déesse ici alors qu'il me l'avait interdit. » Mais Christopher aurait quand même voulu qu'il soit là.

Il retraversa le hall, où la cage à oiseau se résumait pour le moment à un tas de bouts de bois et trois barres de métal courbes. Il savait qu'elle n'avait aucune chance d'être terminée avant la nuit, mais l'oncle Ralph allait sans nul doute tenter de revenir à ce moment-là. Il passa devant la vie de Gabriel, fragile mais bien à l'abri, et grimpa l'escalier jusqu'au quartier général où il trouva Tacroy qui émergeait d'une autre transe en secouant la tête d'un air sinistre. La Déesse était livide et tremblante et tous étaient à bout de nerf car aucune ombre, aucune étincelle dans les miroirs n'indiquait la présence de Gabriel.

– Je pense que je ferais mieux de télégraphier au Ministère pour qu'ils envoient l'armée, dit Christopher, découragé.

– C'est hors de question ! dit miss Rosalie.

Elle fit asseoir Christopher et la Déesse sur le divan à côté de Tacroy et leur donna une tasse de bon thé chaud et bien sucré qu'Erica venait d'apporter.

– Écoute-moi bien, Christopher, dit-elle. Si tu informes le Ministère de ce qui est arrivé à Gabriel, ils enverront un enchanteur adulte pour te remplacer et ce sera catastrophique parce qu'il sera beaucoup moins puissant que toi. Tu es le seul enchanteur à neuf vies qui existe. Nous avons besoin de toi pour ramener Gabriel quand nous l'aurons localisé. Tu es le seul à en être capable. Et l'Armée d'Asheth n'a aucune chance d'entrer dans le parc, n'est-ce pas ?

– Non, j'ai renforcé les sorts, dit Christopher.

– Bien, dit miss Rosalie. Alors la situation n'est pas désespérée. J'ai eu assez de mal à convaincre le Dr Simonson, ce n'est pas le moment que tu me laisses tomber, Christopher ! Nous allons bientôt trouver Gabriel, tu verras que tout finira bien.

– Mère Proudfoot disait toujours que c'est juste avant l'aube que la nuit semble la plus noire, fit remarquer la Déesse. Mais elle n'avait pas l'air de croire ce qu'elle disait.

Comme pour donner raison à Mère Proudfoot, au moment même où Christopher finissait son thé, Flavian s'écria :

– Oh, je comprends maintenant !

Flavian était assis derrière le grand bureau noir et essayait de comprendre le sens des ombres et des lueurs qui passaient dans les miroirs magiques. Tous ceux qui étaient effondrés par terre se redressèrent et le regardèrent, pleins d'espoir.

– Les vies de Gabriel tardent à se fixer, dit Flavian. On peut en voir nettement une voler vers la Série Neuf, une autre vers la Série Deux, mais aucune ne s'est encore posée dans un monde. Je crois que nous pouvons en conclure que les autres flottent toujours aux Marches du Monde.

Tacroy se leva en hâte et regarda par-dessus l'épaule de Flavian.

– Tu as peut-être bien raison, dit-il. Une fois j'ai cru sentir Gabriel aux Marches du Monde près de la Série Un. As-tu vu apparaître quelque chose là-bas ?

« Les Marches du Monde, c'est le Passage ! » pensa Christopher qui courut en même temps que la Déesse regarder dans les miroirs.

– Je sais comment aller là-bas, je n'aurai qu'à escalader et je le ramènerai, dit-il.

Tous se récrièrent aussitôt.

– Non, dit Flavian. Je suis toujours ton tuteur. Je te l'interdis.

– Nous avons besoin de toi ici pour combattre ton oncle, dit Tacroy.

– Tu ne peux pas me laisser toute seule face à toute l'Armée d'Asheth, dit la Déesse. Qu'est-ce qui arriverait si tu perdais une autre vie ?

– C'est juste, dit miss Rosalie. Ta dernière vie est dans un coffre protégé par des sorts que seul Gabriel peut briser. Tu ne peux pas te permettre de perdre celle qui te reste. Nous n'avons qu'à attendre que les vies de Gabriel se posent. Puis nous construirons une Porte Magique et tu passeras par-là pour aller chercher toutes les vies, ce sera moins dangereux.

Puisque même la Déesse était contre lui, Christopher renonça à son idée pour le moment. Il savait qu'il pourrait toujours se glisser jusqu'au Passage si besoin était. Pour le moment, oncle Ralph était plus important que Gabriel et probablement plus dangereux que toute l'Armée d'Asheth.

Christopher organisa des tours de garde et des patrouilles pour la nuit avec Tacroy et McLintock. Ils campèrent pour prendre leur souper dans le hall, sur les escaliers, sous les échafaudages de bois que le Dr Simonson comptait utiliser pour décrocher le lustre. A ce stade, la cage à oiseau était toujours un simple assemblage de cercles de métal et de morceaux de bois. Les cuisiniers apportèrent des chaudrons et des casseroles et servirent à manger au Dr Simonson et à son équipe afin qu'ils puissent continuer à travailler jusqu'à ce que la lumière baisse mais Christopher comprit qu'ils ne pourraient pas finir avant la nuit. Throgmorten fit une pause juste le temps de manger une assiette de caviar car il était de garde toute la nuit. On emmena Proudfoot à l'abri, et chacun alla à son tour la caresser dans la cuisine puis se prépara pour la nuit.

Christopher avait constitué des équipes composées d'individus robustes et de gens qui possédaient encore des pouvoirs magiques. Il prit lui-même la première garde. La Déesse prit la suivante. Christopher était endormi dans la bibliothèque à côté de Frederick Parkinson quand quelque chose se produisit. La Déesse surgit, tremblant de peur : elle était sûre que l'oncle Ralph avait essayé de passer par le pentacle.

– J'ai récité une formule et il a disparu, assurait-elle.

Mais ce n'était sans doute qu'une fausse alerte de Throgmorten. Quand Christopher atteignit le pentacle, il ne vit qu'un filet de fumée qui montait du trou de souris invisible et Throgmorten qui piétinait tout autour tel un tigre frustré.

Bizarrement, il ne sentit pas l'odeur du sang de dragon. Apparemment, l'oncle Ralph avait testé leur défense ou tenté de faire diversion. La véritable attaque eut lieu avant l'aube, quand Tacroy et le petit cireur étaient de garde. Elle eut lieu à l'extérieur. Des cloches se mirent à résonner dans tout le château pour avertir que les sorts avaient été brisés. Christopher courut sur la pelouse et pensa que les clameurs et les bruits métalliques qu'on entendait derrière les murs auraient suffit à réveiller tout le monde. Il arriva encore trop tard. Il vit Tacroy et le petit cireur qui récitaient frénétiquement des incantations pour combler deux brèches dans la grande haie d'épines de Mr McLintock. Il distingua quelques silhouettes en armure d'argent. Christopher, à tout hasard, renforça les sorts.

– Que s'est-il passé ? dit-il en haletant.

– Les Wraith sont tombés sur l'Armée d'Asheth, dit Tacroy qui frissonnait dans la brume du matin. Ce vent ne me dit rien qui vaille.

Tandis que les jardiniers couraient pour boucher les brèches avec des cactus et que le petit cireur plaçait de nouveaux pièges, Tacroy annonça que des éclaireurs des Wraith avaient essayé de pénétrer dans le parc. Mais l'Armée d'Asheth avait cru qu'on les attaquait et avait sans le vouloir défendu le château. Les assaillants n'avaient pas fait de quartier.

Christopher sentit l'odeur âcre du sang de dragon. Il pensa que Tacroy avait sans doute raison.

Quand ils rentrèrent au château, il faisait assez jour pour que le Dr Simonson et son équipe se remettent à l'ouvrage. Flavian, tout pâle, faisait les cent pas dans le quartier général en bâillant car il n'avait pas fermé l'œil de la nuit.

– J'avais raison au sujet des vies de Gabriel, dit-il en jubilant. Elles se sont toutes posées dans les Mondes Parallèles. J'en ai plus ou moins localisé six. En revanche, je ne peux pas trouver la septième. Je suggère que tu ailles chercher les six premières dès qu'ils auront fini ton espèce de nasse à homards.

Ils trouvaient tous que la cage ressemblait à une nasse à homards, et, juste après le petit déjeuner, on la suspendit juste au-dessus du pentacle. Christopher sauta sur l'étoile pour en vérifier le fonctionnement La magie fit son effet, tout à fait comme prévu, et la cage tomba sur lui à grand bruit. Throgmorten leva les yeux d'un air courroucé. Christopher eut un grand sourire et essaya de faire remonter la cage. Elle ne bougea pas d'un pouce. Il secoua les minces barreaux à deux mains puis essaya de la soulever, mais rien à faire. Il eut un accès de panique quand il comprit qu'il ne pourrait se dégager, même s'il avait ensorcelé la cage lui-même.

– Tu aurais dû voir la tête que tu faisais ! dit la Déesse avec un petit rire. Tu avais l'air tellement soulagé quand ils l'ont remontée !

Mais la Déesse était tout sauf joyeuse. Elle était pâle et anxieuse et se forçait à plaisanter. Christopher se rappela qu'elle n'avait qu'une seule vie et que l'Armée d'Asheth l'attendait dehors.

– Pourquoi ne viendrais-tu pas avec moi chercher les vies de Gabriel ? dit-il. L'Armée d'Asheth ne pourra jamais te retrouver si tu te déplaces sans cesse d'un monde à l'autre.

– Oh, je peux ? dit la Déesse toute joyeuse. Je me sens si coupable.

Flavian, Beryl, Yolande et Mr Wilkinson avaient eu une grande discussion, très sérieuse afin de trouver la meilleure manière de réunir les vies de Gabriel.

Christopher n'aurait jamais pensé qu'il y avait tant de façons d'envoyer les gens dans d'autres mondes. Miss Rosalie mit un terme au débat en disant brutalement :

– Nous allons édifier une Porte, ici même, dans cette chambre. Nous enverrons Mordecai en transe avec un traceur magique afin que nous puissions orienter la

Porte vers lui dès qu'il aura trouvé un Gabriel. Alors Christopher et Millie franchiront la Porte et convaincront Gabriel qu'il doit revenir au château. Rien de plus simple, non ?

« Il y a plus simple », pensa Christopher. Par exemple la Déesse et lui auraient pu édifier seuls la Porte Magique en suivant les patientes instructions de Flavian. Cette solution ne lui convenait guère. Même si Gabriel avait seul le pouvoir de lui restituer sa neuvième vie, même si tous avaient désespérément besoin de lui, Christopher n'avait aucune envie qu'il revienne. Car alors dans le château tout redeviendrait calme, respectable – adulte. Christopher travailla efficacement à la Porte simplement parce qu'il avait toujours eu du goût pour la magie appliquée.

Quand elle fut achevée, la Porte s'avéra être un objet très simple. Un grand cadre de métal enfermait deux miroirs disposés en angle. Personne n'aurait pu deviner qu'elle avait été si difficile à faire.

Christopher abandonna Tacroy couché sur son divan avec un petit point bleu sur le front – le traceur magique – et, d'assez mauvaise humeur, fit entrer la carriole du boulanger dans le parc du château. « C'est la dernière fois qu'ils me font faire ça », pensa-t-il, tandis que l'Armée d'Asheth agitait ses lances d'un air menaçant en direction du boulanger.

Quand il revint, il trouva Tacroy pâle, immobile, enfoui sous les couvertures tandis que miss Rosalie lui jouait de la harpe.

– Il est en train de franchir la Porte, dit Flavian.

Les deux miroirs s'embuèrent et reflétèrent un paysage de la Série Un. Christopher vit de grands pylones alignés qui supportaient des trains. Tacroy était sous le pilier le plus proche et il portait le costume vert que Christopher connaissait bien. Ce devait être l'uniforme de l'esprit de Tacroy. Il montra ses paumes d'un air déçu.

– Quelque chose ne va pas, dit Flavian.

Tout le monde sursauta quand le corps allongé sur le divan se mit à parler d'une étrange voix rauque.

– Je l'ai eu, dit le corps de Tacroy. Il regardait passer les trains. Il vient juste de me dire qu'il aurait certainement inventé quelque chose de mieux. Il a disparu ! Qu'est-ce que je fais ?

– Va chercher Gabriel dans la Série Deux, dit miss Rosalie en plaquant un accord.

– Ça va prendre un certain temps, coassa le corps de Tacroy.

L'image dans le miroir disparut. Christopher imagina Tacroy qui escaladait le Passage. Tous se demandaient ce qui avait pu mal tourner.

– Peut-être que les vies de Gabriel n'ont pas confiance en Mordecai, dit Flavian.

Soudain les deux miroirs reflétèrent une autre image. Cette fois ils virent une des vies de Gabriel. Elle était au sommet d'un pont et fixait la rivière qui coulait en-dessous. Elle avait l'air étonnamment fragile, toute courbée et vieille, si vieille que Christopher se dit que le Gabriel qu'il avait connu paraissait beaucoup plus jeune. L'esprit de Tacroy était là aussi. Il montait vers Gabriel, et ressemblait à s'y méprendre à Throgmorten guettant un gros oiseau noir. Gabriel ne semblait pas voir Tacroy. Il ne regardait que l'eau. Soudain la silhouette sombre et courbée disparut.

Tacroy se retrouva seul sur le pont, les yeux fixés sur l'endroit où se trouvait Gabriel.

– Cette vie est partie aussi, dit le corps de Tacroy sur le divan. Qu'est-ce que ça veut dire ?

– Attendez ! chuchota Flavian qui courut vérifier sur un autre miroir.

– Reste où tu es un instant, Mordecai, dit miss Rosalie avec douceur.

Dans les miroirs, l'esprit de Tacroy s'accouda au bord du pont et essaya d'être patient.

– Je ne peux pas le croire ! s'écria Flavian. Vite, venez tous voir ! Toutes les vies disparaissent ! Rappelle Mordecai, Rosalie, sinon il va dépenser ses forces pour rien !

Tout le monde se jeta sur les boules, les coupes, les miroirs et les flaques divinatoires. Miss Rosalie posa les deux mains sur les cordes et, dans la Porte, l'esprit de Tacroy leva la tête, l'air surpris, puis, tout à coup, il disparut comme Gabriel. Miss Rosalie se pencha et contempla avec inquiétude le corps de Tacroy qui s'étirait. Son visage reprit des couleurs. Ses yeux s'ouvrirent.

– Qu'est-ce qui s'est passé ? dit-il en rejetant ses couvertures.

– Nous n'en savons rien, dit miss Rosalie. Tous les Gabriel ont disparu.

– Non ! Pas du tout ! dit Flavian, hors de lui. Ils se rassemblent et ils viennent tous vers nous !

La demi-heure suivante fut terrible, car chacun balançait entre l'espoir et la peur. Mais les espoirs et les peurs de Christopher étaient à l'opposé de ceux des autres. Il n'aurait jamais pu supporter tout cela sans l'aide du chaton Proudfoot. Erica l'emmena avec elle quand elle apporta le thé sur un plateau pour réconforter Tacroy. Proudfoot accomplit son premier grand voyage tout le long du grand bureau noir de Gabriel et se servit de sa minuscule queue comme d'un balancier. Elle était vraiment plus intéressante à contempler que les vies de Gabriel qui virevoltaient dans l'espace en direction de la Série Douze. Christopher la regardait quand Flavian cria « Oh ! » et détourna les yeux de la flaque.

– Que se passe-t-il ? demanda-t-il.

Flavian courba le dos. Il arracha son col froissé et le jeta par terre.

– Les six vies ont cessé d'avancer, dit-il. Je ne les vois pas très nettement mais j'en suis sûr. Elles sont restées dans la Série Onze, là où se trouvait la septième. Tout est perdu !

– Pourquoi ? demanda Christopher.

– Personne ne peut aller là-bas, mon chéri, dit miss Rosalie qui semblait au bord des larmes. Du moins personne n'en est jamais revenu.

Christopher regarda Tacroy. Il était pâle, plus pâle encore qu'en état de transe. Il était exactement de la couleur du lait avec un nuage de café dedans.

Chapitre 20

C'était un merveilleux prétexte pour cesser de chercher Gabriel. Christopher s'attendait à avoir un cas de conscience. Mais il se surprit lui-même de pouvoir prendre immédiatement une décision. Il ne songea même pas que la Déesse avait entendu Tacroy avouer qu'une part de lui-même était dans la Série Onze.

— Tacroy, dit-il, sachant qu'il était important d'appeler Tacroy par son nom spirituel. Tacroy, suis-moi un moment dans un bureau où nous serons tranquilles. Je dois te parler.

Lentement, comme à regret, Tacroy se leva. Miss Rosalie dit sèchement.

– Mordecai, vous avez l'air malade. Voulez-vous que je vous accompagne ?

– Non ! dirent Tacroy et Christopher en même temps.

Tacroy s'assit sur le bord d'un bureau dans la pièce vide et mis sa tête dans ses mains. Christopher avait de la peine pour lui. Il dut faire un effort pour se rappeler que c'était Tacroy et lui-même qui avaient donné à l'Oncle Ralph l'arme qui avait pulvérisé les vies de Gabriel avant de parvenir à dire :

– Je dois te poser une question.
– Je sais, dit Tacroy.
– Alors, qu'y-a-t-il dans la Série Onze ? demanda Christopher.
Tacroy leva la tête.
– D'abord, crée un nuage de silence pour nous isoler complètement, dit-il.
Christopher s'exécuta et fit encore mieux que pour miss Belle et pour maman. Il fit si bien qu'il se sentit tout engourdi et eut de la peine à faire un trou au centre pour que Tacroy et lui puissent s'entendre. Cela fait, il était absolument sûr que même si quelqu'un parvenait à se glisser à côté d'eux, il ne pourrait pas entendre un mot. Mais Tacroy haussa les épaules.
– Ils peuvent probablement nous entendre quand même, dit-il. Leur magie n'a rien de commun avec la nôtre. Et, vois-tu, ils détiennent mon âme. C'est pourquoi ils savent presque tous ce que je fais. Quant au reste, mon esprit est contraint d'aller les en informer. Tu m'as vu aller faire mon rapport une fois. Ils m'ont convoqué dans un endroit près de Covent Garden.
– Ton âme ? dit Christopher.
– Oui, dit Tacroy amèrement. Cette part de toi qui fait de toi ce que tu es. Chez toi, l'âme se déplace de vie en vie lorsque tu en changes. Mais la mienne me fut arrachée lorsque je suis né, comme à tous les habitants de la Série Onze. Ils l'ont gardée et m'ont envoyé dans la Douze alors que j'étais encore un bébé.
Christopher regarda Tacroy. Il avait toujours su que Tacroy n'était pas comme les autres gens, avec sa peau couleur café et ses cheveux bouclés, mais il n'y avait

pas pris garde car il avait rencontré beaucoup de gens différents dans les Ailleurs.

– Pourquoi t'ont-ils renvoyé ?

– J'étais leur cobaye, dit Tacroy. Le Dright envoie de temps en temps quelqu'un dans un autre monde quand il veut faire une étude. Cette fois, il a décidé qu'il voulait étudier le Bien et le Mal alors il m'a ordonné de travailler d'abord pour Gabriel puis pour le premier malfaiteur venu, c'est-à-dire ton oncle. Dans le Monde Onze ils ne connaissent pas le bien et le mal. Ils ne se considèrent pas comme des humains. En fait non, ils pensent qu'ils sont les seuls véritables êtres humains et ils étudient les autres comme des animaux de zoo, quand tel est le bon plaisir du Dright.

Christopher comprit en entendant Tacroy qu'il haïssait profondément les gens du Onze. Il pouvait le comprendre. Tacroy était en plus mauvaise posture encore que la Déesse.

– Qui est le Dright ?

– C'est un roi, c'est un prêtre, c'est un grand magicien. (Tacroy haussa les épaules.) Non, en fait non, rien de tout cela. On l'appelle l'Ancêtre et il est âgé de milliers d'années. Il a vécu aussi longtemps parce qu'il mange les âmes des gens dès que son pouvoir décroît. Mais il est dans son droit. Tous les habitants du Onze, toutes leurs âmes lui appartiennent légalement. Et moi aussi je lui appartiens.

– A-t-il le droit d'aller prendre toutes les vies de Gabriel ? demanda Christopher. C'est bien ce qu'il a fait, n'est-ce pas ?

– J'ai su que c'était lui dès que Flavian a parlé de la Série Onze, dit Tacroy. Je sais qu'il a toujours eu envie d'étudier un être pourvu de neuf vies. Il ne pouvait pas en trouver dans le Onze car il n'y a qu'un seul monde là-bas, ce n'est pas une vraie Série. Le Dright n'a créé qu'un seul monde car il ne veut pas de rival. Tu sais bien, n'est-ce pas, que tes neuf vies ne sont que neuf doubles de toi-même qui ne sont pas nés dans d'autres mondes ?

– Oui, insista Christopher, mais que stipulent les lois du Onze à propos du vol des vies d'un enchanteur ?

– Je ne sais pas au juste, confessa Tacroy. Je ne suis même pas sûr qu'ils aient des lois comme les nôtres. C'est sûrement légal puisque le Dright agit ainsi. Là-bas il n'y a que les apparences qui comptent, les gens sont très prétentieux et ne font que ce qu'ils veulent.

Christopher décida qu'il ferait tout pour que le Dright ne s'en tire pas à si bon compte.

– Je suppose qu'il a attendu de voir combien il y avait de vies avant de les prendre toutes, dit-il. Dis-moi tout ce qui te vient à l'esprit à propos du Onze.

– Eh bien, dit Tacroy, je n'y suis jamais allé mais je sais qu'ils contrôlent tout par la magie. Ils choisissent le temps qu'il fera, ils vivent dans la forêt et décident où chaque arbre doit pousser. Ils créent leur nourriture et n'utilisent pas le feu. Ils pensent que seuls les sauvages s'en servent et ils méprisent le genre de magie en usage dans les autres mondes. Ils estiment que vous n'êtes dignes d'intérêt que si vous êtes dévoués corps et âme à un chef, un roi ou quelqu'un de ce genre. Ils admirent ce genre de personne, d'autant plus qu'ils sont eux-mêmes dépourvus de loyauté…

Tacroy parla pendant une demi-heure. Il parla comme si cela le soulageait, mais Christopher vit que c'était aussi une épreuve. Au bout d'un quart d'heure, quand il eut l'air épuisé, Christopher lui demanda d'attendre, se glissa hors du nuage et ouvrit la porte. Comme il s'en doutait, miss Rosalie était juste derrière, folle de rage.

– Mordecai s'est tué au travail pour toi ! lui cracha-t-elle au visage. Qu'est-ce que tu lui fais, là-dedans ?

– Rien, mais il a besoin de reprendre des forces dit Christopher. Pourriez-vous...

– Pour qui me prends-tu ? le coupa miss Rosalie.

Erica arriva en trombe peu après avec un plateau. Il contenait du thé, deux assiettes débordant de gâteaux et une minuscule bouteille de brandy. Quand Christopher emporta le plateau dans le nuage, Tacroy regarda le brandy, eut un grand sourire et en versa une large rasade dans son thé. Cela lui fit autant de bien que les gâteaux à Christopher. Tandis qu'ils vidaient consciencieusement le contenu du plateau, Tacroy retrouva peu à peu la mémoire. Il lui dit :

– Si tu rencontres un habitant du Onze sans avoir été prévenu, tu pourrais le prendre pour un primitif évolué, ce qui serait une grossière erreur. Ces gens sont très civilisés. Mais pour ce qui est de la noblesse...

Tacroy porta un gâteau à ses lèvres mais n'acheva pas son geste.

– Mange ton onzième gâteau ! dit Christopher.

Tacroy eut un sourire furtif.

– On connaît une ou deux choses sur eux dans ton monde, dit-il. Ce sont eux qui ont donné naissance à cette histoire de Yéti. Effectivement ils sont un peu comme ça : des bêtes brutes qui ne connaissent pas de loi. Je ne suis pas ainsi même si je suis né parmi eux.

Christopher comprit alors que sauver Gabriel allait

être la tâche la plus ardue de sa vie. Peut-être même était-ce une mission impossible.

– Serais-tu capable de venir avec moi dans le Onze ? demanda-t-il à Tacroy. Pour m'empêcher de faire des bêtises.

– Dès qu'ils sauront que je t'ai tout dit, ils me ramèneront de force là-bas, de toute façon, dit Tacroy qui était redevenu très pâle. Et tu es en danger car tu sais tout.

– Dans ce cas, dit Christopher, nous le dirons à tous les gens du château, et nous demanderons à Yolande et à Beryl de taper un rapport pour le gouvernement. Le Dright ne peut pas tuer tout le monde.

Tacroy n'avait pas l'air d'en être très sûr, mais il retourna avec Christopher au quartier général pour expliquer leur idée à tout le monde. Évidemment, personne n'était d'accord.

– Dans le Monde Onze ! s'écrièrent-ils tous. Vous ne pouvez pas y aller !

Les gens arrivèrent de tous les coins du château pour dire à Christopher qu'il avait perdu l'esprit et que ramener Gabriel était absolument impossible. Le Dr Simonson, qui avait mené à bien la construction de la nasse à homards, monta énergiquement les marches et défendit à Christopher d'aller là-bas.

Christopher s'y attendait.

– Sottises ! dit-il. Vous pouvez très bien capturer les Wraith sans mon aide maintenant.

Mais il ne s'attendait pas à ce que la Déesse lui annonce, après que tous les autres se furent tus :

– Je viens avec vous.

– Pourquoi ? dit Christopher

– Par loyauté, expliqua la Déesse. Dans les histoires de Millie, elle ne laisse jamais tomber les copains.

« Ça n'a rien à voir avec l'obsession de la Déesse », pensa Christopher. Il soupçonna qu'en réalité elle avait peur de rester seule face à l'Armée d'Asheth mais n'osait pas l'avouer. Si elle les accompagnait, elle doublerait à elle seule leur potentiel de magie.

Puis, sur les conseils de Tacroy, il s'habilla pour le voyage.

– Mets de la fourrure, dit Tacroy. Plus tu en porteras, plus tu auras l'air d'être quelqu'un d'important.

Christopher fit venir la peau de tigre du salon et la Déesse fit un trou au centre pour qu'il y passe la tête. Miss Rosalie lui trouva une luxueuse ceinture avec de gros clous de cuivre tout autour, et la gouvernante brandit un renard pour mettre autour de son cou et une étole de vison pour la Déesse.

– Ce serait bien de porter aussi des bijoux, dit Tacroy.

– Attention, pas d'argent ! cria Christopher tandis que tous se précipitaient pour chercher des joyaux.

Il se trouva muni de trois chaînes d'or et d'un rang de perles. Toutes les boucles d'oreilles de Yolande et les broches de Beryl vinrent décorer la peau de tigre. Il mit autour de sa tête la ceinture d'or de miss Rosalie et il accrocha sur son front la broche de deuil de la mère d'Erica. Dès qu'il faisait un mouvement il se mettait à carillonner, tout à fait comme la Déesse dans son Temple. La Déesse ne portait qu'une aigrette de plumes d'autruche et une paire de bracelets dorés aux chevilles par-dessus son pantalon. Il fallait que Christopher ait l'air d'être le chef. Tacroy resta comme il était.

– Ils me connaissent, dit-il. Il savent que je suis un humble personnage.

Ils serrèrent la main à tous les occupants du quartier général et se tournèrent vers la Porte. Elle était à présent orientée vers la Série Onze, du moins Flavian et Tacroy l'espéraient, mais miss Rosalie avertit Christopher qu'il leur faudrait utiliser toutes leurs forces pour briser les sortilèges qui entouraient le Monde Onze, et elle n'était pas sûre qu'ils y parviennent. Christopher ouvrit la marche en carillonnant et poussa de toutes ses forces. La Déesse lui emboîta le pas et déploya sa paire de bras magiques. Tacroy fermait la marche en murmurant une incantation.

Entrer leur fut facile. Trop facile, pensèrent-ils aussitôt. Pendant un instant, ils ne virent que des choses informes, comme dans le Passage. Puis ils se retrouvèrent dans une forêt. Un homme qui ressemblait à Tacroy les regardait.

La forêt était d'une beauté harmonieuse et paisible, le sol était couvert d'herbe grasse et dépourvu du moindre buisson. Il n'y avait que de hauts arbres minces qui étaient tous exactement semblables. Parmi les troncs lisses et légèrement luisants, l'homme se tenait sur un pied et les regardait par-dessus son épaule brune et nue. On aurait dit un cerf prêt à prendre la fuite. Il ressemblait un peu à Tacroy, car il avait la même peau couleur café et des cheveux bouclés, plus clairs, mais la ressemblance s'arrêtait là. Il était nu à l'exception d'une courte jupe de fourrure, qui le rendait identique à une statue grecque. Son visage était très différent. Christopher trouva que l'homme avait l'air d'un chameau. Il les regardait avec dégoût et un dédain suprême.

– Appelle-le. Souviens-toi de ce que je t'ai dit, chuchota Tacroy.

Il fallait être désagréable avec les gens du Onze sinon ils ne vous respectaient pas.

– Hé toi ! cria Christopher de sa voix la plus autoritaire. Toi, là ! Conduis-moi immédiatement au Dright !

L'homme semblait n'avoir rien entendu. Il continua à les fixer pendant quelques secondes, puis posa son pied sur le sol et s'éloigna dans la forêt.

– Il n'a pas entendu ? demanda la Déesse.

– Sans doute que si, dit Tacroy. Mais il voulait insister sur le fait qu'il t'est supérieur. Manifestement il est très bas dans la Hiérarchie. Ce sont les plus acharnés à prouver qu'ils valent mieux que tous les habitants des Mondes Parallèles. Avançons, nous verrons bien ce qui arrivera.

– Par où ? demanda Christopher.

– N'importe où, dit Tacroy avec un léger sourire. Ils contrôlent les directions et les distances ici.

Ils marchèrent droit devant eux. Les arbres se ressemblaient tous tellement, exactement à la même distance les uns des autres, qu'au bout d'une vingtaine de pas, Christopher se demanda s'ils avaient vraiment bougé. Il regarda derrière lui et fut soulagé de voir la Porte au milieu des troncs à bonne distance. Il se demanda si tout le Onze était couvert d'arbres. Si c'était le cas, rien d'étonnant à ce que les habitants n'utilisent pas le feu. Ils risqueraient de détruire toute la forêt. Il regarda à nouveau devant lui et, sans que le paysage ait changé le moins du monde, il découvrit qu'ils étaient parvenus à une palissade.

Elle s'étendait à perte de vue de chaque côté. Elle

était faite de planches joliment vernies, terminées par de redoutables pointes et profondément enfoncées dans le sol. Les pointes arrivaient juste à la taille de Tacroy. Ce n'était pas un obstacle difficile à franchir. Mais quand ils tentèrent de glisser entre deux planches, ils s'aperçurent qu'elles étaient beaucoup trop serrées. Quand Tacroy ôta sa veste et la posa sur les pointes afin qu'ils puissent passer par-dessus, la veste tomba de son côté. Tacroy essaya en vain six fois de suite. La Déesse regarda à gauche, Christopher regarda à droite et ils découvrirent qu'ils étaient encerclés. La Porte avait disparu. Une rangée de planches leur barrait le chemin du retour.

– Il nous avait entendus, dit la Déesse

– Je crois qu'ils nous attendaient, dit Christopher.

Tacroy jeta sa veste sur l'herbe et s'assit dessus.

– Il ne nous reste plus qu'à attendre, dit-il d'un air maussade.

– Non, pas toi, dit-il à Christopher qui s'apprêtait à s'asseoir aussi. Les gens importants restent toujours debout ici. On m'a dit que le Dright ne s'est pas assis depuis des années.

La Déesse s'effondra à côté de Tacroy et frotta ses orteils nus sur l'herbe.

– Tant pis, je n'aurai pas l'air d'être quelqu'un d'important, dit-elle. De toute façon j'en ai marre d'être importante. Hé ! Qu'est-ce qu'il fait là celui-là ?

Un garçon à l'air nerveux avec un vieux morceau de peau de mouton enroulé autour de la taille était debout à côté de Tacroy.

– J'étais là tout le temps, dit-il d'une voix timide. Mais vous n'avez pas eu l'air de me voir. Je suis prisonnier ici depuis ce matin.

L'espace à l'intérieur de la palissade n'était pas plus grand que la chambre de la tour où Christopher avait caché la Déesse. Christopher ne comprenait pas comment ils avaient pu ne pas voir le garçon, mais étant donné qu'ici rien n'était normal, c'était sans doute possible. Si l'on en jugeait par son corps blanc et efflanqué et ses cheveux blonds et lisses, ce ne devait pas être un habitant du Onze.

– Le Dright t'a capturé ? demanda la Déesse.

Le garçon frotta son curieux petit nez busqué d'un air dubitatif.

– Je ne suis pas sûr. Je n'arrive pas à me souvenir comment je suis venu ici. Mais vous qu'est-ce que vous faites là ?

– Nous cherchons quelqu'un, dit Tacroy. N'aurais-tu pas vu un homme, ou plusieurs peut-être, nommés Gabriel de Witt ?

– Gabriel de Witt, dit le garçon ! Mais c'est mon nom !

Ils le regardèrent. C'était un garçon timide et dégingandé avec des yeux doux et bleus. C'était le genre de garçon que Christopher – et probablement aussi la Déesse – aurait dominé en moins de deux minutes. Ils lui auraient donné des ordres d'une voix douce, parce qu'il était évident qu'il ne fallait pas grand-chose pour qu'il perde tous ses moyens, tout à fait comme Fenning à l'école. En fait, pensa Christopher, ce garçon lui rappelait terriblement Fenning, en plus grand et plus mince. Mais il sut en observant la forme du visage du garçon, qu'il s'agissait bel et bien de Gabriel.

– Combien de vies as-tu ? demanda-t-il sans y croire.

Le garçon sembla regarder en lui-même.

– C'est bizarre, dit-il. En général j'en ai neuf. Mais là je n'en trouve que sept.

– On a trouvé tous les Gabriel d'un seul coup ! dit la Déesse.

– Pas aussi simple, dit Tacroy. Est-ce que le mot Chrestomanci te dit quelque chose ? demanda-t-il au garçon.

– Ne serait-ce pas un vieil enchanteur ennuyeux ? dit le garçon. Je crois que son vrai nom est Benjamin Allworthy, non ?

Gabriel était redevenu un petit garçon. Benjamin Allworthy était l'avant-dernier Chrestomanci.

– Te souviens-tu de Mordecai Roberts ou de moi ? demanda Christopher. Je suis Christopher Chant.

– Ravi de faire ta connaissance, dit Gabriel de Witt avec un sourire poli et timide.

Christopher le regarda fixement, en se demandant comment Gabriel avait bien pu devenir aussi autoritaire en grandissant.

– Ça ne sert à rien dit Tacroy, quand il avait cet âge-là aucun de nous n'était né.

– Il y a du monde, dit la Déesse.

Quatre personnes, trois hommes et une femme, apparurent un peu plus loin au milieu des arbres. Les hommes portaient tous des tuniques de fourrure qui laissaient une épaule nue et la femme un vêtement plus long qui ressemblait à une robe. Ils étaient tous debout, à demi tournés vers la palissade, et discutaient. De temps à autre, l'un d'entre eux regardait la palissade avec mépris par-dessus son épaule nue. Tacroy sombra en lui-même. Son visage prit une expression de douleur.

– Christopher, n'y fais pas attention, surtout, chuchota-t-il. Ce sont les gens à qui je devais faire mon rapport. Je crois que ce sont des gens importants.

Christopher se redressa et leur lança un regard hautain. Ses pieds commençaient à lui faire mal.

– Ils font tout le temps ça, dit Gabriel. Ce sont des animaux mal élevés. Je leur ai demandé quelque chose à manger mais ils ont fait semblant de ne pas entendre.

Cinq minutes passèrent. Les pieds de Christopher enflaient, s'échauffaient et lui faisaient plus mal de seconde en seconde. Il se mit à haïr le monde Onze. Il ne semblait pas y avoir d'oiseaux, ni d'animaux, ni de vent. Seulement des rangées de beaux arbres tous semblables. Il y faisait toujours tiède. Et les gens étaient abominables.

– Je hais cette forêt, dit Gabriel. Elle est tellement toute pareille !

– Cette femme-là, dit la Déesse, me rappelle Mère Anstey. Elle ne va pas tarder à se moquer de nous et à ricaner, j'en suis sûre.

La femme porta la main à sa bouche et eut un rire méprisant et argentin.

– Qu'est-ce que je vous disais ! dit la Déesse. Ah ! Bon débarras !

Le groupe venait de disparaître.

Christopher leva un pied, puis l'autre. Mais il souffrait toujours autant.

– Tu as eu de la chance, Tacroy, dit-il. S'ils ne t'avaient pas envoyé dans notre monde, tu aurais été obligé de vivre ici.

Tacroy le regarda avec un sourire crispé et triste et haussa les épaules.

Une minute ou deux plus tard, l'homme qu'ils avaient vu d'abord réapparut. Il se promenait dans la forêt non loin d'eux. Tacroy fit signe à Christopher, qui cria avec colère :

– Hé toi ! Je t'ai dit de nous emmener voir le Dright ! Qu'est-ce qui te prend d'oser me désobéir !

L'homme fit mine de ne pas avoir entendu. Il s'approcha, s'appuya contre la palissade et les regarda comme des animaux de zoo. Pour pouvoir poser sans mal les bras sur les pointes, il fit apparaître une sorte de planchette. Christopher ne parvenait pas à comprendre quelle sorte de magie il avait utilisée. Mais la Déesse semblait toujours avoir une longueur d'avance sur Christopher. Elle fronça les sourcils et comprit tout de suite. Le morceau de bois s'envola dans les arbres et les bras de l'homme tombèrent lourdement sur les pointes. Gabriel eut un éclat de rire spontané. L'homme se redressa d'un air indigné, se frotta le bras, puis se souvint qu'il ne devait pas montrer sa souffrance devant des inférieurs. Il fit demi-tour et s'éloigna d'un pas résolu.

Christopher était ennuyé, à cause de l'homme mais aussi de la Déesse, parce qu'elle avait encore été plus rapide que lui. Il se sentit si furieux qu'il leva les bras et tenta de faire léviter l'homme en utilisant la même formule que chez le Dr Pawson. C'était extrêmement difficile. L'homme s'éleva de deux bons mètres. Mais il redescendit doucement une seconde plus tard et les regarda d'un air railleur tandis qu'il se posait doucement sur le sol.

L'incident rendit la Déesse encore plus furieuse que Christopher.

– OK ! Je m'en charge ! Gabriel, avec moi !

Gabriel lui adressa un pauvre sourire et ils levèrent les bras ensemble. En s'y mettant à deux, ils ne purent guère faire monter l'homme que d'un mètre mais ils parvinrent à le maintenir là-haut. Il fit comme si de rien n'était et continua à marcher comme s'il était sur le sol ce qui lui donnait l'air parfaitement idiot.

– Emmène-nous voir le Dright ! hurla Christopher.

– Descends ! dit la Déesse.

Et ils le firent tomber violemment par terre. Il continua à s'éloigner, toujours mine de rien, ce qui donna le fou rire à Gabriel.

– Est-ce que ça a fait avancer les choses ? demanda Christopher à Tacroy.

– Impossible de le savoir, dit Tacroy. Ils aiment vous faire attendre jusqu'à ce que vous soyez trop fatigué et agacé pour pouvoir réfléchir à quoi que ce soit.

Il se pelotonna misérablement sur le sol, les bras autour des genoux. Ils attendirent. Christopher se demandait si ce serait une bonne idée de léviter lui-même pour soulager ses pieds quand il vit que les arbres s'éloignaient lentement derrière la palissade. A moins que ce ne soit la palissade elle-même qui soit en train de s'élargir doucement, mais l'herbe ne bougeait pas. C'était difficile à dire. Christopher était inquiet. Il déglutit et continua à fixer les arbres d'un air supérieur. En moins d'une seconde les arbres avaient presque disparu et il ne vit plus qu'une grande lueur verte.

Une silhouette apparut à l'horizon, haute et robuste, qui avançait vers eux à grandes enjambées souples. Tacroy s'étrangla :

– C'est le Dright.

Christopher plissa les yeux afin d'activer sa vision magique et vit les arbres s'éloigner de plus en plus vite. Cela lui rappella la fois où il avait rassemblé les arbres en haut de Trumpington Road. Le Dright faisait la même chose. Pour faire de la magie en ce monde, il fallait apparemment travailler avec un léger décalage, comme si on se voyait soi-même dans une boule de cristal. C'était une magie sournoise et perverse. Christopher n'était pas sûr de pouvoir y arriver.

– Je ne comprends rien à cette magie exotique, soupira Gabriel.

Tandis que le Dright approchait lentement à grandes enjambées, Christopher se mordit les lèvres pour réfréner un sourire de plaisir, car il s'était rendu compte qu'il avait compris plus vite que Gabriel. Les arbres avaient laissé place à un grand pré baigné d'une lumière verdâtre. Le Dright était assez proche pour qu'ils puissent voir qu'il était habillé comme Christopher. Il portait deux peaux de lion ornées de joyaux brillants et carillonnants. Ses cheveux frisés et sa barbe hérissée étaient blancs. Il portait des bagues autour de ses orteils bruns et lisses.

– Il a l'air d'un de ces dieux très méchants, ceux qui mangent leurs enfants, dit Gabriel d'une voix claire.

Christopher dut se mordre la langue pour ne pas rire. Il commençait à aimer cette version rajeunie de Gabriel. Juste au moment où il allait éclater d'un rire irrépressible, il se retrouva de l'autre côté de la palissade, à peine à quelques mètres du Dright. Il regarda derrière lui d'un air incrédule. La Déesse et Gabriel étaient toujours prisonniers et avaient l'air un peu surpris. Tacroy était toujours par terre et faisait de son mieux pour passer inaperçu.

Christopher leva le menton et regarda le Dright dans les yeux. Il n'y avait aucune expression sur ce visage lisse et brun. Mais Christopher continua à regarder, pour savoir qui se cachait derrière ce regard vide. Le Dright éprouvait des sentiments si différents des siens, il y avait tant d'orgueil en lui, que pendant un instant Christopher ne se sentit pas plus gros qu'un insecte. Puis il se souvint du glacier qu'il avait vu des années auparavant dans la Série Sept et de Tacroy qui avait dit qu'il lui rappelait deux personnes. Christopher comprit qu'une des deux personnes était le Dright. Comme le glacier, le Dright était froid, hautain et enfermé dans un savoir trop ancien pour que les gens ordinaires le comprennent. L'autre personne à qui Tacroy avait pensé était oncle Ralph. Christopher chercha leurs points communs. Il n'y avait pas de ressemblance entre le visage prétentieux du Dright et l'air roublard de Ralph mais tous deux étaient aussi hypocrites. Christopher vit que le Dright n'hésiterait pas à mentir et à tricher, comme oncle Ralph, et comprit que tous deux étaient d'un égoïsme extraordinaire. L'oncle Ralph se servait des gens. Le Dright aussi.

– Qui es-tu ? dit le Dright d'une voix profonde et méprisante.

– Je suis le Dright, dit Christopher. Le Dright du Monde Douze A. Là-bas on m'appelle le Chrestomanci mais cela revient au même.

Ses jambes tremblaient. Mais Tacroy avait bel et bien dit que ce que le Dright respectait c'était l'orgueil. Il tendit les jambes et prit une expression hautaine.

Impossible de savoir si le Dright croyait ou non Christopher. Il ne répondit pas, et son visage resta impassible. Mais Christopher sentit que le Dright envoyait vers lui des ondes chargées de cette magie sournoise et perverse qui régnait ici, pour le tester, pour savoir si ses pouvoirs existaient vraiment et quels étaient ses points faibles. Christopher se disait qu'il n'avait que des points faibles. Mais il pensa que la magie était trop étrange ici pour qu'il sache ce que valaient ses pouvoirs, et que le Dright ne le saurait pas non plus.

Derrière le Dright, le pré se couvrit d'une foule immense. Christopher n'avait pas remarqué tous ces gens jusqu'alors. Ils avaient des visages livides et des peaux brunes, et portaient toutes sortes d'habits de fourrures ; certains n'avaient qu'une bande étroite qui leur couvrait à peine les reins, d'autres portaient des tuniques épaisses qui leur tombaient aux pieds. Il lui semblait que le Dright voulait dire : « Peu importe que tu prétendes être un Dright, regarde un peu l'étendue de mes pouvoirs. » Tous ces gens fixaient Christopher avec haine et mépris. Christopher leur rendit leurs regards. Et il se rendit compte qu'il avait déjà regardé les gens ainsi. Il avait gardé cette expression presque tout le temps depuis son arrivée au château. Cela lui fit un choc de réaliser qu'il avait été aussi désagréable que les gens du Onze.

– Que viens-tu faire ici ? dit le Dright.

Christopher chassa cette idée de son esprit. « Si je sors d'ici, j'essaierai d'être plus gentil », pensa-t-il, puis il se concentra pour se rappeler ce que Tacroy lui avait conseillé de dire.

– Je suis venu chercher quelque chose qui m'appartient, dit-il. Mais d'abord laisse-moi te présenter une de mes amies, la Vivante Asheth. Déesse, voici le Dright du Monde Onze.

Les plumes d'autruche ondulèrent sur la tête de la Déesse tandis qu'elle bondissait en haut de la palissade et s'inclinait gracieusement. Une légère crispation indiqua que le Dright était impressionné que Christopher soit accompagné de la Vivante Asheth en personne. Cependant, il n'autorisa pas la Déesse à franchir l'obstacle.

– Je sais que tu connais déjà Mordecai Roberts, qui m'appartient, dit Christopher en essayant d'avoir l'air très sûr de lui.

Le Dright ne fit aucune remarque. Derrière lui, tous les gens s'étaient assis. On aurait dit qu'ils avaient l'habitude de s'abaisser. Le Dright semblait vouloir dire : « Bien. Tu es peut-être mon égal, mais regarde, j'ai des milliers de gens derrière moi et toi seulement deux, et mon peuple obéit au moindre de mes caprices. » Christopher fut très étonné de sa réaction. Il tenta d'oublier sa surprise en observant les gens. Certains semblaient parler et rire ensemble, bien qu'il ne pût pas les entendre, d'autres faisaient cuire leur nourriture au-dessus de petites boules bleuâtres, du feu magique qu'ils utilisaient à la place du vrai. Il y avait très peu d'enfants. Christopher n'en vit que deux ou trois, assis, l'air abattu, désœuvrés. « J'aurais détesté passer mon enfance dans le Onze, pensa-t-il. Ce doit être cent fois plus ennuyeux qu'au château. »

– A qui as-tu donné la permission de se glisser dans mon monde ? dit le Dright au bout d'un moment.

Enfin, ils en arrivaient au cœur du problème. Le Dright sous-entendait que Christopher avait été un maître négligent. Christopher sourit et secoua la tête comme s'il croyait que le Dright plaisantait.

– Deux choses, dit-il. D'abord, je dois te remercier d'avoir réuni les vies de Gabriel de Witt pour moi. Cela m'a évité d'avoir à le faire moi-même. Mais tu les as rangées dans le mauvais ordre, Gabriel n'est pas un petit garçon.

– Je les ai rangées de la manière la plus commode pour moi, dit le Dright. Comme chaque fois, ses paroles étaient pleines de sous-entendus.

– Si tu veux dire qu'il est plus facile d'avoir affaire aux petits garçons, dit Christopher, je crains fort que ce ne soit pas toujours le cas. Pas en ce qui concerne les petits garçons du Douze A en tout cas.

– Et pas les petites filles non plus, dit la Déesse bien fort. Avec les filles, ce n'est jamais simple, nulle part.

– Qui est Gabriel de Witt pour toi ? dit le Dright.

– Gabriel et moi sommes comme père et fils, dit Christopher, très fier de ne pas avoir précisé qui était le père et qui était le fils.

Il jeta un coup d'œil à Tacroy derrière la palissade. Tacroy était toujours pelotonné sur lui-même, mais Christopher crut voir sa tête bouclée bouger légèrement.

– De Witt t'appartient de droit, dit le Dright. Celui-là est peut-être aussi à toi. Tout dépend de ce que tu as à dire. La palissade s'ouvrit, glissa vers l'horizon et disparut comme les arbres.

Gabriel eut l'air étonné. La Déesse ne bougea pas d'un pouce, manifestement méfiante. Christopher regarda le Dright d'un air inquiet. C'était trop beau pour être vrai.

– L'autre chose que j'ai à dire, poursuivit-il, concerne un de mes hommes habituellement connu sous le nom de Mordecai Roberts. Je crois qu'il t'appartenait autrefois, ce qui veut dire que tu détiens toujours son âme. Puisqu'il est à moi maintenant, peut-être pourrais-tu me la donner ?

Tacroy releva la tête et regarda Christopher avec horreur. Christopher n'en tint pas compte. Il savait qu'il jouait gros jeu, mais depuis le début il avait l'intention de récupérer l'âme de Tacroy. Il se campa sur ses pieds douloureux, croisa les bras sur ses fourrures et ses joyaux et sourit au Dright, comme si ce qu'il demandait était la chose la plus naturelle et la plus raisonnable du monde.

Le Dright ne montra aucune colère, aucun étonnement. Il ne s'agissait ni d'orgueil ni de maîtrise de soi. Christopher comprit que le Dright savait qu'il la demanderait et que peu lui importait qu'il le devine. Il réfléchit désespérément. Le Dright leur avait permis de venir sans encombre dans le Onze. Il avait fait semblant de considérer Christopher comme son égal et lui avait dit que les vies de Gabriel lui appartenaient. Le Dright espérait obtenir quelque chose, quelque chose qu'il devait convoiter beaucoup. Mais quoi ?

– Si mon homme t'appartient à présent, tu dois connaître son nom spirituel, fit remarquer le Dright. T'a-t-il dit son nom ?

– Oui, dit Christopher. C'est Tacroy.

Les gens assis dans la prairie derrière le Dright tournèrent la tête vers lui. Ils avaient tous l'air scandalisé

Mais le Dright dit simplement :

– Et qu'a donc fait Tacroy pour t'appartenir ?

– Il a menti pour moi pendant un jour entier, dit Christopher. Et tout le monde l'a cru.

Pour la première fois, une clameur se fit entendre. C'était un long murmure guttural qui s'élevait de la foule. Terreur ? Admiration ? Quoi qu'il en soit, Christopher savait qu'il avait prononcé les bonnes paroles. Tacroy avait raison, les gens trouvaient normal de mentir pour leur Dright. Et mentir de manière convaincante pendant tout un jour dénotait une loyauté exceptionnelle.

– Dans ce cas, il est bien possible qu'il soit à toi, admit le Dright. Mais à deux conditions. Je pose deux conditions car tu m'as demandé deux choses. La première est que tu prouves que tu peux reconnaître l'âme de cet homme.

Il esquissa un geste d'une de ses puissantes mains brunes. Christopher vit que des arbres surgissaient de chaque côté. Les troncs minces s'alignaient sur deux rangées. Quand ils cessèrent de bouger, Christopher vit qu'ils délimitaient une allée tapissée d'herbe qui conduisait à la Porte. Elle était à peu près à cent cinquante mètres. Le Dright lui montrait qu'il pourrait rentrer chez lui – à condition qu'il s'exécute.

– Il y a un grand obstacle invisible au milieu, chuchota la Déesse.

Gabriel regarda mélancoliquement la Porte par-dessus son épaule.

– Oui, c'est juste la carotte qui fait avancer l'âne, dit-il.

Tacroy se contenta de grogner, la tête entre les genoux.

Christopher vit les gens apporter des choses et les disposer sur le sol en arc de cercle. Chaque femme, chaque homme en apportait deux ou trois puis regardait Christopher d'un air sarcastique en le laissant tomber bruyamment. Il regarda les choses. Certaines étaient presque noires, d'autres jaunâtres, d'autres blanches ou brillantes. Il se demanda si c'était des statuettes, ou de grosses bulles, comme si des objets inconnus avaient fondu puis s'étaient solidifiés en concrétions irrégulières. Quelques-unes avaient l'air vaguement humain. La plupart n'évoquaient rien. Mais il connaissait bien la matière dont elles étaient faites. L'estomac de Christopher se tordit et il dut faire un gros effort pour garder un air hautain quand il comprit qu'elles étaient en argent.

Lorsqu'il y eut une bonne centaine d'objets posés sur le gazon vert, le Dright leva à nouveau la main et les gens s'immobilisèrent.

– Trouve l'âme de Tacroy parmi les âmes de mes sujets, dit-il.

Tristement, Christopher, les mains bien serrées derrière le dos pour les empêcher de trembler et éviter de faire résonner les bijoux de Beryl, inspecta l'arc de cercle. Il se sentait comme un général passant en revue une armée de lutins de métal. Il examina toute la rangée, de gauche à droite, et aucun de ces objets ne lui rappela quoi que ce soit. « Utilise la vision magique », se dit-il, tandis qu'il faisait demi-tour à l'extrême droite. Elle pourrait peut-être fonctionner s'il ne touchait pas aux statues d'argent.

Il se força à regarder les statues d'une façon particulière. Il eut un mal fou à lutter contre la magie sournoise et perverse du monde Onze. Mais, comme il le craignait, il ne vit rien de plus : les choses semblaient toujours aussi laides et dépourvues de sens. Il sentait pourtant que sa vision magique fonctionnait. Il pouvait dire qu'un grand nombre de gens assis sur le pré n'étaient pas vraiment là. Ils travaillaient pour le Dright dans une autre partie de la forêt et projetaient leur image ici sur son ordre. Sa vision magique ne fonctionnait pas sur de l'argent.

Alors comment choisir ? Il marcha de long en large, en réfléchissant. Les gens lui jetaient des regards sarcastiques et le Dright le suivait des yeux d'un air condescendant. « Tous ces gens sont si désagréables », pensa-t-il, qu'il n'est pas étonnant que leurs âmes ressemblent à de petits monstres d'argent. » Tacroy seul était gentil. Ah ! Là ! L'âme de Tacroy ! Elle était là, un peu sur la gauche. Elle n'avait pas l'air plus humain que les autres, mais elle avait l'air gentil, cent fois plus gentil que les autres.

Christopher continua à marcher, comme s'il n'avait rien vu, se demandant ce qui se passerait s'il la ramassait et perdait d'un coup tous ses pouvoirs magiques. Il lui fallait faire confiance à la Déesse. Il espéra qu'elle comprendrait.

Son expression avait dû changer. Le Dright comprit qu'il avait trouvé l'âme de Tacroy et se mit aussitôt à tricher, comme Christopher l'avait prévu. La rangée d'objets bizarres recula instantanément d'un bon kilomètre, et il put à peine distinguer l'âme de Tacroy, tout au loin. Et toutes se mirent à changer de forme, fondirent et se solidifièrent en de nouvelles étranges entités.

Puis il y eut une espèce de secousse qui les fit revenir à leur place. Dieu merci ! pensa Christopher. La Déesse ! Il garda l'œil fixé sur l'âme, qui était tout près. Il plongea en avant et la ramassa. Dès qu'il l'eut touchée, il se sentit faible, las et lourd. Il eut envie de pleurer, mais il tint bon et ne lâcha pas l'âme. La Déesse devait fixer le Dright les bras étendus. Christopher fut étonné de constater que, même dépourvu de pouvoirs, il pouvait voir sa seconde paire de bras déployés.

– Les prêtresses m'ont appris que c'était vilain de tricher, dit-elle. J'aurais cru que vous seriez trop fier pour vous abaisser à ça.

Le Dright la regarda d'un air dédaigneux.

– Peu m'importe les règles, dit-il. Christopher pensa que dépourvu de magie on acquérait une autre vision des choses. Le Dright lui semblait plus petit et plus du tout aussi impressionnant. Il avait l'air aussi roublard que l'oncle Ralph. Christopher était toujours paralysé par la peur, mais il se sentait plus à l'aise maintenant qu'il l'avait vu tel qu'il était en réalité.

Tandis que la Déesse et le Dright se défiaient du regard, Christopher marcha péniblement jusqu'à Tacroy.

– C'est pour toi, lui dit-il, en lui jetant l'étrange statue.

Tacroy se mit sur un genou, tout tremblant. Il semblait ne pas en croire ses yeux. Ses mains tremblèrent quand il se saisit de son âme. Dès qu'il l'eut touchée, la chose fondit entre ses mains. Ses ongles et ses veines devinrent argentés. Une seconde plus tard, le visage de Tacroy devint argenté lui aussi, puis il retrouva ses couleurs et redevint Tacroy. Il était radieux et ressemblait beaucoup à l'homme que Christopher avait rencontré autrefois dans le Passage.

– Maintenant, je t'appartiens vraiment ! dit Tacroy. Il eut un rire qui ressemblait à un sanglot. Tu comprends que je ne pouvais pas demander à Rosalie de... attention ! Le Dright !

Christopher se retourna et vit la Déesse à genoux, l'air hagard. Sa défaite était prévisible. Le Dright bénéficiait de milliers d'années d'expérience.

– Laisse-la tranquille ! dit-il.

Le Dright le regarda et l'espace d'un instant, Christopher sentit que la magie perverse tentait de le forcer à s'agenouiller. Puis tout s'arrêta. Le Dright n'avait pas encore obtenu ce qu'il voulait.

– Venons-en maintenant à ma seconde condition, dit posément le Dright. Je suis raisonnable. Tu es venu ici réclamer sept vies et une âme. Je te les ai données. Tout ce que je demande en échange, c'est une seule vie.

Gabriel eut un rire nerveux.

– Peu importe, j'en ai quelques-unes de rechange, dit-il. S'il faut en passer par là pour pouvoir partir...

Christopher comprit ce que le Dright voulait. Depuis le début, il voulait la vie d'un enchanteur à neuf vies, et voulait qu'on la lui offre. Si Christopher n'avait pas osé réclamer l'âme de Tacroy, il aurait demandé une vie en échange de la liberté de Gabriel. Une fraction de seconde, Christopher pensa qu'il devrait peut-être le laisser prendre une des vies de Gabriel. Après tout, il en avait sept, plus celle qui était restée par terre au château. Puis il comprit que ce serait extrêmement dangereux. Le Dright dominerait

Gabriel – comme il avait dominé Tacroy – tout au long de ses vies successives. Le Dright voulait contrôler le Chrestomanci, tout comme l'oncle Ralph avait cherché à contrôler Christopher. Ils ne devaient à aucun prix lui donner une des vies de Gabriel.

– Très bien, dit Christopher.

Pour la première fois, il était vraiment reconnaissant à Gabriel d'avoir mis sa neuvième vie à l'abri dans le coffre du château.

– Comme tu peux le constater, il me reste toujours deux vies. Tu peux en avoir une, dit-il en précisant bien les conditions du marché, car il savait que le Dright tricherait s'il en avait l'occasion. Une et une seule, parce que si tu en prenais deux, cela me tuerait. Mon monde s'attaquerait à bon droit au tien. Dès que tu auras cette vie en main, les conditions seront remplies et tu devras nous laisser tous les quatre franchir la Porte et retourner dans le Douze A.

– Entendu, dit le Dright.

Son visage paraissait toujours aussi impassible, mais Christopher vit qu'en fait il exultait. Il s'approcha solennellement de Christopher qui croisa les bras en espérant qu'il n'aurait pas trop mal. En fait, il souffrit si peu qu'il fut presque dépossédé par surprise. Le Dright fit un pas en arrière une seconde plus tard : il tenait dans ses mains une forme molle, ondoyante et transparente. La forme portait une peau de tigre translucide et un ruban doré flottait autour de sa tête diaphane.

Christopher regarda sa vie et invoqua le feu. Il l'invoqua désespérément, de toutes ses forces. Le feu était la seule chose que le Dright ne connaissait pas.

Christopher savait que contre le feu les milliers d'années d'expérience du Dright ne pourraient rien. A son grand soulagement, la Déesse avait fait exactement le même calcul. Il l'aperçut, ses quatre bras étendus, prête à apaiser le feu qu'il avait invoqué.

Sa septième vie prit feu instantanément. Le Dright la retint par les épaules alors qu'elle s'embrasait, tenta avec terreur d'étouffer les flammes. Christopher avait vu juste. La magie du feu était le point faible du Dright. Il tenta en vain de réciter la formule d'apaisement mais il avait réagi trop lentement. Il s'acharna en tenant toujours la forme par les épaules alors qu'il aurait dû utiliser ses deux mains. A ce moment, sa peau de lion prit feu. Christopher le vit tenter d'éteindre le feu et tousser dans la fumée avant de s'effondrer sur le gazon. Il se tordit de douleur. C'était pire que d'être brûlé par le dragon. Il était à l'agonie. Il n'avait pas imaginé qu'il souffrirait autant.

Tacroy le saisit, le jeta sur son épaule et courut vers la Porte. A chaque pas Christopher sentait une secousse et chaque secousse était une torture. Les yeux pleins de larmes, il vit la Déesse attraper le bras de Gabriel avec trois mains et le traîner vigoureusement vers la Porte en prononçant une formule magique. Ils l'atteignirent tous ensemble et plongèrent en même temps. Christopher eut assez de présence d'esprit pour annuler les sorts et refermer la Porte derrière eux.

Chapitre 21

Dès que la Porte fut refermée, la douleur cessa. Tacroy déposa doucement Christopher sur le sol, l'examina pour voir s'il n'avait rien et courut chercher miss Rosalie.

– Mince alors, regardez, dit la Déesse en montrant Gabriel.

Tacroy ne regardait pas. Il était trop occupé à serrer miss Rosalie dans ses bras. Christopher s'assit et regarda, comme tous les autres occupants du quartier général. Les sortilèges du Dright se dissolvaient et Gabriel grandissait par à-coups. D'abord, il fut un jeune homme avec une cravate de soie à fleurs, l'air intelligent et mélancolique, puis il fut un homme plus vieux et plus sage vêtu d'un costume élimé. Puis il devint un homme d'âge mûr aux cheveux blanchis, l'air sombre et sinistre, comme s'il avait perdu tout espoir. Un instant plus tard, cet homme était devenu un gentleman aux cheveux d'argent, puis il devint encore plus vieux et plus triste. Christopher écarquilla les yeux, horrifié autant qu'ému. Il comprit que Gabriel avait détesté être le Chrestomanci, et tous pouvaient voir les étapes qu'il avait franchies dans sa vie. « Je suis content que ce soit moins dur pour moi », se dit Christopher, tandis que Gabriel devenait enfin le vieil homme sinistre que Christopher connaissait. A ce moment, Gabriel courut vers le divan de Tacroy, s'allongea et se recroquevilla.

Beryl et Yolande se précipitèrent avec des tasses de thé. Gabriel avala d'un trait celle de Beryl (ou de Yolande). Puis il prit celle de Yolande (ou de Beryl) et la but lentement, les paupières mi-closes.

– Je te remercie de tout mon cœur, Christopher, dit-il. J'espère que la douleur a disparu.

– Oui, merci, dit Christopher, en prenant la tasse de thé que lui tendait Erica.

Gabriel regarda Tacroy qui enlaçait toujours miss Rosalie.

– Si je comprends bien, Mordecai t'est encore plus reconnaissant que moi.

– Ne le laissez pas aller en prison, dit Christopher.

Il pensa aussitôt qu'il avait oublié de parler du petit cireur.

– Je ferai mon possible, promit Gabriel, maintenant que je connais les dessous de cette affaire. Cet horrible Dright est responsable de tout – cependant, il se pourrait bien que j'aie eu raison de penser que Mordecai et toi aviez travaillé pour le compte de ton abominable oncle. Il se doutait bien qu'au contact d'un tel homme tu n'aurais pas tardé à devenir un malfaiteur toi aussi. N'est-ce pas ?

– Eh bien, dit Christopher, qui essayait d'être honnête, je pense qu'il y a du vrai là-dedans parce que nous étions tous les deux des passionnés de cricket.

– Vraiment ? dit Gabriel d'un ton poli.

Il se tourna vers la Déesse. Elle avait trouvé Proudfoot et la tenait avec amour au creux de ses mains. Gabriel regarda le chat, puis baissa les yeux sur les pieds nus de la Déesse.

– Ma jeune dame, dit-il. Vous êtes bien une dame, n'est-ce pas ? Auriez-vous la bonté de me montrer la plante de votre pied gauche ?

Légèrement méfiante, la Déesse se retourna et leva légèrement le pied. Gabriel vit la marque indigo. Il regarda Christopher.

– Oui, je suis bien Asheth, dit la Déesse. Mais ne regardez pas Christopher avec ces yeux-là ! Je suis venue ici par mes propres moyens. J'en suis tout à fait capable.

Gabriel plissa les yeux.

– Vous avez donc utilisé la Déesse Asheth comme une seconde vie ?

La Déesse détourna les yeux et acquiesça. Gabriel posa sa tasse vide et prit la tasse pleine que Flavian lui tendait.

– Ma chère enfant, dit-il en buvant à petites gorgées, vous vous êtes conduite comme une petite idiote ! Vous êtes manifestement une enchanteresse puissante. Vous n'aviez aucune raison de vous servir d'Asheth. Vous n'avez fait que lui donner un pouvoir sur vous. L'Armée d'Asheth vous poursuivra jusqu'à la fin de vos jours.

– Mais je pensais que mes pouvoirs magiques me venaient d'Asheth ! protesta la Déesse.

– Oh que non ! dit Gabriel. Asheth a des pouvoirs, mais elle ne partage jamais. Les tiens t'appartiennent en propre.

La Déesse en resta bouche bée. On aurait dit qu'elle allait pleurer. Flavian dit timidement :

– Gabriel, j'ai bien peur que l'Armée d'Asheth nous encercle déjà...

A ce moment il y eut un grand bruit : la nasse à homards venait de s'effondrer.

Tout le monde courut vers l'escalier, sauf Gabriel. Il posa sa tasse lentement, comme s'il se demandait ce qui se passait. Christopher fonça vers les marches et, pour gagner du temps, fit ce qu'il avait toujours eu envie de faire : il descendit en glissant sur la rampe de marbre rose. La Déesse le suivit. Quand ils arrivèrent au rez-de-chaussée, il virent que Gabriel était déjà là, debout près de la corde noire, et regardait sa septième vie molle et translucide. Mais personne n'y prit garde.

Oncle Ralph avait surgi du pentacle vêtu d'une armure, une masse d'armes à la main. Christopher était sûr qu'il réussirait à entrer. Mais s'il avait pensé que sa formule antichat agirait sur un chat du Temple d'Asheth, il avait commis une grande erreur. La nasse à homards était tombée juste sur le pentacle en enfermant Throgmorten et l'oncle Ralph. Throgmorten faisait tout son possible pour l'attraper. A travers la fumée âcre qui provenait du sang de dragon, on pouvait voir l'oncle Ralph tourner lourdement à l'intérieur de la cage et donner de grands coups de pied et de grands coups de masse en direction de Throgmorten qui bougeait plus vite que l'oncle Ralph, et évitait les coups. De plus, il pouvait grimper aux parois de la nasse, mais ne pouvait pas blesser l'oncle Ralph protégé par son armure. Tout ce qu'il pouvait faire était de faire grincer ses griffes dessus. Ils étaient à égalité.

Christopher vit que Gabriel était juste à côté de lui. Le visage de Gabriel était éclairé d'un large sourire mauvais, ce qui n'était pas dans ses habitudes. « Quoique, pensa Christopher, il avait ce même sourire quand on avait fait léviter l'homme du Monde Onze. »

– Si nous laissions sa chance à ce chat ? dit Gabriel. Juste une petite minute ?

Christopher acquiesça.

L'armure de l'oncle Ralph disparut, et il se retrouva vêtu de son costume de tweed roux. Instantanément, Throgmorten devint une créature en furie, volant et crachant, pourvue de sept pattes, trois têtes et d'une infinité de griffes en lames de rasoir. En un clin d'œil, il avait sauté sur l'oncle Ralph et l'avait écorché de haut en bas. Au bout d'une quinzaine de secondes, le sang coulait en si grande quantité que Christopher eut pitié de l'oncle Ralph. Au bout de trente, il fut soulagé que Throgmorten disparaisse après une pirouette.

Quand Throgmorten réapparut, la Déesse le tenait à bout de bras. Il s'agitait en donnant de grands coups de pattes.

– Non, Throgmorten dit-elle. Je t'ai déjà dit de ne pas arracher les yeux des gens. Ce n'est pas gentil.

– Gentil ou non, dit Gabriel avec nostalgie, je trouve que c'était bien agréable à regarder. Il enroulait avec précaution quelque chose sur son bras.

– Simonson, appela-t-il. Simonson, êtes-vous responsable de cette cage ? J'ai dépouillé cet homme de ses pouvoirs magiques pendant qu'il pensait à autre chose. Remontez cette cage et enfermez-le jusqu'à ce que la police vienne le prendre.

Ce qui donna lieu à un autre incident. Dès qu'il vit que la cage bougeait, Throgmorten essaya de se glisser dessous. L'oncle Ralph hurla. Un des garçons grimpa pour décrocher la cage de la chaîne du lustre. Puis on la fit glisser sur le sol. Oncle Ralph s'agitait à l'intérieur, et Throgmorten grognait sans le quitter des yeux.

Dès que le pentacle fut dégagé, un pilier d'argent jaillit du sol maculé de sang. Le pilier avait l'air humain, mais il avait au moins trente centimètres de plus que Gabriel. Il monta, monta et se révéla être une femme vêtue d'argent, portant un masque d'argent et une épée d'argent.

La Déesse gémit de terreur et essaya de se cacher derrière Christopher.

– L'argent, lui dit-il. Je ne peux rien contre l'argent.

Ses dents claquaient. Pour la première fois, il comprit à quel point on se sent nu et vulnérable quand on ne possède qu'une seule vie.

La Déesse se précipita derrière Gabriel et s'agrippa à son grand manteau noir :

– C'est Asheth ! Sauvez-moi !

– Madame, dit poliment Gabriel à l'apparition, à quoi devons-nous l'honneur de votre visite ?

L'apparition masquée jeta un regard perçant à Gabriel, puis regarda la Déesse pelotonnée derrière lui, puis Christopher, enfin la nasse à homards et le hall en grand désordre.

– J'avais espéré que ce serait un lieu plus digne, dit-elle.

La voix était profonde et mélodieuse. Elle remonta son masque sur son front, et montra un visage mince, sévère et âgé. Christopher, toujours vêtu de la peau de tigre et couvert de bijoux, se sentit soudain très mal à l'aise.

– Mère Proudfoot ! s'exclama la Déesse.

– Dès que j'ai eu repéré ta trace je n'ai cessé de tenter de passer par ce pentacle, dit Mère Proudfoot. J'aurais préféré que tu me parles plutôt que de prendre ainsi la fuite. Sois sûre que j'aurais adouci la Règle pour toi si je l'avais pu.

Elle se tourna vers Gabriel d'un air impérieux et reprit :

– Vous me semblez un individu respectable. Vous êtes le fameux enchanteur du Monde Douze A, de Witt, n'est-ce pas ?

– Pour vous servir, madame, dit Gabriel. Ne prenez pas ombrage, je vous prie, du désordre qui règne ici. Nous avons eu quelques problèmes. Nous sommes en général des gens de bonne compagnie.

– C'est ce que je crois, dit Mère Proudfoot. Voudriez-vous vous occuper de cette fille d'Asheth pour moi ? Cela me conviendrait à merveille si vous acceptiez, car je dois retourner informer les autres de sa mort.

– Qu'entendez-vous par s'occuper d'elle ? demanda Gabriel prudemment.

– Veiller à ce qu'elle soit élevée dans une bonne école et toutes ces sortes de choses, enfin devenir son tuteur légal, dit Mère Proudfoot.

Elle descendit majestueusement de son piédestal. A présent elle avait la même taille que Gabriel. Ils se ressemblaient tous deux, ils avaient la même expression triste et sérieuse.

– Elle a toujours été mon Asheth préférée, expliqua-t-elle. J'essaye d'habitude d'épargner leur vie quand elles deviennent trop vieilles, mais la plupart ne sont que de stupides petites gamines et je ne fais guère d'efforts. Mais dès que j'eus compris que celle-ci était différente, j'ai commencé à puiser dans les fonds du Temple. Je crois que j'ai assez d'argent pour assurer son avenir.

Elle souleva la traîne de sa robe. Le piédestal s'était transformé en un coffre massif. Mère Proudfoot l'ouvrit. Il était rempli à ras bord de petits éclats de quartz opalescents qui ressemblaient à des gravillons. Gabriel eut l'air fasciné. Christopher vit Tacroy et Flavian qui prononçaient le même mot en même temps, les yeux exorbités. Il crut entendre :

– Des diamants !

– Des diamants bruts, j'en ai peur, dit mère Proudfoot. Pensez-vous qu'il y en aura assez ?

– Je crois que moins de la moitié aurait suffi, dit Gabriel.

– Certes, mais j'aimerais qu'elle finisse ses études dans un pensionnat en Suisse, dit Mère Proudfoot d'un ton sec. J'ai étudié votre monde et je veux ce qu'il y a de mieux. Pourriez-vous vous en charger pour moi ? Il est évident qu'en échange les disciples d'Asheth feront leur possible pour vous être agréable.

Gabriel regarda Mère Proudfoot puis la Déesse. Il hésita puis regarda Christopher.

– Entendu, dit-il enfin.

– Mince, vous êtes un type drôlement chouette, vous ! dit la Déesse.

Elle se jeta sur Gabriel et le serra dans ses bras. Puis elle se précipita sur Mère Proudfoot et la serra bien fort.

– Je vous adore, Mère Proudfoot, dit-elle, enfouie dans les plis argentés.

Mère Proudfoot renifla un peu tandis qu'elle serrait très fort la Déesse dans ses bras. Puis elle reprit un air digne et regarda gravement Gabriel.

– Il y a encore un petit détail ennuyeux, dit-elle. Asheth réclame une vie, voyez-vous, une vie par Vivante Asheth.

Christopher soupira. On aurait dit que tout le monde, dans tous les Ailleurs, ne pensait qu'à lui prendre ses vies. Si ça continuait comme ça, il ne lui resterait que celle du coffre. Gabriel se redressa, l'air menaçant :

– Asheth n'est guère regardante, dit Mère Proudfoot avant qu'il ait pu dire un mot. Généralement je prends une des vies d'un chat du Temple.

Elle désigna de sa lance d'argent Throgmorten qui tournait autour de la nasse à homards en faisant le même bruit qu'une bouilloire.

– Cette vieille chose orange en a encore trois ou quatre de reste, poursuivit-elle. Je vais lui en prendre une.

La bouilloire se tut. Throgmorten montra ce qu'il pensait de cette proposition en se changeant instantanément en une flèche rousse qui fila en haut des escaliers.

– Peu importe, dit Gabriel. Maintenant que j'y pense, il se trouve que j'ai une vie en réserve.

Il enjamba les cordes noires et prit son double transparent qui gisait au milieu des chaises de la bibliothèque. Avec grâce, il l'enroula autour de la lance de Mère Proudfoot.

– Tenez. Ceci vous convient-il ?

– A merveille, dit Mère Proudfoot. Merci.

Elle donna un baiser à la Déesse et descendit majestueusement sous la terre en abandonnant le coffre rempli de diamants.

La Déesse ferma le coffre et s'assit dessus.

– Ah ! l'école ! dit-elle avec un sourire d'extase. Le pudding au riz, les surveillants, les dortoirs, les petites fêtes à minuit, l'éducation physique… (Elle s'arrêta et son sourire se changea en une grimace.) L'honneur ! dit-elle. Le mérite ! Monsieur de Witt, je crois que je ferais mieux de rester au château, vu tous les ennuis que j'ai causés à Christopher. Et, euh, il se sent seul, vous savez…

– Je serais un idiot de ne pas le reconnaître, dit Gabriel. Je suis en train de mettre au point un accord avec le Ministère pour qu'un bon nombre de jeunes enchanteurs viennent faire un stage ici. Pour le moment, malheureusement, je ne suis en mesure que de les employer comme domestiques, comme le jeune Jason, le petit cireur que vous voyez là, mais les choses vont changer. Il n'y a aucune raison pour que vous n'alliez pas à l'école…

– Mais si ! dit la Déesse. (Son visage était écarlate et ses yeux étaient pleins de larmes.) Je dois le mériter, comme les enfants dans les livres ! Je ne suis pas digne d'aller à l'école ! Je suis une très méchante fille. Je n'ai pas utilisé Asheth comme seconde vie pour venir ici. J'ai pris une des vies de Christopher. Je n'ai pas osé me servir d'Asheth parce que j'ai eu peur qu'elle m'empêche de partir, alors j'ai volé une des vies de Christopher quand il était coincé dans le mur et je m'en suis servie à la place. Les larmes coulaient sur ses joues.

– Mais où est-elle, maintenant ? demanda Christopher, abasourdi.

– Elle est toujours dans le mur, sanglota la Déesse. Je l'ai bien enfouie pour que personne ne puisse la trouver mais, depuis, je me sens coupable. J'ai voulu expier ma faute et me racheter mais je n'ai pas fait grand-chose de bien et je pense que je mérite d'être punie.

– Il n'y a absolument aucune raison, dit Gabriel. Maintenant que nous savons où est cette vie, nous allons envoyer Mordecai Roberts la chercher. Cesse de pleurer, jeune fille. Tu devras aller à l'école parce que sinon je devrai consacrer ton coffre de diamants à un autre usage… Considère que c'est une punition. Tu pourras venir passer les vacances au château avec les autres jeunes enchanteurs, ils seront tes camarades de jeu.

La Déesse retrouva son sourire extatique, essuya ses larmes et passa les mains dans ses cheveux.

– Pas mes camarades de jeu, corrigea-t-elle. Mes copains. Dans les livres, il y a toujours des copains.

Et ce fut la fin de l'histoire, ou presque, car Christopher reçut une lettre du Japon peu après le nouvel an.

« Christopher chéri,

Pourquoi ne m'as-tu jamais dit que papa chéri était installé au Japon ? C'est un pays si élégant, une fois qu'on s'est habitué aux coutumes locales, et ton papa et moi sommes très heureux ici. Les horoscopes que fait ton papa ont eu l'heur d'intéresser certaines personnes qui ont l'oreille de l'empereur. Nous évoluons déjà dans la meilleure société et avant qu'il soit longtemps nous irons encore plus haut. Ton papa qui t'aime adresse ses meilleurs souhaits de réussite au nouveau Chrestomanci.

Ta maman qui t'aime. »

DIANA WYNNE JONES

L'AUTEUR

Diana Wynne Jones est née à Londres. Alors qu'elle n'est encore qu'une enfant, elle décide de devenir un jour écrivain. Mais elle attend de terminer ses études et d'avoir des enfants pour réaliser son rêve. Elle habite aujourd'hui Bristol et elle a publié une trentaine de romans qui connaissent un grand succès. Elle est reconnue comme étant un auteur d'une grande qualité et d'une grande originalité. *Ma sœur est une sorcière*, a remporté le prestigieux Guardian Award en Angleterre. Il appartient à la série **Les Mondes de Chrestomanci**, tout comme *Les Neuf Vies du Magicien*, *Les Magiciens de Caprona* et *La Chasse aux sorciers*, tous disponibles dans la collection Folio Junior.

Loi n° 49-956 du 16 juillet 1949
sur les publications destinées à la jeunesse
ISBN : 2-07-058360-0
N° d'édition : 12608
N° d'impression : 59407
Dépôt légal : avril 2002
1er dépôt légal dans la même collection : novembre 1998
Imprimé en France sur les presses de la Société Nouvelle Firmin-Didot